I

Isabel Wolff est née dans le Warwickshire, en Angleterre. Après des études de littérature anglaise à Cambridge, elle devient journaliste et collabore à divers quotidiens, comme l'*Evening Standard* et le *Daily Telegraph*. Reporter radio à la *BBC*, elle fait la revue de presse du journal télévisé du matin, quand elle publie son premier roman, *Les tribulations de Tiffany Trott* en 1999. Toute la presse anglaise salue aussitôt la prose vive et expressive de cet auteur qui parvient à mêler élégamment l'humour à une critique très subtile des caractères. Ce premier roman devient bientôt un formidable succès en Grande-Bretagne et dans de nombreux pays. Avec *Les mésaventures de Minty Malone*, parues en 2000, Isabel Wolff s'est définitivement imposée comme un grand auteur de la littérature de mœurs. Elle a ensuite publié *Avis de grand frais* (2002), *Rose à la rescousse* (2003), *Misérable Miranda* (2004) et *Les amours de Laura Quick* (2006). Isabel Wolff vit aujourd'hui à Londres avec son compagnon et leur petite fille.

**Retrouvez toute l'actualité d'Isabel Wolff
sur son site : www.isabelwolff.com**

LES AMOURS
DE LAURA QUICK

DU MÊME AUTEUR :
CHEZ POCKET

LES TRIBULATIONS DE TIFFANY TROTT
LES MÉSAVENTURES DE MINTY MALONE
AVIS DE GRAND FRAIS
ROSE À LA RESCOUSSE
MISÉRABLE MIRANDA

www.isabelwolff.com

ISABEL WOLFF

LES AMOURS
DE LAURA QUICK

Traduit de l'anglais (Grande-Bretagne)
par Denyse Beaulieu

JC LATTÈS

Titre de l'édition originale :
A QUESTION OF LOVE
publiée par HarperCollins Publishers, London

© 2005, Isabel Wolff
© 2006, éditions Jean-Claude Lattès pour la traduction française
ISBN 978-2-266-16961-5

Pour Alice,
Freddie et George

« Une livre de savoir vaut une once d'amour. »

John Wesley

1

— Bonjour ! lança Terry Wogan[1], d'une voix aussi onctueuse qu'une Guinness. Il est huit heures moins dix, et si vous venez de nous rejoindre, bienvenue à notre émission.

— Merci, murmurai-je en ouvrant la petite penderie en acajou de Nick.

Le cœur serré, je passai en revue ses vêtements. À gauche, ses costumes – deux en laine, trois en lin, et quelques pantalons sport. À droite, dix ou douze chemises. Masochiste, je les caressai, en imaginant un instant que la poitrine de Nick les tendait. Je m'attardai sur sa chemise à manches courtes en soie bleu foncé, à motif de poissons tropicaux, un peu délavée. C'était sa préférée. Celle qu'il portait lors de nos dernières vacances, quatre ans auparavant.

— Et maintenant, reprit Wogan d'un ton guilleret, voici une chanson que j'ai toujours adorée…

Les premières mesures me firent tressaillir.

1. Célèbre présentateur irlandais de la BBC et de l'Eurovision. (N.d.T.)

— ... *Just when I needed you most.*

« Au moment où j'avais le plus besoin de toi... » Je sortis la chemise de Nick pour y enfouir ma figure. Tout en respirant son arôme masculin mêlé d'un léger parfum d'embruns, je me rappelai la dernière fois qu'il l'avait portée, en Crète. Il se tenait sur le balcon de notre hôtel, le visage illuminé, souriant, et levait son verre de retsina d'un air insouciant.

Tu me manques plus que jamais...

Je respirai profondément pour me calmer et me mis à l'ouvrage.

Dieu sait qui me réconfortera maintenant...

Je sortis les chemises et les passai sur mon bras pour les descendre dans la chambre d'amis. *Parce tuuuuu... m'as quittée au moment où j'avais le plus besoin de toi.*

— Oui, Nick, soufflai-je. C'est vrai.

Tout en ouvrant le vieux coffre en bois de son père pour les ranger, je me demandai ce qu'auraient fait d'autres femmes, à ma place. Offrir les vêtements de leur mari à Oxfam[1], sans doute. Je n'en avais pas eu la force. Je ne sais pas pourquoi, mais cela m'avait semblé déplacé.

— Et maintenant, reprenait Wogan tandis que je remontais à la chambre pour décrocher les costumes de Nick, je vais vous poser une question. Une question piège. Quel jour sommes-nous aujourd'hui ?

— Mercredi, répondis-je en étalant les costumes sur le lit. Le 9 février.

Mes mains tremblaient un peu en boutonnant les vestes.

---

1. ONG britannique dédiée à la lutte contre la pauvreté. *(N. d. T.)*

— C'est le premier jour du Carême.

— En effet.

— Selon la tradition, c'est un jour de réflexion mais aussi de renoncement. Alors, à quoi allez-vous renoncer pour le Carême, hein… ?

Je transportai les costumes de Nick dans la chambre d'amis et les rangeai dans le coffre, soigneusement repliés entre des pages de journaux.

— Au chocolat ? fit Wogan tandis que je me redressais, un peu courbatue.

Je jetai un coup d'œil vers le jardin. Il tombait une neige légère.

— Pas facile, n'est-ce pas ? Ou alors, à l'alcool ?

Je remontai à la chambre, tirai les pulls de Nick de la commode, puis les rangeai à leur tour dans le coffre.

— Au fast-food ? Aux bonbons… ?

Ensuite, je sortis ses chaussures et retirai délicatement ses cravates du porte-cravates. Je lissai du doigt celle qu'il avait portée le jour de notre mariage, en cachemire bleu et or, et fus presque terrassée par une vague de douleur.

— Aux jurons ? insistait Wogan. Aux cigarettes ? À la lecture des potins dans les journaux ? Allez, chers auditeurs. Réfléchissez bien. À quoi allez-vous renoncer pour le Carême ?

Je contemplai notre photo de mariage au-dessus du lit, puis tendis le bras pour la décrocher.

— À quoi je vais renoncer ? C'est simple. À mon passé.

Il faut bien essayer d'aller de l'avant, pas vrai ? Ou plutôt, « lâcher prise », comme on dit dans le jargon actuel. Donc, enfin, je lâche prise. J'ai finalement rangé les affaires de Nick : je ne veux plus vivre avec un fantôme. C'était nécessaire, je le sais bien, et pourtant, je me sens aussi coupable que si j'avais renié l'existence même de Nick et nos six ans de vie commune.

Le plus dur, ça a été le répondeur. Pendant trois ans, je n'avais pas changé le message – c'était au-dessus de mes forces – mais j'y suis enfin arrivée. Depuis ce matin, on n'entend plus la voix polie de Nick annoncer : *Bonjour, nous sommes absents pour le moment…* Ça faisait flipper tout le monde. Désormais, on n'entendra plus que moi, toute seule. *Bonjour, vous êtes bien chez Laura…*, dis-je d'un ton désinvolte et enjoué, comme si je reconnaissais enfin, publiquement, qu'il était bien parti.

Mes sœurs m'y poussaient depuis des mois.

— C'est insupportable ! s'exclamait toujours mon aînée, Felicity, chaque fois qu'elle passait me voir. Tu ne peux pas continuer comme ça, Laura ! Cet appartement est un mausolée ! Tu dois accepter ce qui s'est passé et aller de l'avant !

— Si tu n'es pas encore prête… attends, se contentait de dire Hope, ma sœur cadette, plus réservée.

En janvier dernier, j'ai décidé que j'étais enfin prête. Ma résolution du Nouvel An a été de repeindre l'appartement – cela a vraiment transformé l'ambiance – et de ranger les affaires de Nick. Je ne m'en suis pas débarrassée – cela m'aurait semblé trop impitoyable –, je les ai simplement dissimulées, pour faire disparaître les traces extérieures de sa vie avec moi. Son ordinateur, ses livres, ses portraits et, maintenant, ses vêtements ; tout est emballé dans la chambre d'amis. D'une certaine manière, cela me libère, mais j'ai, malgré tout, l'impression de le trahir. Même si je sais bien que ce n'est pas le cas.

Nick me manque. Et je suis toujours en colère contre lui. Il paraît qu'il s'agit d'une réaction courante – surtout quand on est jeune. Évidemment, c'est devenu plus facile avec le temps. Je m'y suis habituée – j'y ai bien été obligée – mais j'ai parfois des rechutes. Surtout quand je reçois une lettre destinée à Nick, envoyée par quelqu'un qui ne sait pas encore, et que je dois y répondre pour expliquer ce qui s'est passé. Ou alors, c'est le comportement de mes voisins qui me déprime. Ce matin, par exemple.

J'étais partie travailler vers neuf heures et demie. Pour la première fois depuis longtemps, je me sentais pleine d'énergie, optimiste, prête à aller de l'avant. Je venais de tourner la clé dans la serrure lorsque j'aperçus Mme French, de l'immeuble d'en face, avec son Caddie. Je lui souris, elle me sourit à son tour, mais comme toujours, son sourire était empreint de commisération. Je crus entendre son « tt-tt » compatissant. Difficile d'aller de l'avant lorsqu'on est l'objet de pitié et de curiosité de tout le quartier. Avec ma voisine Mme Singh, c'est le même cirque. Chaque fois qu'elle me voit, elle s'approche pour me poser une main sur le bras et me demander, très gentiment : « Ça va ? » Je réponds toujours, sur le ton le moins défensif possible : « Oui, merci. Bien sûr. Et vous ? » Ça m'énerve, mais je ne peux pas leur en vouloir de se souvenir de Nick. Dans cette petite rue de commères, je suis devenue « la pauvre jeune dame du numéro huit ».

Bonchurch Road est située tout au bout de Portobello Road – du côté qui n'est pas chic – tout près de Ladbroke Grove. La plupart de mes voisins habitent ici depuis plusieurs années, et tous ne sont pas aussi charitables que Mme French ou Mme Singh. À deux reprises, dans notre supérette de quartier, j'ai entendu la bonne femme au visage en lame de couteau du numéro douze souffler au gérant, d'une voix péremptoire, que j'avais dû « le pousser à ça, ce pauvre homme ». À l'époque, certaines accusations ont circulé. On me tenait responsable du geste de Nick – j'ignore pourquoi, car Nick et moi étions très heureux, merci. Ou alors, on supposait que le stress de son poste avait dû lui faire perdre les pédales. Ou encore, qu'il s'était fourré dans un pétrin si épouvantable que sa vie n'avait plus aucun sens. Quant à la nature de ce pétrin, en l'absence de toute preuve tangible (et croyez-moi, j'ai cherché), on a émis les conjectures les plus sordides. Les rumeurs étaient inévitables, d'autant que les journaux en avaient parlé, à cause du job de Nick. Bref, tout cela a été très éprouvant, à tous points de vue. Maintenant, je l'ai dit, je suis décidée à aller de l'avant, à oublier cette triste période de ma vie.

Troublée par ma rencontre avec Mme French, je tentai de me rasséréner par des pensées positives, le visage fouetté par les flocons de neige humides et tourbillonnants. Au moins, côté boulot, ça s'arrangeait. Tout en passant devant les salons de tatouage et les boucheries halal de Portobello Road, je me rappelai mes problèmes d'argent de l'époque. Dans les cas comme le mien, l'assurance ne paie rien. En plus, Nick m'avait laissé un sac d'embrouilles financières. Avec mon salaire de documentaliste de télévision, j'avais dû me débrouiller pour payer l'hypothèque toute seule, et dans ma situation, je ne pouvais pas me permettre de déménager. La banque m'avait accordé trois mois de répit et mon patron, Tom, m'avait gentiment offert une augmentation de salaire. Malgré tout, je croulais sous les dettes. Puis, j'avais trouvé la solution.

En mars dernier, le *Times* avait consacré un article à l'entreprise InQuizitive, spécialisée dans la compilation de quiz pour les bistrots et les pubs[1], qui recherchait des rédacteurs en free-lance. Comme je suis plutôt calée dans ce domaine, je les ai contactés. En plus du cachet – 2,50 livres par question –, cela me distrayait de ma détresse. Tous les soirs, en rentrant du bureau, je m'installais donc avec mes bouquins de référence pour formuler des questions. « Qui a inventé la première automobile à essence ? » (Karl Benz). « Combien y a-t-il de cases dans un jeu de Scrabble ? » (225). « Quelle est la capitale de l'Ukraine ? » (Kiev). J'aimais bien. Cela me détendait. À vrai dire, ce petit article du *Times* avait changé ma vie au-delà de ce que j'aurais pu imaginer.

Un vendredi après-midi, en juin dernier, j'avais été conviée à une réunion dans la minuscule « salle de conférences » de Trident TV avec Tom, le propriétaire de la boîte de production, et Sara, l'autre documentaliste à plein temps, pour trouver de nouveaux concepts d'émissions à proposer aux diffuseurs.

— On est fauchés ! avait lancé Tom, tout en faisant claquer un élastique entre le pouce et l'index (comme toujours lorsqu'il est anxieux). Il faut qu'on aille vers quelque chose de plus… commercial, ajouta-t-il d'un ton légèrement dédaigneux.

Je bossais chez Trident depuis cinq ans – au début, il n'y avait que Tom et moi – et nous avions produit des trucs assez costauds : deux séries sur la Première Guerre mondiale pour la chaîne Histoire, par exemple ;

---

1. En Grande-Bretagne, les pubs organisent régulièrement des soirées quiz pour leur clientèle. *(N.d.T.)*

un docu-fiction sur Hélène de Troie pour BBC Two ; une série en quatre volets sur l'éthique de la biotechnologie ; une émission d'une demi-heure sur le suaire de Turin. Nous tournions également des vidéos d'entreprise, pour faire bouillir la marmite, mais nous étions mieux connus pour la qualité de nos documentaires.

Tom s'était penché en arrière en nouant ses mains derrière sa nuque.

— C'est très chouette d'être nominés aux Bafta[1]… Mais ce dont on a vraiment besoin, là, c'est d'un truc qui rapporte.

J'avais eu un pincement au cœur. Je n'avais aucune envie de passer aux émissions de cuisine, ou à ces prétendus « sujets société » qui flattent le plus petit dénominateur commun des téléspectateurs. Tom avait fait pivoter lentement son fauteuil.

— Alors… ?

— Un truc qui rapporte ?

— Oui… d'autant qu'on aurait bien besoin de faire des travaux, ici.

Il avait jeté un coup d'œil par terre.

— Cette moquette a dépassé la date de péremption. Alors… vous avez des idées d'émission un peu plus… populaire ?

Il s'était tourné vers moi.

— Eh bien… et si on faisait… « La Ferme des inconnus » ? Ou bien « Qui veut gagner des clopinettes » ? Ou, euh…

Tom avait fait claquer l'élastique vers moi.

---

1. Prix annuels décernés par la British Academy of Film and Television Arts, équivalents aux 7 d'or et aux Césars. *(N.d.T.)*

— Ce n'est pas le moment de déconner, Laura. Je ne dis pas qu'on va faire de la merde.

— Désolée, Tom. Je suis un peu fatiguée.

— Tu as fait la fête ?

— Au contraire. Je fais des heures sup'.

— Tu fais quoi ? Si je puis me permettre.

— Tu peux. Je compile des questions de quiz.

— Vraiment ? Pourquoi ?

— D'abord parce que j'ai besoin d'argent, et ensuite, parce que ça me plaît… C'est intéressant.

— Et comment ça marche ?

J'avais étouffé un bâillement.

— En général, la société pour laquelle je travaille me passe commande d'une série de questions sur différents thèmes. Hier soir, c'était crevant parce qu'ils en voulaient vingt sur l'histoire de la Russie, et vingt sur les clubs de foot écossais de première division. Du coup, j'ai rêvé que la Grande Catherine jouait pour les Celtic Rangers !

— Hum…

— Je trouve les questions. Elles sont vérifiées, puis compilées en quiz et vendues aux pubs. Ce soir, j'en ai quinze à sortir sur les pièces d'Ibsen, et demain, quinze sur l'Église catholique romaine. En un mois, je peux gagner jusqu'à cinq cents livres. Dieu sait que j'en ai besoin.

— Des questions de quiz…

Il m'avait dévisagée fixement, sans rien dire. D'habitude, j'étais à l'aise avec Tom – nous avions d'excellentes relations professionnelles – mais là, j'étais dans mes petits souliers.

— Bon, on reprend la réunion ? avais-je dit au bout d'un moment. J'aimerais bien rentrer tôt ce soir, je suis un peu fatiguée et…

— On devrait faire un quiz, nous aussi, avait brusquement décrété Tom.

— Oui, avait repris Sara, le visage illuminé. C'est exactement ce que je me disais. C'est une idée géniale.

— Un quiz, avait répété Tom. Un truc vraiment bien. Je ne sais pas pourquoi on n'y a pas déjà pensé.

— Sans doute parce qu'il y a déjà plein de bonnes émissions de quiz, avais-je rétorqué.

— Ce n'est pas une raison pour ne pas en faire une, nous aussi.

— Il faudrait qu'elle soit différente, était intervenue Sara.

Elle avait retiré ses petites lunettes noires pour les essuyer à l'ourlet de sa jupe, comme elle le faisait toujours lorsqu'une idée l'enthousiasmait.

— Il nous faudrait un concept vraiment original, avait-elle repris.

— Oui, mais quoi ?

Pendant la demi-heure suivante, nous avions discuté des différentes émissions de quiz, en tentant d'analyser les raisons de leur succès. Dans *Qui veut gagner des millions*, c'était le Facteur Cupidité et la tension géniale créée par l'animateur. Dans *Mastermind*, c'était l'ambiance sinistre – la musique menaçante, la Chaise Noire sous les spots – inspirée, d'après Tom, par l'expérience de prisonnier de guerre de son concepteur. L'attrait du *Maillon faible* semblait provenir du spectacle fascinant de la soumission abjecte des candidats, face à une présentatrice venimeuse. Mais si les quiz avaient autant de succès, c'était tout simplement parce que chacun d'entre nous brûlait d'étaler ses connaissances. Face à un quiz, nous régressons : nous sommes tous des enfants de huit ans qui lèvent la main en classe pour donner la bonne réponse.

— Oui, avait repris Tom d'un air rêveur. Un quiz…
Qu'en penses-tu, Laura ?

J'avais haussé les épaules. J'aimais bien les quiz,
comme tout le monde, mais je n'avais pas imaginé un
seul instant que nous en produirions un.

— Eh bien… Pourquoi pas ? En fait, l'idée me plaît
assez… à condition qu'il s'agisse d'un vrai quiz de
culture générale. Avec de vraies infos. Pas des futili-
tés. Je ne supporterais pas d'avoir à compiler des questions sur les intrigues des feuilletons télé ou… je ne
sais pas… sur le bulletin scolaire du prince William.

— En effet, avait opiné Tom.

Il s'était tourné tout d'un coup vers moi.

— Au fait, il a eu quelles notes, le prince William ?

— A en géographie, B en histoire de l'art et C en
biologie.

— Quel pourrait être le format de notre quiz ?
s'était interrogé Tom en faisant pivoter son fauteuil
d'un côté puis de l'autre, les mains sur la nuque. En
quoi le nôtre pourrait-il se distinguer ?

Le lundi matin, nous avions la réponse. Au cours du
week-end, Tom avait accouché d'une idée originale
– voire franchement révolutionnaire. Ça lui était venu
comme ça, dans la baignoire. Il nous avait fait jurer
le secret. Pendant un mois, nous avions travaillé
d'arrache-pied au pilote : Tom à la réalisation, Sara,
Gill l'attaché de presse et Nerys la réceptionniste dans
le rôle des candidats et moi dans celui de la présentatrice. Une nouvelle chaîne câblée, Challenge TV, avait
acheté *Vous savez quoi ?* à une condition, assez inat-
tendue : que ce soit moi qui présente l'émission.

La stupéfaction de Tom avait été égale à la mienne.
Je n'avais pas la moindre expérience devant les camé-
ras et nous avions supposé que Challenge TV engagerait

une célébrité. Mais Adrian, le directeur des programmes, nous avait expliqué qu'il recherchait une femme – elles ne sont pas nombreuses à animer des quiz – et, surtout, une femme jeune.

— La plupart des présentateurs de quiz sont quinquagénaires. Ça va donner un souffle d'air frais, d'avoir un quiz de qualité présenté par une trentenaire. En plus, vous avez…

Adrian avait hésité un moment

— … une tête intéressante.

J'avais accusé le coup.

— Ne le prenez pas mal, Laura, s'était-il empressé d'ajouter. Enfin, vous êtes assez… inhabituelle. Ce que certains appelleraient « une jolie laide ».

— Autrement dit, je suis joliment moche, c'est ça ? avais-je rétorqué pour dissimuler mon agacement.

— Mais non, pas du tout ! Vous êtes une femme séduisante, avait-il précisé, un peu trop vite à mon gré.

— C'est vrai, avait acquiescé Tom. Laura est superbe.

— Bien sûr. Vous êtes très… séduisante, Laura… euh…

— Si l'on veut, avais-je complété d'un ton affable.

— Vos traits sont…

Il m'avait dévisagée du coin de l'œil, la tête penchée vers l'épaule.

— … peu conventionnels.

À ce stade, j'avais l'impression d'être Elephant Man.

— … vous me faites un peu penser à Andie McDowell…

— En moins bien ? avais-je suggéré.

— J'espère que je ne vous ai pas blessée.

— Non. Pas du tout.

De toute façon, j'y suis habituée. Mes sœurs sont jolies, mais moi, j'ai ce qu'on appelle avec tact « du caractère » : je tiens de mon père une mâchoire anguleuse et un nez trop long. Le pire, c'est que j'ai été un ravissant bébé – hélas, le cygne s'est transformé en vilain grand canard.

— Ce qui me plaît le plus chez vous, avait repris Adrian, c'est que vous avez de l'autorité.

— Vous croyez ?

Cela ne m'avait jamais frappée, mais l'idée me plaisait. J'aurais peut-être dû faire femme-flic... ou dominatrice.

— Une autorité naturelle... c'est la qualité la plus essentielle d'un présentateur de quiz. À mon avis, avec vous, les téléspectateurs auront l'impression d'être en de bonnes mains, d'autant que vous pourriez sans doute répondre vous-même à la plupart des questions.

— C'est vrai, était intervenu Tom. Elle est incroyablement cultivée.

— Erreur de jeunesse ! avais-je expliqué. Je l'ai passée le nez dans les bouquins.

— En plus, tu as une mémoire formidable, avait ajouté Tom chaleureusement.

Il ne se trompait pas. Les faits et les chiffres, même les plus inintéressants, me collent à l'esprit comme un chewing-gum sur l'asphalte. Il me suffit de lire une info pour la retenir. J'ai toujours considéré cette aptitude comme une aberration – un peu comme si j'avais l'oreille absolue, ou six orteils – mais c'est parfois pratique. Inutile de faire une liste pour les courses, par exemple. De me creuser la tête pour retrouver un nom ou une date. À l'âge de neuf ans, j'avais remporté un voyage à Paris pour toute la famille, parce que j'avais pu réciter le nom des cinquante États américains, en inversant l'ordre alphabétique.

— Voilà, avait repris Adrian, je crois que les téléspectateurs auront l'impression que vous ne vous contentez pas de lire les questions ; et, vu le format – surtout avec cette accroche extrêmement particulière –, c'est précisément ce qu'il faut à l'émission.

Tom était enchanté que je présente le quiz. Comme je l'ai déjà dit, nous nous entendons très bien – sur un plan strictement professionnel. J'aime beaucoup Tom ; il est intelligent, décontracté, très gentil et, oui, quand j'y songe, il est bel homme, avec une voix très séduisante. Mais je ne pourrais pas le voir autrement qu'en collègue, parce que : *a)* c'est mon patron et que ça pourrait mal tourner, et que *b)* je sais qu'il a fait un truc… pas terrible, dans sa vie.

Pour en revenir au quiz, Tom craignait qu'aucune star reconnue ne veuille le présenter. Car c'était assez risqué. Le petit « plus » de *Vous savez quoi ?*, ce qui en faisait un quiz passionnant à regarder, représentait aussi un risque non négligeable pour le présentateur… Bref, la première eut lieu en septembre. Au début, l'audience était modeste parce qu'on était sur le câble – un peu plus de cinq cent mille téléspectateurs. Mais nous avions bon espoir, d'autant qu'un entrefilet paru dans *Time Out* soulignait la dimension « subversive » et « pointue » du concept. Immédiatement, Channel Four nous chipa à Challenge, en offrant trente mille livres de plus par émission pour la deuxième saison.

Ce soir, c'est le grand soir, parce que *Vous savez quoi ?* va être diffusé pour la première fois dans le pays tout entier. Je devrais en être ravie, et je le suis. Mais je suis également terrorisée.

Présenter un quiz en prime time sur une chaîne nationale comporte aussi des inconvénients. D'énormes inconvénients. J'en serais presque à espérer un four. Parce que si ça marche, la presse va forcément ressortir ce qui est arrivé à Nick.

Je m'arrêtai au kiosque à journaux pour acheter l'*Independent*. En parvenant à la page des programmes télé, je sentis monter une bouffée d'adrénaline. Voilà : 20 heures. Un encadré « à voir » renvoyait en haut de page. Je scannai l'article. *Hé... Vous savez quoi ? Encore un nouveau quiz ! Mais vous savez quoi ? Celui-là est vraiment différent. La débutante Laura Quick (photo de droite) a l'air calée... et elle a intérêt à l'être. Ça promet d'être palpitant.*

J'avais l'estomac noué, mais en traversant la rue vers All Saints' Mews, je sentis ma tension s'atténuer. Pour moi, c'est la plus jolie rue de Londres ; même par une journée froide et neigeuse comme celle-ci. Les maisons sont toutes peintes en couleurs de ville balnéaire, rose, citron et bleu. Des plantes grimpantes s'accrochent à d'élégants balcons en fer forgé. En passant devant le numéro douze, je humai le parfum des clématites blanches et des hellébores mauves.

Les bureaux de Trident TV occupent deux maisons blanches, réunies dans les années 1970 : c'est le seul immeuble commercial des Mews. Je secouai mon parapluie et poussai la porte. Nerys était installée derrière son bureau, dans notre minuscule espace d'accueil.

— Alors là, je lui ai répondu..., chuchota-t-elle au téléphone. Et puis elle s'est retournée vers moi et elle m'a dit... enfin, non... voilà. Elle a un sacré culot, alors je me suis dit, non, je ne vais pas me laisser faire, alors je me suis tournée vers elle et j'ai fait… Ah, un moment, Shirley…

— Bonjour, fis-je d'un ton affable.

Je n'aime pas beaucoup Nerys mais je suis toujours polie avec elle.

— Salut, Laura. Je te rappelle, Shirley.

Elle posa le combiné.

— C'est pour vous…

Elle désigna d'un air de conspiratrice le bouquet de tulipes roses, de roses blanches et de mimosa doré. Puis elle lissa ses cheveux couleur marmelade d'orange et tellement chargés de laque qu'ils avaient la texture d'une barbe à papa.

— On l'a livré il y a une heure.

— Comme c'est gentil ! m'émerveillai-je.

Du coup, Nerys m'agaça nettement moins. La senteur vanillée des mimosas était délicieuse. Je détachai la carte.

— Qui les a envoyées ?

— Votre sœur Hope et son mari.

De nouveau agacée, je répliquai :

— Comment le savez-vous ?

— Elle a appelé pour s'assurer qu'elles avaient bien été livrées.

— Je vois. Peu importe, ajoutai-je rapidement. J'aurais préféré avoir la surprise, mais…

Nerys examina ses ongles.

— Désolée, Laura, vous m'avez posé la question.

— C'était une question en l'air, expliquai-je gentiment en retirant mon manteau.

Insensible au reproche – elle a une peau de pachyderme –, Nerys scruta mon buste.

— Vous n'allez pas porter ça sur le plateau ?

— Si. Pourquoi ?

Elle pencha la tête sur l'épaule.

— Eh bien ! si vous voulez mon avis, je ne crois pas que cette couleur soit seyante, pour vous.

— Je ne vous ai pas demandé votre avis, Nerys.

— Croyez-moi, ce vert acidulé…

Elle fit siffler l'air entre ses dents.

— … non, non. Ça ne va pas du tout. Vous devriez porter du rose, ajouta-t-elle tandis que la sonnerie du téléphone retentissait. Ou du pêche. D'ailleurs, vous savez ce que vous devriez faire ? Vous devriez vous faire faire un diagnostic couleur. D'après moi, vous êtes une « Été ».

En réalité, quand j'affirme que je n'aime pas beaucoup Nerys, je veux dire qu'elle m'horripile carrément. Parfois, je m'imagine que je la débite en croquettes pour la faire bouffer au chat de ma voisine. Je me suis souvent demandé pourquoi elle me fait cet effet-là. Parce qu'elle passe ses coups de fil perso toute la journée ? Ce n'est pas mon problème – Trident appartient à Tom. Parce qu'elle est mauvaise langue ? Non. Elle manque totalement de tact, mais elle n'est pas méchante. Parce qu'elle répète constamment : « On ne me donnerait pas cinquante-trois ans, n'est-ce pas ? » ? Après tout, elle a bien le droit de se faire des illusions. Non, si Nerys me met littéralement hors de moi, c'est parce qu'elle appartient à cette catégorie suprêmement horripilante de l'humanité qui en sait toujours plus que vous. Quel que soit le sujet, Nerys est persuadée de détenir la réponse. Toutes ses phrases débutent par : « Croyez-moi », « Si vous me demandez mon avis… », « Je vais vous dire ce que j'en pense… » Comme nous travaillons dans un petit immeuble en espace ouvert, elle n'en rate pas une.

On discute d'un truc pour l'émission, et tout d'un coup, on l'entend clamer son opinion depuis son bureau, avec une assurance qui n'a d'égale que son ignorance. L'autre jour, par exemple, je discutais de Wallis Simpson avec Dylan, notre nouveau rédacteur – une grosse tête, donc parfait pour le quiz. Dylan s'occupe de la science, de la géographie et du sport, tandis que je me charge de la politique, de l'histoire et des arts. Donc, nous discutions de l'époque où le duc de Windsor était gouverneur des Bahamas. Une voix fusa de la réception :

— C'était plutôt les Bermudes, non ? Le duc de Windsor a été gouverneur des Bermudes, n'est-ce pas ?

— Non, Nerys, répliqua poliment Dylan. Les Bahamas.

— Vraiment ?

Il y eut un instant de silence stupéfait – et franchement impertinent.

— Vous en êtes sûr ? insista-t-elle.

— Oui, Nerys. Absolument certain, répondit Dylan avec une patience angélique.

— Parce que moi, je crois que c'étaient les Bermudes.

— Vraiment, Nerys, tranchai-je. C'étaient les Bahamas, parce que : *a)* c'est comme ça, et que *b)* Dylan et moi venons de le vérifier dans deux ouvrages de référence et sur Internet pour nous en assurer à cent dix pour cent. Comme toujours.

— Je vois, rétorqua-t-elle.

Elle ajouta, comme si elle cédait par pure politesse :

— Si vous en êtes sûrs…

Je sais bien qu'il n'est pas raisonnable d'éprouver une telle aversion pour Nerys : elle est pleine de bonne volonté et souhaite sincèrement se rendre utile. C'est d'ailleurs son grand but dans l'existence. Je l'ai vue pratiquement agresser des touristes pour leur indiquer le chemin de Portobello Road, et à plusieurs reprises, je l'ai entendue donner son avis à des inconnus dans des magasins alors qu'on ne lui avait rien demandé. « Vous n'allez pas payer quinze livres pour ça… Chez Woolworth's, ça vaut dix livres… oui, c'est ça. Dix livres… Ce n'est pas loin d'ici… Vous prenez la deuxième rue à gauche, la troisième à droite, ensuite tout droit pendant huit cents mètres, première à droite, quatrième à gauche, vous passez devant Buybest, en face de la pharmacie ABC… Non, non, je vous en prie. Non, vraiment… Tout le plaisir est pour moi… Non, vraiment. »

En plus, Nerys est convaincue que le monde entier lui est redevable, et se délecte d'une gratitude aussi universelle qu'imaginaire. Elle nous renvoie nos rebuffades comme un tank attaqué par des balles de ping-pong : elles lui rebondissent dessus sans l'affecter le moindrement. Bien qu'elle nous exaspère, Tom a de bonnes raisons de la garder : d'abord, le fait d'avoir une réceptionniste nous donne l'air d'être une boîte bien plus importante ; ensuite, parce qu'elle adore bosser pour lui. En deux ans, elle est toujours arrivée à l'heure, elle n'a jamais pris un jour de congé et, à sa façon, elle fait bien son boulot. Elle ouvre les bureaux le matin. Si la photocopieuse tombe en panne, elle la fait réparer. Elle se charge de tout le travail administratif et nous réserve des voitures pour nous rendre au studio. Elle change les ampoules grillées et arrose les plantes. Tom apprécie sa loyauté ; il se sent également responsable d'elle. D'après lui, elle est tellement énervante qu'elle ne retrouverait pas d'autre poste. Inutile de dire que Nerys se prend pour un as des quiz et qu'elle est ravie du succès de *Vous savez quoi ?*.

— Dommage que je ne puisse pas y passer, répète-t-elle sans arrêt. Je pense que je m'en sortirais très bien.

Je me rendis à mon bureau, qui ressemblait de plus en plus à une petite bibliothèque – chaque centimètre de mur disponible était tapissé d'ouvrages de référence, nécessaires à la compilation des questions. Les étagères bancales croulaient sous les guides de cinéma, les dictionnaires d'histoire de l'art et les vingt-neuf volumes de l'*Encyclopaedia Britannica*. Sans compter le *Dictionnaire Oxford des citations*, le *Livre Guinness des records* et le *Who's Who*.

Derrière son bureau, Dylan enroulait distraitement son lacet de bottine autour de son index, tandis que Tom se penchait au-dessus de l'imprimante, qui crachait des textes.

— Salut, dis-je à Tom dans le vacarme du jet d'encre.

En général, Tom portait un jean, mais comme on allait en studio aujourd'hui – on enregistrait avec six semaines d'avance –, il avait passé son unique costume, prince-de-galles.

Il leva la tête.

— Salut, Laura.

Ses yeux bleus se plissèrent lorsqu'il sourit, accentuant ses fines pattes-d'oie.

— Dis, je dois te poser une question très sérieuse.

— Vas-y.

— De qui sont ces fleurs ?

Je souris à mon tour.

— De ma sœur Hope et de son mari… Pour me souhaiter bonne chance. Pourquoi ?

— J'ai cru qu'elles venaient d'un admirateur, c'est tout.

— Ben non.

Je m'installai à mon bureau.

— Je n'en ai aucun.

— Je suis sûr que si.

— Non, je t'assure. Je n'ai aucun homme dans ma vie.

— Alors il est temps. Tu es jeune, Laura.

— Plus autant que ça.

— Tu es belle.

— Pas vraiment, mais merci.

— Tu dois te bouger… *Carpe diem*. Cueille le jour.

— Oui, répondis-je. Tu as sans doute raison.

Certes, l'idée m'effrayait. Mais une nouvelle histoire m'aiderait sûrement à aller de l'avant, et sans vouloir paraître insensible, Nick n'était pas vraiment en mesure de s'y opposer.

— Enfin, c'est un grand jour pour toi, aujourd'hui.

Mon estomac se noua.

— En effet, c'est un grand jour… tu l'as dit.

Aujourd'hui, songeai-je, ma vie pourrait se transformer à jamais.

Tom tira les derniers feuillets de l'imprimante et les remit en ordre.

— Alors ça va ?

Je secouai la tête.

— À vrai dire, j'ai un trac fou.

— Les critiques vont t'adorer, Laura. Aie confiance.

Il saisit une agrafeuse rouge pour fixer les pages.

— Non, ce n'est pas ce que je voulais dire.

L'agrafeuse s'arrêta à mi-course.

— Ah, fit Tom d'une voix sourde. À cause de… Nick.

Tom sait ce qui s'est passé. Comme tout le monde, ici… évidemment. Ça a fait assez de bruit.

— J'ai l'impression d'être une cible, et qu'on va me tirer dessus.

Tom me dévisagea, puis recommença à agrafer ses documents.

— Tu as décidé de courir ce risque. On en a parlé quand tu as accepté de présenter l'émission, non ?

— Oui, marmonnai-je. C'est vrai. Mais à l'époque, c'était pour le câble – on ne s'imaginait pas qu'on passerait sur une chaîne nationale, encore moins à une heure de grande écoute.

— J'espère que tu ne le regrettes pas ?

— Non, soupirai-je. Bien sûr que non. J'en étais ravie, et je le suis toujours. Mais maintenant que je m'expose au regard des médias… je suis terrifiée.

— Ne le sois pas.

Il se redressa.

— De toute façon, Laura, tu n'es pas responsable de ce qui est arrivé à Nick. N'est-ce pas ?

Je le dévisageai. *Responsable…*

— Non, non. Je n'en suis pas responsable.

— Si l'émission a du succès, reprit-il, on risque en effet de reparler de cette histoire. Assure-toi de la discrétion de tes proches.

Il faudrait que je rappelle à mes sœurs de se taire.

— Quoi qu'il en soit, tu n'as rien fait de mal. Tu n'as rien à te reprocher, Laura, n'est-ce pas ?

À me reprocher…

— Non. Non, rien. Tu as raison.

— En tout cas, il y a un petit papier sympa dans le *Times*, dit-il. Voilà…

Il me le tendit. On y louait le concept « unique en son genre » de l'émission – avec son « coup de théâtre » inattendu – et mon savoir-faire de présentatrice. Je montrai à Tom l'article de l'*Independent*. Il hocha la tête.

— « Palpitant », lut-il. Bien. Eh bien moi aussi, je trouve ça palpitant… si je puis me permettre de parler ainsi de mon propre bébé.

Je levai les yeux vers lui.

— Bon, je dois aller au studio.

Il prit son manteau.

— Nerys ! cria-t-il. Ma voiture est là ?

Je l'aperçus entre les lamelles du store.

— Elle arrive à l'instant.

— Je te vois dans une heure environ, d'accord, Laura ? dit Tom.

Je hochai la tête.

— Ne sois pas en retard.

— Non. Je vais juste demander à Dylan de relire les textes une dernière fois.

Je disposai les fleurs dans un vase, puis envoyai un mot de remerciement à Hope par e-mail. Je venais de presser la touche « envoi » quand Dylan raccrocha le téléphone et me fit signe. Avant de travailler chez nous, il rédigeait les questions de *Mastermind*. Il était chargé de sélectionner les sujets abordés dans l'émission et d'établir l'ordre des questions : nous les révisions toujours ensemble avant l'enregistrement.

— Bon, très bien, Laura.

Il prit son clipboard.

— On démarre. Comment se nomme l'alliage du cuivre et du plomb ?

— Laiton ! hurla Nerys depuis l'accueil.

— Bronze, répondis-je.

— Exact.

— Quel est le chiffre romain pour « mille » ?

— « C » ! glapit-elle.

— C'est « M ».

— Quelle est la capitale de l'Arménie ?

— Oulan Bator !

— Erevan.

— C'est Erevan, fit Dylan en levant les yeux au ciel.

Je m'assis derrière mon bureau.

— Qu'est-ce qu'un breitschwanz ?

Je levai les yeux vers lui.

— Un quoi ?

— Un breitschwanz.

— Passez ! me lança Nerys. De toute façon, c'est une question trop difficile, si vous me demandez mon avis. Trident Tééééé-Véééé… ?

— Un breitschwanz ? répétai-je. Je n'en ai aucune idée.

— C'est une variété d'astrakan. Tu peux accepter « agneau ». Qui a découvert la source du Nil ?

— Livingstone, répondis-je distraitement. Non, pas Livingstone. Euh… je veux dire Speke.

— À quelle chaîne de montagnes écossaise appartient l'Aviemore ?

— Les Cairgorms.

— Quelle est la couleur traditionnelle du deuil dans l'islam ?

— Le blanc.

— Dans la biologie humaine, quel terme désigne la petite boule creuse de cellules au premier stade du développement de l'embryon ?

Mes entrailles se tordirent.

— Allez ! m'encouragea Dylan. Tu ne le sais pas ? Ce n'est pas possible… une femme aussi bien informée que toi.

— Oui, je sais. Un blastocyste.

— Exact.

Je visualisai un petit amas, pas plus gros qu'un point, déjà vivant, s'enfouissant dans la douceur sombre de la paroi utérine.

— Ça va, Laura ?

— Quoi ? Euh, oui, bien sûr. Continue.

Il tourna la page.

— Comment dit-on « Inde » en langue hindi ?

Sindh ? Non, c'était une province... Le nom pour l'Inde en hindi... ça commençait par un « b »... un « b »... un « b »... un « b »...

— *Bharat*, non ?

— Exact.

— On a couvert tous les domaines ? lui demandai-je lorsque nous eûmes révisé les soixante questions.

Dylan hocha la tête.

— De A à Z.

Il inspira profondément.

— Histoire, politique, science, littérature, religion, philosophie, géographie, monarchie, musique classique, musique pop, spectacles, architecture, ballets, beaux-arts et sport.

— Donc, c'est complet.

— Le conducteur te va ?

Je le parcourus rapidement.

— Ça a l'air parfait.

— Votre voiture est là, Laura ! me lança Nerys.

Je pris mon sac.

— Tu viens avec moi, Dylan ?

Il empoigna sa veste et son casque de motard.

— Non, je te rejoins là-bas ; j'ai ma bécane.

— Faites attention sur votre engin, d'accord ? s'exclama Nerys tandis qu'il sortait. Vous devez être prudent !

— Oui, Nerys. Je suis toujours prudent.

Lorsque je passai devant son bureau, Nerys me tendit une grosse enveloppe.

— C'est la liste des candidats. Sara m'a demandé de vous la transmettre.

— Merci. J'y jetterai un coup d'œil en route.

— Bon courage, Laura.

Elle me scruta.

— Oui. Vous êtes une « Été ». Je vous le confirme. Bon-JOUR, Trident Téééé-véééé…

Notre studio d'enregistrement était situé à Acton, donc le trajet n'était pas trop long depuis Notting Hill. Mais ce jour-là, les voitures roulaient au pas à cause de la météo – la neige avait viré à la pluie battante. Nous avons donc été bloqués pendant dix minutes à White City derrière un automobiliste en panne, puis nous sommes tombés sur des travaux de voirie. Tandis que le chauffeur pestait contre les hommes politiques, je me souvins de la liste. Je ne rencontrais pas les candidats avant l'enregistrement – Sara leur faisait passer leurs auditions – mais le jour même, on me fournissait une courte biographie de chacun d'entre eux. J'étais sur le point de décacheter l'enveloppe quand mon téléphone portable sonna. Je fouillai dans mon sac.

— Laura !

C'était ma sœur aînée, Felicity. Elle adore bavarder – hélas, elle n'a qu'un seul sujet de conversation. Allons, courage.

— Devine ce qu'Olivia a découvert ce matin ? souffla-t-elle.

36

— Laisse-moi deviner, répondis-je. Le remède contre le cancer ? La vie sur Mars ? Le carré de l'hypoténuse ?

Felicity ricana, ravie.

— Ne dis pas de bêtises, Laura. Pas encore.

— Qu'a-t-elle donc découvert ? Dis-moi ?

— C'est trop mignon – ses pieds !

— Vraiment ? Où étaient-ils ?

— Au bout de ses jambes, évidemment !

— Comme toujours, non ?

— Oui, mais les bébés ne le savent pas ! Ils le découvrent tout d'un coup vers les six mois, et ça les fascine. Je voulais juste te faire partager ça.

Je réprimai un bâillement.

— Ce matin, j'étais en train de changer ses couches, elle gazouillait avec un sourire adorable… Hein, mon petit bébé d'amour adoré à sa maman ? Quand tout d'un coup, elle a regardé ses pieds d'un air vraiment profond, puis elle les a pris et elle s'est mise à jouer avec. Laura, c'était incroyable… elle jouait avec ses orteils et… Tu m'écoutes, Laura ?

— Oui… Oui, je t'écoute.

— Tu ne trouves pas ça incroyable ?

Je songeai au petit amas de cellules microscopiques en train de se diviser, de doubler de taille.

— C'est un miracle.

— Je n'irai pas jusque-là. Mais c'est une étape importante. Et ce qui est formidable, c'est qu'Olivia n'a que cinq mois et trois jours – elle a un mois d'avance. Ta nièce est très en avance pour son âge… Pas vrai, mon petit agneau tout rose ? Tu es TRÈS, TRÈS en avance pour ton âge !

Sa voix avait, brusquement, gravi deux octaves.

— Alors ça marche, de la nourrir au sein, fis-je, me forçant à l'enthousiasme.

— Oui, absolument. Ça les rend beaucoup plus intelligents.

— Je n'en suis pas si sûre, Fliss. Maman nous a nourries seulement deux semaines et…

— Je sais, s'indigna-t-elle. Tu t'imagines, combien nous serions intelligentes aujourd'hui ! Zut, elle vient de régurgiter… Ne quitte pas… Ça va mon petit chou chéri, ce n'est pas grave ! Où est le gant de toilette ? Je n'arrive jamais à mettre la main dessus quand j'en ai besoin… Merde, merde, merde ! Ah, voilà… Laura ? Laura ? Tu es toujours là ?

— Oui, mais je suis en route pour le studio et…

— Je t'ai dit que j'avais commencé à lui donner de la nourriture solide ? me coupa-t-elle de nouveau.

— Oui, Fliss. Tu me l'as déjà dit.

Felicity est la championne du monde du radotage bébé. Elle me raconte tout sur Olivia – son développement, sa vivacité mentale, ses gains de poids, la pousse de ses cheveux, sa beauté supérieure à celle des autres bébés – et sur ses joies de maman. Pas pour m'écraser de sa supériorité – c'est quelqu'un de gentil et de chaleureux –, mais parce que c'est plus fort qu'elle, tant elle est heureuse. Comme nous sommes toutes trois très proches et que Hope et moi, nous n'avons pas d'enfants – Hope n'en a jamais voulu –, Fliss aime partager tout cela avec nous. Pour elle, c'est un cadeau à ses sœurs sans enfants : elle nous tient au courant des moindres détails de l'existence d'Olivia. Malgré ses bonnes intentions, cela m'agace. À vrai dire… ça me flanque parfois le cafard. Je repense alors à tout ce qu'elle a dû endurer pour avoir ce bébé. « Je marcherais sur du verre brisé, s'il le fallait », m'affirmait-elle, en larmes. Pour avoir Olivia, elle a mis dix ans et subi six fécondations *in vitro*. C'était d'autant plus frustrant pour Fliss, qu'elle travaillait comme institutrice dans une école Montessori.

Elle a tout essayé – le yoga, la réflexologie, l'acupuncture et l'hypnose ; elle a complètement transformé son régime alimentaire. Elle a consulté un maître du Feng Shui pour réaménager sa maison – comme si le fait de déplacer les meubles pouvait l'aider à procréer ! Elle a renoncé à l'alcool, au thé, au café. Elle a même fait remplacer ses plombages dentaires par des amalgames. Elle est allée en pèlerinage à Lourdes. Puis, à trente-huit ans, tout d'un coup, elle est tombée enceinte. Maintenant, après avoir enfin réussi à être mère, Felicity se prosterne avec fanatisme devant l'autel du Bébé – elle idolâtre chaque rot, chaque gargouillis, chaque piaillement.

— Comment ça se passe, avec les patates douces ? m'enquis-je poliment.

— Ça n'a pas marché tout de suite… Tu aurais dû voir son petit visage grimaçant la première fois… Maintenant, elle les adore. Pas vrai, mon petit nounours en sucre ? Je les mixe avec un peu de courgettes.

Elle se lança dans une longue explication sur les dangers de donner trop de carottes aux nourrissons, qui ne peuvent pas digérer la vitamine A et virent à l'orange fluo, puis dans une conférence sur les ravages écologiques causés par les couches-culottes jetables – autre obsession de Felicity.

— Elles débordent des décharges ! s'emporta-t-elle. C'est dégoûtant – huit millions par jour – et elles ne sont pas biodégradables, à cause du gel. Tu te rends compte, Laura, dans cinq cents ans, les descendants d'Olivia seront encore encombrés par ses Pampers ! C'est horrible, non ?

— En effet. Donc, tu utilises des couches lavables ?

— Tu plaisantes ? C'est trop galère, et en plus, ça pue. Non, j'achète des couches-culottes jetables écologiques, sans gel. Elles sont entièrement biodégradables, mais un petit peu plus chères.

— Combien ?

— Quarante-cinq pence la pièce.

— Quarante-cinq pence ? Mince alors !

J'effectuai un rapide calcul mental. En moyenne, on change les bébés six fois par jour, ce qui fait deux livres soixante-dix, multiplié par sept égale dix-huit livres quatre-vingt-dix par semaine, fois cinquante-deux égale… neuf cent quatre-vingt-dix, grosso modo, fois deux ans et demi avant d'être propre, égale près de deux mille cinq cents livres.

— Pauvre Hugh, fis-je.

— Ce n'est pas lui qui a arrêté de travailler pour s'occuper d'Olivia, rétorqua-t-elle sèchement.

— C'est vrai.

J'aime bien Hugh, le mari de Felicity. Il est gentil, assez bel homme, décontracté… Mais j'ai un peu pitié de lui. Il occupait un poste important chez Nokia, ce qui leur avait permis d'acheter leur maison sur Moorhouse Road. Mais le jour même où Felicity, en pleine extase, lui avait montré les deux lignes bleues du test de grossesse, il lui avait annoncé qu'il venait de démissionner. Depuis plusieurs années, il voulait changer de carrière. Pour l'instant, il galère.

— Au fait, comment va le papa inventeur ? demandai-je alors que la voiture franchissait les grilles du parking du studio. Il a une découverte à breveter ?

Un soupir exaspéré me répondit.

— À ton avis ? Je ne sais pas pourquoi il est incapable de reprendre un vrai boulot, ou au moins d'inventer un truc utile, comme la roue !

— Je dois te quitter, Fliss, j'arrive au studio. On enregistre aujourd'hui.

— Bon, alors bonne chance. Je regarderai l'émission ce soir… à condition qu'Olivia se soit endormie, évidemment.

Puis elle se mit à me raconter ses tentatives pour habituer Olivia à ne plus se réveiller à quatre heures du matin, ses techniques pour qu'elle se rendorme, et je songeai : « Mais tu vas te taire, oui ? Tu vas te taire, avec ce bébé ? Oui, c'est un bébé adorable et je l'aime beaucoup, mais je n'ai plus envie d'en entendre parler pour l'instant, parce que si tu veux savoir, c'est TON bébé, pas le mien. » Puis Felicity s'exclama, avec cette spontanéité qui me va toujours droit au cœur :

— Tu sais, Laura, je suis si fière de toi !

— Pardon ?

Ma frustration fondit comme la rosée au soleil et des larmes me picotèrent les yeux.

— Je te trouve merveilleuse. Je t'emmerde sûrement, avec mes radotages sur Olivia.

— Mais non, protestai-je faiblement. Vraiment… je…

— Mais toi, regarde ce que tu as réussi à faire ! La façon dont tu as supporté tout ça – ce truc horrible qu'il t'a fait. Le pas-si-cher disparu, ajouta-t-elle d'une voix sardonique (c'est ainsi qu'elle a surnommé Nick). Mais tu t'es reprise, malgré tous les problèmes affreux qu'il t'a légués, et… mon Dieu, regarde où tu en es maintenant ! Tu as une vie fabuleuse, géniale ! Aujourd'hui, tu vas devenir une présentatrice télé célèbre…

À ces mots, mon cœur se serra.

— En plus, ajouta-t-elle d'un ton triomphant de certitude, tu vas rencontrer quelqu'un !

— Et nous vivrons heureux jusqu'à la fin des temps, murmurai-je, cynique, en ouvrant la portière. Dans un petit pavillon blanc entouré de roses et avec deux... labradors, sûrement.

— J'en suis sûre. Si seulement tu te l'autorisais, ajouta Felicity avec conviction. Enfin, passe me voir après le boulot demain soir et on pourra bavarder – je ne t'ai pas vue depuis des lustres – et puis tu pourras faire un câlin à Olivia. Elle adorerait ça... Pas vrai, petit cœur ? ajouta-t-elle avec des trilles de soprano. Tu l'aimes ta tata Laura, mon trésor adoré ?

Olivia gazouilla. Cela me déchira le cœur.

— D'accord. Je passerai.

J'inspirai profondément pour me calmer et consultai ma montre. Treize heures vingt-cinq. L'enregistrement commençait à quatorze heures. J'entrai au pas de course, pris l'ascenseur jusqu'au cinquième étage et me rendis directement à la salle de maquillage. Marian, la maquilleuse, m'examina.

— Jolie veste, dit-elle. La coupe est bien.

Nananère, Nerys.

— Mais ce vert... je ne sais pas.

Ah.

— Il est un peu trop acide pour ton teint. Tiens...

Elle sortit une veste beige rosé de la penderie.

— Je crois que ceci t'ira mieux.

Je fus étonnée de constater que c'était le cas. Eh bien, Nerys avait parfois raison, décidai-je généreusement en boutonnant la veste. Pour des petits trucs comme ça. Tandis que Marian relevait mes cheveux et commençait à poser du fond de teint à l'éponge, je sentis l'adrénaline me brûler les veines. Par les haut-parleurs, je percevais les murmures et les rires du public qui s'installait dans le studio. Puis j'entendis Tom leur souhaiter la bienvenue et leur expliquer que, bien qu'il s'agisse d'un faux direct, il y aurait quelques nouvelles prises de vue à tourner à la fin. Puis il leur demanda de ne pas lever la main, de ne pas gesticuler, ni tousser, bien qu'il ne soit pas vraiment possible de tricher dans cette émission.

— Et je vous en prie, ne criez pas les réponses !

Il y eut quelques gloussements.

— Vous pouvez rire, mais ça s'est vu.

Ray, notre preneur de son, passa me voir.

— Tu as trois minutes, Laura.

Il fixa le petit micro à mon col, puis cala l'émetteur sous ma veste et me tendit l'oreillette.

— Fais un essai, s'il te plaît.

— Allô, un deux trois… j'ai mangé des tartines ce matin… j'étais en retard… et je n'ai toujours pas consulté la liste des candidats.

Je fouillai dans mon sac pour la retrouver tandis qu'il réajustait le micro.

— Mais où est-elle ?

— Merci, Laura, c'est bon.

— Et maintenant, souhaitez la bienvenue à nos quatre candidats ! entendis-je Tom dire, *via* les haut-parleurs.

Le public applaudit frénétiquement tandis que les quatre candidats entraient en scène. J'entendis leurs pas sur le parquet du plateau.

— Ils sont comment ? demandai-je à Marian en me contemplant dans le miroir.

Elle les avait maquillés avant moi.

— Il y a deux forts en thème, répondit-elle en appliquant l'anticernes. Laids comme des poux.

— Ça va de pair.

— Ensuite, une assez jolie fille d'environ vingt-cinq ans, et puis un type beau comme un astre. J'en suis toute retournée, gloussa-t-elle. Il meurt d'envie de te rencontrer.

Je levai les yeux vers elle.

— Ah bon ?

Elle cala une mèche blond cendré derrière son oreille.

— Oh oui.

— Pourquoi ?

— Je l'ignore.

Elle choisit un rouge à lèvres parmi les dix alignés sur le comptoir.

— J'en ai déduit que ce devait être un fan.

Pendant que Marian mélangeait deux couleurs de rouge à lèvres sur le dos de sa main, je continuai à fouiller dans mon sac pour retrouver la liste de candidats, sans succès. Merde.

— Relève la tête, s'il te plaît, Laura, dit Marian.

Elle appliqua le rouge à lèvres à l'aide d'un petit pinceau et posa une touche de gloss. Tom dispensait aux candidats les conseils d'usage.

— Écoutez attentivement les questions. Ne lancez pas le premier truc qui vous vient à l'esprit, parce que dans cette émission, si vous vous trompez, vous perdez des points. Réfléchissez avant de parler.

Marian m'appliqua rapidement le blush et poudra mon front.

— On peut commencer, disait Tom.

— Tu es maquillée, Laura ? fit Sara dans mon oreillette.

— Oui, répondis-je tandis que Marian m'envoyait une bouffée de laque dans les cheveux.

— C'est bon, Tom, elle arrive, dit Sara. Lance l'intro.

— Et maintenant, la présentatrice de *Vous savez quoi ?*… Laura Quick !

Marian me débarrassa rapidement de mon peignoir. Je dévalai le couloir, poussai la porte du studio et montai sur le plateau. Les spots m'aveuglèrent un instant. Je sentis leur chaleur sur ma peau. Tom tendit le bras vers moi et fit signe aux spectateurs d'applaudir. Je me tournai vers eux en souriant. Puis Tom quitta le plateau. Je levai les yeux vers la régie, au fond de l'auditorium. Sara, la réalisatrice, était là avec l'assistant de production, Gill. À côté de Gill, je distinguais Dylan avec ses écouteurs, les ingénieurs du son et l'équipe technique. Tandis que les applaudissements faiblissaient, je parcourus le plateau du regard. Un décor délibérément kitsch, avec quatre grandes colonnes lumineuses bleues, de hauteurs différentes, disposées de part et d'autre ; un énorme point d'interrogation rose sur le parquet ; le titre de l'émission sur le mur du fond, en grosses lettres cursives vertes. Une énorme horloge jaune marquait le décompte des minutes et des secondes. Les quatre candidats étaient postés derrière leurs pupitres. Je me tournai vers eux sans sourire.

— Bienvenue à l'émission, dis-je en clignant un peu des yeux à cause des spots. (Je levai la main en visière.) J'aimerais vous souhaiter bonne chance à tous. Nous ferons connaissance après l'enregistrement, mais en attendant, comme le dit Tom, détendez-vous et surtout, essayez de passer un bon moment !

Trois des candidats semblaient tendus. Le quatrième, en revanche, souriait tranquillement. Je me rendis compte qu'il me souriait, à moi. Les spots avaient diminué d'intensité, me permettant de distinguer son visage. Ce fut comme si j'avais été précipitée dans un lac glacial.

Je tentai de dissimuler mon hoquet de stupéfaction par une quinte de toux… Un instant j'avais failli m'évanouir.

— Prête à démarrer, Laura ? me chuchota Sara.

J'aurais voulu dire : « En fait, pas tout de suite, Sara, j'ai un peu de mal, là, parce que je viens de découvrir que mon premier amour – que je n'ai pas revu depuis douze ans et qui m'a brisé le cœur, et qu'à vrai dire je n'ai jamais oublié – se tient à moins de trois mètres de moi. »

— Compte à rebours, Laura, dit Sara. Cinq… quatre… trois… deux… un et… musique !

La musique de générique retentit et les applaudissements du public éclatèrent.

Cœur battant à tout rompre, je me tournai vers la caméra.

— Bienvenue à *Vous savez quoi ?*, lançai-je avec autant d'assurance que possible.

Le prompteur déroulait son texte. J'étais passée de la glace au feu.

— Je suis Laura Quick, et c'est moi qui vais vous interroger ce soir, mais d'abord, je vais vous expliquer le fonctionnement du quiz. Voici les questions.

Je leur montrai les fiches.

— Chacun des candidats peut y répondre – ce sera au premier qui pressera le buzzer. Dès que vous aurez pressé le buzzer, vous serez obligés de répondre – vous n'aurez pas plus de cinq secondes. Maintenant, si vous regardez l'écran de vos pupitres, vous constaterez que la première réponse correcte vaut une livre. Cette somme sera doublée chaque fois que vous énoncerez la bonne réponse. Vous entendrez alors ceci.

Il y eut un « Tching ! » retentissant, semblable au bruit d'une énorme caisse enregistreuse.

— Cependant, si vous donnez la mauvaise réponse, ou que vous ne répondiez pas au bout de cinq secondes, la somme sera divisée par deux et vous entendrez ceci.

Un gros « Woup ! » résonna.

— Le vainqueur sera le concurrent qui aura amassé la somme la plus importante. Il ou elle pourra alors doubler cette somme, s'il décide de renverser les rôles et me pose une question, à moi. Cependant il y a un risque. Si je me trompe, la somme sera doublée.

Tching !

— Mais si je réponds bien, la somme sera divisée en deux.

Woup !

— Sans plus attendre, faisons la connaissance de nos quatre candidats !

Je me tournai vers les invités, qui se présentèrent tour à tour. Je jetai un coup d'œil vers Luke, en me morigénant d'avoir égaré la liste – au moins, ça m'aurait évité l'effet de surprise.

— Détends-toi, Laura, me chuchota Sara dans l'oreillette. Tu as l'air très nerveuse.

Je troquai ma grimace crispée contre un sourire professionnel.

— C'est mieux. Et ne parle pas trop vite.

— Je m'appelle Christine Scofield, annonça le numéro un. Je vis à York et je suis enseignante.

Comme Marian me l'avait appris, c'était une jolie blonde.

— Je m'appelle Doug Dale, dit le suivant.

C'était l'un des deux forts en thème – la quarantaine avancée, dégarni, une tête de moine et de grosses lunettes carrées.

— Je suis d'Islington et je rédige des rapports financiers.

Auprès de Doug, Luke paraissait encore plus beau, avec ses pommettes fines et ses cheveux bruns ondulés. Seules de fines ridules autour des yeux accusaient le passage du temps.

— Je m'appelle Luke North, dit-il avec un sourire un peu timide. Je suis marchand d'art et je vis à Londres.

— Bonjour, je m'appelle Jim Friend, dit le dernier concurrent, un grand quinquagénaire maigrichon. Je suis étudiant en psychologie et j'habite Bedford.

Le public applaudit poliment. Je brandis les fiches. Le silence se fit.

— Bon. Allons-y. Première question. Quel était le nom romain de la ville de Bath ?

Le pupitre de Doug Dale s'illumina quand il appuya sur le buzzer.

— Sulis.

— Plus précisément, *Aquae Sulis...* mais c'est bon.

Tching !

— Quelles baies utilise-t-on pour donner sa saveur au gin ? Christine ?

— Les baies de genièvre.

— C'est exact.

Tching !

— Quelle est la capitale du Liberia ? Luke ?

— Monrovia.

— Vous avez raison.

Tching !

48

Comme c'était bizarre, que la première parole prononcée par Luke en me revoyant après douze ans ne soit pas : « Bonjour, Laura » ou « Comme je suis heureux de te revoir » ou même « Je regrette de t'avoir blessée », mais « Monrovia ».

— Quelle civilisation de l'âge du bronze habitait la Crète ?

— Les Minoens, répondit Jim.

Tching ! Maintenant, ils en étaient tous à deux livres.

Je jetai un coup d'œil à la fiche suivante.

— Quel est le canal dont le nom, épelé à l'envers, est celui d'un dieu grec ?

Luke sonna le premier.

— Suez.

— Exact. À l'envers : Zeus.

Tching !

— Qui a écrit, en 1700, *Ainsi va le monde* ?

Doug Dale pressa le bouton le premier.

— Congreve.

— Oui, William Congreve.

Tching !

— Quelle maison royale française a-t-elle donné son nom à un biscuit ? Christine ?

— Nice, annonça-t-elle avec assurance.

Woup !

— Non, il s'agit des Bourbons.

De deux livres, elle passa à une.

— De quelle guerre la bataille d'Edgehill fut-elle la première bataille ? Luke ?

— La guerre civile.

— Soyez plus précis, s'il vous plaît.

Il eut l'air un instant perplexe. J'entendis l'aiguille de l'horloge avancer.

— Ah ! La guerre civile anglaise.

— Oui !

Tching !

— Quel est le dieu romain du feu ? Doug ?

— Prométhée ?

— Non.

Woup !

— Prométhée a dérobé le feu des dieux. Le dieu romain du feu est Vulcain. Comment appelle-t-on, en langage courant, une solution de chlorure de sodium dans de l'eau ? Christine ?

— La saumure.

— C'est exact.

Tching !

— Quel est le pays sud-américain dont le nom provient d'une ville italienne ? Doug ?

— L'Argentine.

Woup !

— Faux. C'est le Venezuela, dont le nom provient de « Venise ». Quel est le sens du mot « caprin » ? Luke ?

Il rigolait, pour une raison quelconque.

— Relatif à la chèvre, dit-il d'une voix ferme.

— Vous avez donné la bonne réponse.

Tching !

— Du latin *caper*, qui a aussi donné le mot « capricieux », précisai-je.

Et ainsi de suite. « Quelle fut la première femme pilote d'avion à traverser l'Atlantique ?... Non, pas Amy Johnson. » *Woup !* « Amelia Earhart... Qu'est-ce qu'un dugong ? Vous avez raison, Jim, il s'agit d'un mammifère marin. » *Tching !* « Que représentent les cinq anneaux olympiques... ? Personne ? Les cinq continents. Qui a découvert la source du Nil ? Non, pas Livingstone. » *Woup !* « C'était Speke. Quel est le chiffre romain signifiant mille ? M, vous avez raison, Doug. » *Tching !* « Qu'est-ce que le breitschwanz ? » Non. *Woup !* « C'est de la fourrure d'agneau. Quel est le livre le plus vendu dans le monde ? Luke ? Exact. La Bible. » *Tching !* « Quelle planète a un ciel rose ? Mars, précisément, Jim. » *Tching !* « Quelle est la couleur redoutée par les personnes qui souffrent de leucophobie ? Doug ? Non. » *Woup !* « C'est le blanc, et non le jaune ». Pendant que je suivais les scores des joueurs et le mouvement en yo-yo de leurs magots, des images me revenaient par flashes : Luke et moi, allongés sur la pelouse de la fac, sous un immense hêtre pourpre ; en vélo sur Clare Bridge ; assis l'un en face de l'autre à la bibliothèque, avec nos pieds qui se touchaient légèrement ; enlacés sur l'étroit lit de Luke.

— Plus que cinq minutes, chuchota Sara dans mon oreillette.

Tout en passant à la fiche suivante, je jetai un rapide coup d'œil aux scores. Doug Dale menait avec quatre mille quatre-vingt-seize livres car il cumulait douze bonnes réponses ; Luke le talonnait à deux mille quarante-huit livres alors que Christine et Jim se traînaient dans les petites centaines, pour avoir répondu trop vite et mal. Derrière moi, je sentais le public, silencieux et concentré.

— Quel animal figure sur le drapeau de la Californie ?

Il y eut une seconde de silence, puis Doug sonna.

— L'aigle ?

Woup ! Il grimaça.

— Non, désolée. C'est l'ours.

Maintenant, lui et Luke étaient au coude à coude.

— Plus que trois minutes, me dit Sara.

Je regardai la question suivante.

— Combien de cartes compte un jeu de tarot ?

— Soixante-dix-huit, dit Luke.

— Exact !

Tching !

Son score venait de doubler : il passait à quatre mille quatre-vingt-seize livres.

— Deux minutes, Laura, dit Sara.

Fiche suivante.

— Quel est l'artiste qui a dessiné l'uniforme des gardes du pape, les gardes suisses ?

Luke sonna de nouveau, mais la réponse semblait lui échapper. Il ferma les yeux un instant pour fouiller sa mémoire, et j'entendis l'aiguille de l'horloge avancer. Plus que trois secondes... deux secondes... une... Il était sur le point de perdre quatre mille livres.

— Michel Ange ! s'exclama-t-il. C'était Michel Ange.

— Exact.

BOINGGGGG ! L'énorme gong venait de signaler la fin du round. Luke menait par un point. Il avait répondu correctement à treize questions, ce qui lui faisait huit mille cent quatre-vingt-douze livres.

Je me tournai vers la caméra 1.

— Voyons les scores. En quatrième place, Jim, avec cinq cent douze livres ; en troisième Christine avec mille vingt-quatre. Doug est deuxième avec deux mille quarante-huit. Et le vainqueur de cette semaine, avec huit mille cent quatre vingt-douze livres est... Luke North !

Le public applaudit chaleureusement. Il sourit.

— Ce n'est pas fini, ajoutai-je, car maintenant, il est temps de renverser les rôles. Luke, je vous pose la question... Le souhaitez-vous ?

Je me tournai vers le public.

— Combien d'entre vous pensent que Luke devrait renverser les rôles ? S'il le fait, il risque de perdre quatre mille livres. Mais il pourrait aussi gagner encore huit mille livres. S'il vous plaît, passez au vote.

Les spectateurs actionnèrent les panneaux de vote fixés à l'arrière de chaque fauteuil : le résultat s'afficha sur un grand écran plasma.

— Vous êtes soixante-dix-huit à penser qu'il devrait tenter le coup, alors que cent dix d'entre vous croient qu'il devrait en rester là.

Je me tournai vers Luke.

— D'après le public, vous devriez vous arrêter maintenant, Luke, mais vous, que choisissez-vous ?

— Je veux renverser les rôles.

— Vous en êtes sûr ?

— Oui, dit-il avec un sourire. Tout à fait sûr.

— D'accord.

Je me tournai vers la caméra.

— Si je suis incapable de répondre à la question de Luke en cinq secondes, il peut doubler ses gains. Si je réponds bien, il perd la moitié de la somme. Mais je puis vous assurer, à vous tous qui êtes ici et à vous qui nous regardez à la maison, que je n'ai absolument aucune idée de la question qu'il va me poser. Très bien, Luke. Allez-y.

Il tira un bout de papier de sa poche. Je priai pour qu'il n'ait pas choisi une question concernant la musique pop ou le foot… Ce ne sont pas des sujets où je brille. Je me préparai.

— Très bien…

Roulement de tambour.

— Je voudrais vous demander…

Il se racla la gorge.

— Euh…

Il passa son doigt nerveusement sous son col.

— Voilà… J'y vais. Ma question…

Il me regarda.

— Ma question… c'est… euh…

Qu'avait-il ?

— Voudriez-vous dîner avec moi ?

Le public se tut, stupéfait, puis des rires nerveux fusèrent.

— Mais à quoi il joue ? s'exclama Sara dans l'oreillette.

Maintenant, le public s'esclaffait, tout comme Luke.

— Voudriez-vous dîner avec moi, Laura ? répéta-t-il. Voilà ma question.

Je n'eus pas l'occasion d'y répondre, car ce fut l'instant où Tom hurla « Coupez ! »

2

— Maintenant, je comprends mieux pourquoi il avait tellement envie de te voir, dit Marian en me démaquillant.

Je croisai son regard dans le miroir.

— Ça a dû te faire un choc, reprit-elle.

— C'est le moins qu'on puisse dire. Mes mains en tremblaient toujours. C'était déjà assez flippant de le revoir, mais en plus... ça !

— Il a toujours été aussi imprévisible ?

— Oui... Il était... drôle.

— Et très séduisant.

J'inspirai profondément par le nez pour me calmer.

— Oui. Futé, charismatique, un peu excentrique, assez dragueur et totalement... exaspérant.

— Il a beaucoup changé ?

Manifestement pas.

— Je veux dire, est-ce qu'il a changé physiquement ?

— Non. Il est encore plus beau qu'avant.

— Ça a vraiment dû te faire tout drôle de le revoir... Et dans ces circonstances !

J'avais finalement retrouvé la liste des candidats dans la poche de mon manteau. Je parcourus rapidement la notice biographique de Luke. *Luke North, trente-six ans, a étudié l'histoire de l'art à Cambridge, puis travaillé chez Christie's pendant plusieurs années. Depuis trois ans, il dirige la galerie d'art contemporain Due North à Bayswater. Il habite Notting Hill.* Je la relus. Puis encore. Et encore. Et une fois de plus.

— C'était sérieux ? me demanda Marian.

— Pardon ?

— Ton histoire avec lui, c'était sérieux ? Si ça t'ennuie, reprit-elle en souriant, tu n'es pas obligée de raconter. Mais j'aimerais bien savoir, après ce qu'il vient de faire.

— Non, ça ne m'ennuie pas, répliquai-je.

J'étais si bouleversée que j'avais envie de m'épancher, et Marian m'était sympathique.

— C'était sérieux. J'étudiais la littérature, lui l'histoire de l'art. Nous nous disputions souvent – mais ça faisait partie du plaisir. C'était une relation explosive, passionnelle. C'était excitant… c'était… intense… c'était…

Un soupir amer m'échappa.

— … l'époque la plus heureuse de ma vie.

— Qu'est-ce qui s'est passé ? me demanda-t-elle doucement. Vous avez décidé que vous étiez trop jeunes pour vous établir ?

— Non, ce n'était pas le problème. Nous devions prendre un appartement ensemble à Londres après nos études… nous l'avions même trouvé. Mais alors…

J'avais honte de raconter à Marian l'humiliante vérité.

— … ça a viré… à la catastrophe.

Un ange passa, puis Marian posa la main sur mon épaule.

56

— Enfin, tout ça, c'est de l'histoire ancienne, repris-je en contemplant dans le miroir mon visage de trente-quatre ans, avec ses rides naissantes.

Je me relevai et retirai le peignoir.

— Bon, il faut que j'y aille.

Après chaque enregistrement, on offrait un pot à l'équipe et aux candidats. Je pris l'ascenseur pour monter au dernier étage, déchirée par des sentiments contradictoires. Le fait que Luke se soit invité de force dans ma vie, qu'il me fasse la cour – qu'il me bouleverse – me plongeait dans le plus grand désarroi. En même temps, j'en étais... ravie. Depuis le couloir, j'entendais la rumeur des conversations dans la salle de réception. Je m'arrêtai un instant sur le seuil. Des arômes de sandwiches, de café et de vin blanc bon marché me parvinrent – après l'émission, on sert toujours les mêmes trucs. Les membres de l'équipe bavardaient avec les candidats. Quelques-uns d'entre eux ricanèrent lorsqu'ils me virent. Dylan était en train d'expliquer à Christine que l'émission serait diffusée fin mars. À ma droite, Jim et Doug s'étaient lancés dans une discussion de mordus de quiz.

— L'oie ne cancane pas, elle cacarde, assurait Jim.

— Vous en êtes certain ?

— Absolument. Je connais les cris d'animaux par cœur. Et le bélier blatère.

— Je croyais qu'il bêlait ?

— Aussi, mais il blatère comme le chameau.

— Et le chevreuil ?

— Il aboie.

Je repérai Luke dans un coin, près de la fenêtre, en pleine conversation avec Sara – ce qui, même après douze ans, me crispa de jalousie. Il m'aperçut et me salua de la main. Puis, avec son effronterie caracté-ristique, il me fit signe de les rejoindre. Si Sara n'avait pas été là, je l'aurais ignoré. J'étais décidée à paraître froide et distante.

— Salut, Laura.

Il sourit. Comme l'avait remarqué Marian, il avait des yeux superbes, frangés de longs cils fournis, d'un marron riche et chaud – comme du tabac – avec des fibrilles topaze et or. Je n'avais pas imaginé que je le reverrais, encore moins d'aussi près. Il m'arrivait encore, quand j'apercevais des hommes lui ressem-blant un peu, de les dévisager longuement, submergée par une vague de nostalgie.

— Salut, Luke.

— Je te demande pardon. Je t'ai embarrassée ?

— Oui, répondis-je. En effet. Mais c'était sans doute ton objectif.

— Non. Sincèrement.

Il désigna Tom du menton.

— J'ai l'impression que ça a contrarié ton réalisa-teur.

— Il a dû penser que tu voulais saboter l'émission.

— Pas du tout, fit Tom en haussant les épaules. C'était… pour rire.

— De toute façon, on a pu tourner une nouvelle prise, intervint Sara, diplomate. Ce n'est pas grave.

Nous avions réenregistré la dernière séquence, en faisant comme si Luke n'avait pas choisi de renverser les rôles.

Il prit un roulé à la saucisse sur un plateau qui pas-sait.

— On m'avait assuré que je pouvais te poser n'importe quelle question.

— N'importe quelle question de culture générale, rectifiai-je.

— En tout cas, c'était une bonne émission, bien rythmée, opina Sara. Vous avez été un concurrent formidable, Luke, et on s'en est bien sortis. Enfin, je... je vais vous laisser discuter, ajouta-t-elle avec tact. Vous avez sûrement plein de trucs à vous raconter.

Tandis que Sara battait en retraite, Luke m'adressa un sourire interrogateur, comme s'il était dérouté par mon attitude glaciale. À quoi s'attendait-il, au juste ? Pourquoi aurais-je dû me montrer chaleureuse et démonstrative avec lui alors qu'il m'avait humiliée, sans oublier ce qui s'était passé entre nous, douze ans auparavant ?

— Je peux te poser une question ? dis-je.

— Bien sûr.

Il prit un autre roulé à la saucisse.

— C'est ton boulot, non ? De poser des questions ? Dis donc, je suis affamé... je n'ai pas déjeuné.

— Tu avais prévu de faire ça ?

— Non. J'allais te poser une question parfaitement raisonnable. (Il essuya des miettes sur ses lèvres.) Et puis tout d'un coup, j'ai éprouvé l'envie irrésistible de t'inviter à dîner.

— Je vois. C'était un « caprice », c'est ça ? Une « envie subite et passagère » ?

Il sourit.

— Si tu veux.

— Et pourquoi as-tu éclaté de rire quand je t'ai demandé le sens du mot « caprin » ?

Il leva les yeux au ciel.

— Ce serait trop long à t'expliquer. Je te raconterai quand on dînera ensemble. J'espère que tu vas accepter mon invitation. On ne s'est pas vus depuis si longtemps.

Il sourit de nouveau, et je me rendis compte tout d'un coup qu'en dépit de mon ressentiment j'éprouvais toujours du désir pour lui. J'aurais voulu qu'il me prenne dans ses bras, comme jadis.

— Tu veux bien ?

J'avais envie d'enfouir mon visage dans son cou. De suivre du bout du doigt la courbe adorable de ses lèvres.

— Tu veux bien ? insista-t-il.

— Je… je ne sais pas.

— Tu te fais désirer, Laura ?

— Non, mais…

J'émergeai tout d'un coup de ma rêverie.

— Écoute, Luke… Tu es vraiment gonflé. Tu débarques dans ma vie comme ça… de façon grotesque, tu t'imagines que je vais dîner avec toi, alors qu'on ne s'est pas parlé depuis 1993…

— Non. Mais je n'en suis pas l'unique responsable.

— Si !

Comme plusieurs paires d'yeux se tournaient vers moi, je baissai la voix.

— C'est de ta faute, repris-je.

— Faux. Tu as refusé de répondre à mes coups de fil et à mes lettres. Tu m'as effacé de ta vie comme si je n'avais jamais existé.

— Qui pourrait me le reprocher dans ces circonstances ? m'enquis-je.

Un ange passa.

— C'est comme dans le temps, dit-il joyeusement.

Avec un coup au cœur, je me rendis compte qu'il avait raison. On ne s'était pas retrouvés depuis deux minutes, qu'on plongeait déjà dans le vif du sujet.

Je tentai de ramener la conversation sur un terrain plus neutre.

— Quelle était cette question raisonnable que tu avais l'intention de me poser ?

— Ah. Eh bien, j'y avais soigneusement réfléchi. Je ne voulais pas te poser une question dont tu ignorais la réponse... je n'avais aucune intention de t'humilier devant des millions de téléspectateurs.

— Quelle prévenance !

— J'avais donc décidé de te poser une question à laquelle tu étais capable de répondre.

— C'est-à-dire ?

— Combien de fois le cœur humain bat-il en une journée ?

— Encore l'une de ces informations inutiles que tu adores.

— En effet. Mais dans le temps, tu avais des capacités stupéfiantes de calcul mental, et je savais que tu t'en sortirais.

— Cela m'aurait sûrement demandé plus de cinq secondes, et tu aurais doublé tes gains, Luke. Ta petite plaisanterie t'a coûté cher, non ?

— Tant pis, fit-il en haussant les épaules. Huit mille livres, ce n'est déjà pas si mal.

— Pourquoi ? Enfin, pourquoi diable as-tu voulu participer à l'émission ?

— Tu veux vraiment le savoir ?

— Oui ! J'ai été surprise de t'y voir, c'est le moins qu'on puisse dire.

— Ce sont des amis qui m'en ont persuadé. Je leur racontais que j'avais besoin d'argent pour reprendre mes études d'art – j'en ai toujours rêvé. Tu t'en souviens ?

— Oui, bien sûr.

— J'ai décroché une place à Slade pour étudier à mi-temps. En ce moment, je manque de liquidités pour diverses raisons qui n'ont aucun intérêt. Mes amis m'ont suggéré de tenter ma chance sur *Vous savez quoi ?*. Quand j'ai appris que tu en étais la présentatrice, ça m'a fait un choc, et j'ai décidé de ne pas y aller. Mais plus j'y réfléchissais, plus je me rendais compte que j'avais très envie de te revoir – d'autant plus que tu travailles tout près de chez moi.

— Pourquoi ne m'as-tu pas écrit ?

— J'ai cru que tu ne me répondrais pas. J'ai eu tort ?

— Je… je l'ignore. Sans doute pas.

— Exactement. J'ai donc décidé de passer une audition pour l'émission. À vrai dire, je croyais que tu l'apprendrais avant l'enregistrement.

— J'aurais dû, mais je n'avais pas lu la liste des candidats.

Il consulta sa montre.

— Mince ! Il faut que j'y aille. Je dois passer prendre Jessica.

Jessica ?

— Ma petite nana, expliqua-t-il fièrement.

Je m'effondrai intérieurement.

— L'amour de ma vie.

— Je vois.

— Elle est ravissante. Avec de grands yeux bleus…

— Charmant… Bon, il faut vraiment que j'aille parler aux autres candidats.

— Et un sourire magnifique.

— Génial.

Je lui tendis la main.

— Ravie de t'avoir revu, Luke.

Je lui adressai un petit sourire crispé avant de me détourner.

— Tu ne veux pas voir sa photo ?

— Pardon ? Non, pas spécialement, si tu veux savoir.

— Attends… Tiens…

Il retira de sa poche un petit porte-photo en cuir et me le tendit. Une fillette angélique affichait un sourire édenté.

— C'est ta fille ?

Il hocha la tête avec enthousiasme. Une vague de soulagement me submergea, si intense que j'en fus déconcertée.

— J'ignorais que tu avais un enfant.

— Ah bon ?

Je haussai les épaules.

— J'ignorais totalement ce que tu étais devenu, repris-je.

Je ne précisai pas que j'avais soigneusement évité de l'apprendre. J'avais laissé tomber tous nos amis communs car je ne voulais plus rien savoir de lui. Je détaillai de nouveau la photo.

— Elle est ravissante, en effet. Vraiment très jolie.

— C'est mon avis, naturellement, mais merci.

— Elle a quoi, cinq ans ?

— Elle vient d'avoir six ans.

— Alors… tu t'es marié, et tout ?

— Oui.

— Bon.

Alors voilà.

— Enfin…

Il sortit ses clés de voiture de sa poche et les fit tinter.

— Il faut que j'y aille. C'est à moi de passer la prendre à l'école. Bon… si je comprends bien, tu ne veux pas dîner avec moi.

Il haussa les épaules.

— Tant pis…

— Je n'ai pas dit ça, Luke.

— Mais tu n'as pas accepté.

Il prit son écharpe.

— Tu as changé d'avis ? reprit-il.

— Comment pourrais-je avoir changé d'avis alors que je n'ai rien décidé ? Tu es tellement… manipulateur.

Il sourit.

— Non. Simplement direct. Je te demande si tu veux bien dîner avec moi. Vendredi, ça t'irait ? Bon, là je suis pressé. Si tu ne réponds pas, je prendrai ton silence pour un assentiment. Je passe te prendre à huit heures, d'accord ?

— Mais…

— Mais quoi ?

Il me dévisagea, puis se frappa le front du plat de la main.

— Bon sang… je ne connais pas ton adresse. Quel con ! Tu veux bien me la donner ?

— Non, Luke, ce n'est pas ce que je voulais dire. Enfin… et ta femme ?

Mon cœur battait si fort que je craignais qu'il ne l'entende.

— Tu m'as dit que tu étais marié – ça ne va pas embêter ta femme ? À mon avis, oui.

Il secoua la tête.

— Je ne vais pas lui en parler.

— Ah. Bon, alors laisse tomber.

Il leva les yeux au ciel.

— Ne monte pas sur tes grands chevaux, Laura. Je ne vais pas lui en parler… pour la simple raison que c'est inutile. Nous sommes séparés.

Mon cœur chanta. Il ne se contentait pas de chanter, d'ailleurs. Il dansait la gigue, pirouettait, tournoyait et sautait dans tous les sens.

— J'en suis désolée. Depuis quand ?

— Mai dernier… Enfin, Laura, il faut vraiment que je parte. Alors, qu'en dis-tu ?

Il prit son manteau.

— Eh bien…

Pour la première fois, je me permis de sourire.

— … la réponse est… cent mille. Le cœur humain bat cent mille fois par jour, pas vrai ?

— C'est exact.

Il me fit la bise.

— Et parfois plus.

Selon l'adage, la première blessure d'amour est toujours celle qui marque le plus – et c'est vrai. Le fait d'avoir revu Luke avait projeté sur le monde un éclairage nouveau. Tout ce qui m'était familier me semblait désormais étrange – comme si le prisme à travers lequel je contemplais mon environnement n'était plus le même. En rentrant chez moi ce soir-là, ce fut comme si le passé était remonté à la surface pour engloutir le présent, comme si je découvrais l'appartement pour la toute première fois. Je me dirigeai aussitôt vers mon bureau et en tirai une petite boîte en bois sculpté où je conserve les objets trop intimes pour être exposés. Une photo en noir et blanc de mes parents en train de s'embrasser ; une boucle des cheveux de ma grand-mère, entourée d'une faveur ; ma bague de fiançailles et mon alliance dans leurs écrins de velours ; et, tout au fond, l'un des portraits de moi dessinés par Luke. J'avais brûlé tous les autres – il y en avait des dizaines – mais, je ne sais pas pourquoi, j'avais conservé celui-là. Il m'avait croquée dans mon sommeil, un dimanche matin, vers la fin de notre premier mois ensemble, alors que tout semblait plus vif, plus intense. Maintenant, en contemplant cette version plus jeune de moi-même, mon corps dénudé tracé en pastel bleu sombre entouré d'ombres estompées au doigt, je songeai que ma vie aurait pu être très différente.

Je me versai un verre de vin, en avalai deux grandes gorgées pour me remettre d'aplomb, puis je m'allongeai sur le canapé, paupières closes, pour penser à Luke et permettre à tous les souvenirs repoussés depuis si longtemps de me submerger à nouveau d'une vague nostalgique.

Boum ! Boum ! J'ouvris les yeux.

— Qu'est-ce que… ?

Boum ! Boum ! Je levai les yeux vers le plafond.

— Ah non ! Ça recommence !

Ma voisine du dessus était médium et ses séances étaient parfois assez bruyantes.

Boum ! Boum ! BOUM ! Je levai les yeux au ciel, en me figurant les rideaux agités, les ampoules explosées et les meubles volant dans tous les sens. Je ne l'avais jamais rencontrée, seulement entrevue lorsqu'elle avait emménagé – c'était une brune glamour d'un certain âge. Mais je savais ce qu'elle faisait dans la vie, car depuis un mois les gens sonnaient à mon interphone pour me demander si j'étais « Cynthia la voyante ». *Boum ! Boum ! !* D'après son courrier, elle s'appelait Cynthia del Mar. *BOUM ! BOUM !* J'avais vu son chat perché sur l'escalier de secours.

BOUM ! BOUM ! « HIIIIIIIIIIIIII ! » Cela dépassait les bornes. Pourquoi ne cessait-elle pas ses séances à une heure raisonnable, par égard pour son voisinage ? Je consultai ma montre. Il était vingt heures moins une minute – l'heure d'allumer la télé ; avec un peu de chance, ce bruit noierait les siens.

— Maintenant, posez la main sur le buzzer, mesdames et messieurs ! C'est l'heure du nouveau quiz de Channel Four, *Vous savez quoi ?*.

Le générique se déroula, puis je me vis demander aux candidats – deux hommes et deux femmes – de se présenter. Nous avions enregistré cette émission début janvier.

— Je m'appelle Peter Watts et je suis fonctionnaire.

— Je m'appelle Sue Jones et je travaille dans les technologies de l'information.

— Je suis Geoff Cornish et je suis grossiste en volaille.

— Mon nom est Kate Carr et je suis bibliothécaire.

— Allons-y. Première question…

J'étais déprimée à l'idée de me retrouver toute seule devant la télé, mais je n'avais personne avec qui regarder l'émission. Mes parents habitaient le Yorkshire, Hope et Mike avaient un dîner, et je devais passer chez Felicity le lendemain. Quant à Tom, il semblait avoir autre chose à faire. Il devait y avoir quelqu'un dans sa vie – j'en avais l'intuition. Nous en étions à la troisième ou quatrième question quand j'entendis, au-dessus de ma tête, « Oh !… Oh !… Oooooooh ! » *BOUM ! BOUM !*

Certaines personnes frissonneraient à l'idée d'habiter juste en dessous d'un médium. Pour ma part, cela m'était égal. Je ne redoutais pas les phénomènes paranormaux – je suis une cartésienne et je ne crois qu'aux faits concrets. Cependant, je trouvais le voisinage un peu bruyant. Geoff le grossiste en volaille venait de se planter sur une question concernant Oscar Wilde (c'était *Un mari idéal* et non *De l'importance d'être constant*), lorsque j'entendis des pas pressés dégringoler l'escalier. Puis l'on frappa à ma porte avec insistance.

— Hell-0000000000 !!! clama une voix agréablement rauque à la diction un peu recherchée. Il y a quelqu'un ? Il y a quelqu'un ?

Je me levai sans enthousiasme.

— Vous êtes médium, marmonnai-je. Vous devriez le savoir.

J'ouvris la porte. C'était en effet Cynthia, l'air désespéré.

— Je suis absolument désolée, souffla-t-elle en s'agrippant à l'encadrement de la porte des deux mains. J'ai un problème.

— Oui ? fis-je, curieuse, tout en reconnaissant *Knowing*, le parfum dont elle s'était aspergée.

Je suis également dotée d'une excellente mémoire des parfums.

— Je suis Cynthia.

Elle me tendit une main chargée de bijoux et impeccablement manucurée.

— Je sais que nous n'avons pas eu l'occasion de nous parler, mais j'aurais besoin de votre aide.

— Bien sûr. En quoi puis-je vous être utile ?

— Mon satané téléviseur est encore en panne. En général, il réagit bien aux coups, mais pas aujourd'hui.

Ah. Cela expliquait le vacarme. En quoi s'imaginait-elle que je pouvais l'aider ? En cognant dessus moi-même ? En appelant un réparateur ?

— Et je meurs d'envie de regarder ce nouveau quiz.

— Je vois.

— Ça a l'air pas mal du tout.

— Hum.

— Je me demandais si cela vous ennuierait que je le regarde ici.

— Eh bien…

— Je suis vraiment confuse, souffla-t-elle, de m'imposer ainsi.

Pourquoi pas ? songeai-je. De toute façon, ma conversation avec Luke m'avait rendue sociable et généreuse.

— D'accord. D'ailleurs, je suis moi-même en train de le regarder.

Elle agrippa sa poitrine, ou plutôt, son rang de perles.

— Comme c'est aimable à vous ! Vous comprenez, j'adore les quiz, m'expliqua-t-elle en me bousculant presque pour s'affaler sur le canapé. Je les regarde tous. Je suis assez douée pour ça. Ah ! La bouteille est débouchée ? Je prendrais bien un verre.

La présence de Cynthia ne m'aurait pas gênée – ni le fait qu'elle ait sifflé mon merlot à toute vitesse – mais elle ne cessait de commenter l'émission. Penchée en avant sur mon canapé, elle fixait l'écran attentivement.

— Ce type porte une chemise horrible… Et elle, elle devrait vraiment se faire arranger les dents… C'est le cratère du Ngorongoro, espèce de crétin ! Ngogongoro !… La présentatrice a une drôle de tête, vous ne trouvez pas… ? Non, ce n'est pas une cage de singe, pauvre ignare – c'est un endroit où l'on garde les abeilles !

Parfois, les candidats l'exaspéraient tellement qu'elle s'en levait presque. Sinon, elle m'adressait un ricanement complice avant de se retourner vers l'écran.

— Non, pas le *Titanic*, pauvre imbécile – le *Lusitania* ! Combien de biens immobiliers dans un jeu de Monopoly ? Quarante ! Ah ? Vingt-deux ?

Parfois elle houspillait les participants.

— Allez…. Allez !

Puis vint le moment de renverser les rôles.

— Mon Dieu ! s'étrangla Cynthia. C'est lui qui va lui poser la question ! Ça, c'est original !

Nous regardâmes Geoff, le grossiste en volaille, me demander, avec un sourire fat, comme s'il était persuadé que j'étais incapable de trouver la réponse : « Qu'est-ce qu'un quadrimum ? »

— Un quadrimum ? répéta Cynthia, consternée. Je n'en ai pas la moindre idée. Pauvre chérie, elle ne va jamais trouver la réponse. Comme c'est humiliant pour elle. Je ne veux pas voir ça.

Elle se couvrit le visage des mains. L'horloge du plateau égrenait le compte à rebours des cinq secondes.

— Quadrimum ? répétait Cynthia à voix basse derrière ses doigts oblongs. Diabolique. Tout simplement diabolique.

— C'est un terme latin qui désigne le meilleur vin, ou le plus vieux, m'entendis-je répondre. Il doit être âgé de quatre ans au minimum.

— C'est… exact, dit Geoff d'un ton où se mêlaient l'horreur, l'étonnement et une évidente déception.

Après tout, il venait de perdre deux mille livres.

— Elle est forte, dit Cynthia.

Elle se tourna vers moi, les yeux aussi écarquillés qu'un plateau satellite.

— Ce n'est pas sorcier. On trouve le terme dans tous les dictionnaires des mots difficiles… À une époque, j'en apprenais cinq par jour, par cœur.

— Tout de même, c'est impressionnant, enfin…

Elle me dévisageait de nouveau. Son expression avait changé.

— Enfin…

Elle me fixait maintenant ouvertement, puis elle se tourna vers l'écran. Elle avait enfin pigé.

— C'est vous…, souffla-t-elle. Je n'avais… pas remarqué… Je ne m'étais pas… rendu compte…

Elle plaqua la main sur sa bouche.

— Mais c'est bien vous, non ?

Je hochai la tête.

— Bien sûr ! Vous vous appelez Laura.

Elle se retourna vers l'écran.

— Et elle aussi.

— C'est… exact.

Cynthia passa soudain de la mortification au ravissement, comme si elle entrevoyait les avantages de la situation.

— Eh bien… c'est pas mal. J'ai une voisine célèbre. Une présentatrice télé en chair et en os ! conclut-elle gaiement. Racontez-moi… Comment est-ce arrivé ?

Tandis que le générique de fin se déroulait sur l'écran, je lui expliquai rapidement comment j'avais décroché le boulot.

— Donc, votre célébrité vous est tombée dessus à l'improviste.

— Effectivement, je ne l'ai pas recherchée, dis-je en songeant tristement à Nick. Je n'avais pas la moindre envie de devenir célèbre. Et vous ? repris-je. Vous êtes… médium, n'est-ce pas ?

Je lui reversai un verre de vin.

— … spirite ?

— Pas du tout, s'indigna-t-elle. Je mourrais plutôt que d'assister à une séance de spiritisme, et je ne communique pas avec les morts. Ça me donnerait la chair de poule, ajouta-t-elle en frissonnant. J'ai en effet suivi un stage de médium voici quelques années mais j'ai eu une expérience assez désagréable avec un ectoplasme.

— Alors que faites-vous dans la vie ? demandai-je en remplissant mon propre verre.

— Je suis voyante. J'ai un don de voyance et je m'en sers pour conseiller les gens, pour les aider à atteindre leurs objectifs. Je peux les assister sur plusieurs plans : crises conjugales, problèmes professionnels, difficultés familiales… J'aide même à retrouver des animaux perdus. Certains me considèrent comme leur guide spirituel, voire un ange.

— Eh bien…

Pour moi, ce sont des balivernes, mais je tentai de dire un truc gentil.

— … tout cela est fascinant.

— En effet, bien qu'entre nous…

Elle fronça les sourcils.

— … j'aurais besoin d'un peu plus de clients. Ça devient préoccupant. C'est dur, non ? De gagner sa vie, fit-elle d'une voix anxieuse.

— Eh bien… moi, je l'ai toujours fait.

— Alors si vous connaissez quelqu'un qui a besoin d'une voyante…

— Ah. Oui, bien sûr. Avez-vous songé à passer une petite annonce dans le journal du quartier ?

— Oui, et j'ai même un site Web… Hélas, il y a tellement de voyants à Londres. Le marché est saturé… Tiens, bonjour, Hans !

Son chat venait de s'aventurer par la porte entrouverte, et se tortillait autour de ses chevilles, ronronnant comme une Ferrari miniature.

— Vous n'avez pas peur des chats, dites-moi ? me demanda-t-elle alors que Hans lui sautait sur les genoux.

— Non. Je les aime beaucoup.

— Elle est absolument adorable.

— C'est vrai. Euh… pourquoi l'avoir baptisée Hans, si c'est une femelle ?

— Parce que je l'ai trouvée devant mon ancien appartement, sur Hans Place.

— Hans Place, à Knightsbridge ?

Elle hocha la tête.

— Belle adresse.

— En effet, dit-elle sur le ton du regret. C'était le paradis.

— Qu'est-ce qui vous amenée ici ? Ladbroke Grove, c'est un peu… différent.

— Je sais. Mais, bon…, soupira-t-elle. Ma vie a changé. Vous comprenez, je n'étais pas propriétaire de mon appartement. Hélas !

Elle cassa un gressin.

— Donc, quand cet… arrangement… a pris fin, j'ai décidé que je devais m'acheter mon propre appartement. Je n'avais pas les moyens d'acquérir autre chose, mais c'est bien.

— Et comment vous êtes-vous lancée… dans le business de la voyance ?

— À vrai dire, c'est une longue histoire… Vous voulez l'entendre ?

Je n'en avais pas la moindre envie, mais je hochai poliment la tête. Elle se cala dans le canapé, son verre de vin entre les mains, le regard perdu dans les souvenirs.

— Tout est arrivé à cause d'une mouette. Une mouette extralucide.

Je la dévisageai.

— Elle m'a sauvé la vie.

— Vraiment ?

— Sans aucun doute. Vous voyez, l'an dernier j'allais très, très mal. J'avais atteint… un tournant important. Je suis donc allée habiter chez ma sœur dans le Dorset. Un après-midi, tandis que je me promenais le long des falaises, j'ai dû trop m'approcher du bord. J'ai glissé et fait une chute de neuf mètres. Je gisais sur la plage, coincée entre deux rochers, souffrant atrocement parce que je m'étais cassé une jambe, incapable de bouger… comme ça.

Elle plaqua ses bras tout raides contre son corps pour m'aider à visualiser sa détresse.

— Quelle horreur !

— C'était terrifiant. D'autant plus que la marée allait monter. J'ai appelé à l'aide, mais la plage était déserte. J'étais persuadée que j'allais mourir. C'est alors qu'une mouette s'est mise à planer obstinément au-dessus de moi. Désespérée, je lui ai crié : « Pour l'amour du ciel, va chercher de l'aide ! » À ma stupéfaction, elle est partie.

Elle se pencha vers moi, ses grands yeux gris écarquillés.

— Voilà le plus incroyable. J'ai appris, peu après, qu'elle avait volé jusqu'au cottage de ma sœur, où elle avait tapé avec son bec sur les carreaux de la fenêtre de la cuisine, agité ses ailes et fait un énorme vacarme. Ma sœur avait tenté de la chasser, mais la mouette insistait, si bien que ma sœur avait deviné qu'elle tentait de lui faire comprendre quelque chose. Elle est sortie, et la mouette s'est envolée ; elle s'arrêtait sans cesse pour s'assurer que ma sœur la suivait toujours, avant de s'envoler de nouveau. Lorsqu'elle s'est posée au bord de la falaise, elle s'est retournée et ma sœur m'a aperçue. Elle a appelé les pompiers.

Cynthia se laissa aller dans les coussins en secouant la tête.

— Vous ne trouvez pas que cette histoire est incroyable ?

— En… en effet.

— Pourtant, elle est vraie. Regardez…

Elle repoussa le chat et releva l'ourlet de son élégante robe en soie. À travers son collant, je distinguai une grosse cicatrice, au-dessus de son genou gauche, avec des bords dentelés comme une fermeture Éclair.

— Par la suite, je me suis demandé comment cet oiseau sauvage avait su que j'étais en danger ? Comment avait-il su qu'il fallait appeler à l'aide ? J'ai décidé qu'il n'y avait qu'une explication possible…

— C'est-à-dire ?

— Que j'avais pu, je ne sais trop comment, communiquer avec lui psychiquement, ce qui lui avait permis de me sauver la vie. J'ai alors compris que j'étais douée de voyance et que je ne devais pas gâcher ce don. C'est ainsi que je suis devenue voyante, conclut-elle. Si vous le souhaitez, je vous offrirai une séance pour vous remercier d'avoir été aussi aimable.

Elle posa la main sur mon poignet gauche.

— Je peux me fonder sur les vibrations électriques émises par votre montre.

Je retirai ma main.

— Merci, mais je ne crois pas en ce genre de choses.

— Non ?

Elle parut ahurie.

— Non.

Sa stupéfaction m'énerva.

— Je ne crois pas non plus au père Noël, aux lutins, aux fantômes, aux petits hommes verts ou au monstre du loch Ness. J'avoue que je doute même de l'existence de Dieu. Hélas, je ne crois qu'à ce qui peut être démontré. Ce sont les faits qui m'intéressent, pas les fruits de l'imagination.

Cynthia secouait la tête.

— Il y a des choses que la raison n'explique pas…

— Peut-être bien. Mais j'ai tendance à croire que les phénomènes ont des causes naturelles, et non miraculeuses.

Elle semblait déçue.

— Enfin. C'est votre affaire. Mais vous êtes sûre que vous ne voulez pas une séance ?

— Absolument. Dites-moi, repris-je, décidée à changer de sujet de conversation, que faisiez-vous avant d'être voyante ?

— J'étais… actrice.

— Vraiment ? Vous avez tourné dans quoi ?

— Plusieurs films.

— Je connais peut-être ?

— C'était il y a longtemps – à la fin des années 1950. J'étais presque une lycéenne.

J'en déduisis qu'elle devait avoir environ soixante ans – dix de plus que je ne lui aurais donnés.

— J'étais starlette. Je n'ai tourné que dans des films de série B, mais c'était passionnant. J'ai été naufragée cinq fois, enlevée deux fois, kidnappée par des extraterrestres quatre fois et dévorée par des fourmis géantes.

Elle eut un sourire nostalgique.

— C'était une vie merveilleuse.

— Et ensuite, dans quoi avez-vous tourné ?

— Eh bien, quand j'ai eu la trentaine, ma carrière s'est en quelque sorte… enfin… vous savez ce que c'est, dans le cinéma…

Cynthia paraissait peu disposée à s'expliquer plus avant et je ne voulais pas me montrer indiscrète.

— Écoutez, vous êtes sûre de ne pas vouloir une séance ? insista-t-elle. Cela m'intéresserait beaucoup, car vous avez une aura assez fascinante. Je peux la distinguer, vous savez. Très nettement.

Elle se renversa en arrière pour m'examiner attentivement.

— Elle est verte et jaune, avec une touche de lilas. Allez, laissez-moi faire.

— Non. Merci quand même. À vrai dire, Cynthia, d'après moi ce sont des foutaises.

— Auquel cas, je ne vois pas ce qui vous retient, triompha-t-elle. Si ce sont effectivement des foutaises, quel mal y aurait-il à ce que je vous fasse une séance, hein ?

Vaincue par son raisonnement, j'acceptai.

Elle agrippa mon poignet gauche de sa main droite et ferma les yeux. Puis soudain, elle les rouvrit, le regard perdu, comme si ses grands yeux gris tentaient d'apercevoir un objet lointain.

— Vous prenez une nouvelle direction, annonça-t-elle.

Très perspicace, me dis-je cyniquement.

— Vous avez été malheureuse.

Ben oui. Comme tout le monde.

— Mais vous commencez à aller mieux.

Fine observation, pensai-je.

— Il y a de l'amour dans l'air.

Elle brûlait. Je songeai à Luke joyeusement. Elle ferma les yeux, inspira bruyamment – le bout de son nez frétillait comme celui d'un mammifère sylvestre – puis elle les rouvrit.

— Vous êtes en train de reprendre le contrôle de votre vie, déclara-t-elle.

Comme la plupart des femmes de mon âge. Franchement, quelle blague ! J'en avais assez. À ce moment-là, Cynthia ferma les yeux de nouveau, comme si elle sombrait dans un sommeil très, très profond. Dans le silence qui suivit, je m'aperçus que je fixais ses paupières, froissées par l'âge et fardées d'une ombre à paupières argentée. J'entendais le tic-tac de mon horloge – un cadeau de mariage de mes parents – sur la cheminée. Je me demandais combien de temps Cynthia allait rester dans cet état, et si je pouvais la réveiller poliment, quand elle rouvrit les yeux très grands, et me fixa avec une intensité qui me surprit.

— Vous avez perdu quelqu'un, dit-elle d'une voix qui n'était plus rauque et théâtrale, mais claire et pénétrante. N'est-ce pas ? Quelqu'un manque dans votre vie. Quelqu'un qui comptait beaucoup pour vous. Mais il y a eu… une tragédie, et maintenant il n'est plus là.

J'éprouvai une curieuse sensation de chaleur, des orteils au sternum, comme si j'avais été plongée dans la cire chaude.

— Vous êtes en deuil, Laura.

Elle ferma de nouveau les yeux en inspirant profondément.

— Quelqu'un vous a été ravi.

Le silence qui se fit semblait bourdonner et vibrer. Puis elle rouvrit les yeux.

— J'ai raison, Laura ?

Je la considérai, tétanisée.

— N'est-ce pas ?

Je m'entendais respirer.

78

— Oui, c'est vrai.

— Je le savais ! s'exclama-t-elle joyeusement, plus ravie de l'acuité de son analyse que compatissante. Je l'ai senti dès le premier instant où je vous ai vue. Je le sentais…

Elle examina la pièce autour d'elle, puis frémit légèrement.

— … le niveau vibratoire est très intense, ici. Enfin, reprenons.

— Je préférerais que nous en restions là, protestai-je.

Mais elle agrippait toujours ma main.

— Vraiment, Cynthia.

Je tentai de me libérer.

— Je crois que ça suffit.

Son regard se perdit de nouveau au loin. Cette fois, elle clignait rapidement des yeux. Puis elle frappa sa poitrine de sa main gauche.

— Je le vois.

— Quoi ?

— Je le vois. Très nettement.

Maintenant, j'étais glacée.

— Il se tient dans un champ… Un champ plein de…

Elle inspira, les yeux écarquillés.

— … de fleurs. Des fleurs magnifiques. Il en est entouré. C'est un spectacle merveilleux. Mais bien qu'il soit entouré de fleurs exquises, il est mélancolique et triste.

— Je voudrais arrêter. Maintenant.

J'arrachai ma main d'un coup sec. Je sentais encore la pression de ses doigts sur mon poignet.

— Il n'est pas dans un champ de fleurs. C'est absurde.

— Mais non. C'est vrai. Et ce n'est pas tout. Il y a quelqu'un d'autre.

J'allais me trouver mal.

— N'est-ce pas ?

— Que voulez-vous dire par là ?

— Il n'y a pas qu'une personne qui manque à votre vie… il y en a deux.

Je sentis les poils de ma nuque se dresser.

— Je ne peux pas distinguer la seconde personne, mais je peux sentir sa… présence. Je la sens.

Je me levai.

— Vous ne l'avez pas connue longtemps… mais vous l'avez aimée. Vous ne vouliez pas la perdre… Alors, reprit-elle d'une voix affable, cela vous dit quelque chose ?

Je la regardai fixement. J'avais la chair de poule.

— Alors ?

— Rien, répondis-je. Rien du tout.

— Ça m'a foutu les jetons, racontai-je à Felicity le lendemain soir.

J'étais assise à la table de sa cuisine, sur Moorhouse Road. Olivia gazouillait sur mes genoux, tandis que Fliss lavait la salade dans l'évier.

— Elle m'a dit qu'elle voyait Nick, debout dans un champ de fleurs. Qu'est-ce que tu en penses ?

Felicity se tourna vers la fenêtre de leur petit jardin muré, plongé dans la pénombre du crépuscule.

— Ça me semble bien trop beau pour lui. Franchement paradisiaque.

Elle repoussa de sa joue ses cheveux blonds emmêlés.

— Il ne mérite pas un sort aussi agréable.

— Allez, Fliss. Ne sois pas si dure.

Par le moniteur bébé, nous entendions Hugh se déplacer à l'étage, dans la chambre. Dès qu'il bougeait, les lumières de l'écran clignotaient et ondulaient.

— Non, Laura, insista Felicity. Je n'ai pas peur de le dire. Nick a été un salaud de faire ce qu'il a fait – sans prévenir ! Je sais bien que certaines personnes montreraient plus de compassion à son égard, mais il t'a trop fait souffrir pour que je lui pardonne.

— Ce n'est pas à toi de pardonner, Fliss, dis-je doucement. C'est à moi. De toute façon, vu les circonstances, l'idée que toi ou moi lui pardonnions ne peut lui faire ni chaud ni froid.

— Puisqu'il brûle en enfer, ricana sombrement Felicity.

— C'est horrible, ce que tu viens de dire, Fliss.

— Désolée.

Elle m'adressa un sourire confus.

— Qu'a-t-elle encore deviné, cette Madame Soleil ?

Je repensai à ce que Cynthia m'avait dit tout à la fin, mais je ne le répétai pas à Felicity. Bien qu'elle ait toujours été très ouverte avec moi en ce qui concernait sa vie, elle ignorerait à jamais certains détails de la mienne.

— Elle n'a pas pu communiquer avec Nick ? reprit-elle. Lui demander pourquoi il l'a fait, peut-être ? Pour abréger notre supplice ?

Je me tortillai sur la chaise.

— Elle n'est pas médium, et je n'en avais aucune envie. Quant aux raisons de l'acte de Nick… sans doute ne les connaîtrons-nous jamais. Mais je t'en supplie, ne parle à personne de ce qui s'est passé, Fliss. C'est très important. Je ne veux pas que la presse s'en mêle.

Elle versa la salade dans le saladier.

— D'ac… cord.

— Afaclataollaollagazzzagoyagoyagoya, dit Olivia.

Felicity se retourna et lui sourit si largement que je crus que son visage se fendait en deux.

— C'est ça que tu penses, ma chérie ? J'adore sa façon de parler, gloussa-t-elle. On dirait un petit extraterrestre, avec son langage d'un autre monde.

— Tekzellagoyaobbadobbagertertergoya.

— C'est comme ça qu'on parle sur ta planète, mon petit agneau ?

Les cheveux blonds duveteux d'Olivia frôlèrent mon menton. Je caressai ses bras si doux, avec leurs petits coussinets dodus et leurs coudes à fossettes. Je pressai ses genoux replets. J'aime Olivia, mais d'un amour doux-amer.

— Tu es tellement… adorable, Olivia, dis-je avec nostalgie. Vraiment.

Je l'embrassai sur le sommet du crâne. L'enfant se retourna pour me regarder, et ses grands yeux bleus plongèrent dans les miens. Puis elle leva la main droite, avec ses petits doigts courts, comme une étoile de mer, et me toucha la joue.

— Tizclalefafffooutanagagoyagoyagoya.

— Et goyagoyagoyagoya à toi, dit Felicity en s'approchant pour lui planter une bise sonore sur la joue. Tu sais, parfois, la nuit, pendant qu'elle dort, je me penche sur son berceau, je sens sa petite haleine sur mon visage, comme un minuscule zéphyr, et je n'arrive toujours pas à croire qu'elle est à moi. Je l'aime tant, poursuivit-elle en tranchant une tomate. Je pourrais passer ma vie à la regarder, à embrasser son petit visage. Je l'aime chaque jour de plus en plus… J'ignorais qu'on puisse éprouver autant d'amour.

— Je sais, murmurai-je.

Felicity avait posé son couteau.

— Enfin… j'imagine, repris-je.

— C'est un amour complètement différent de celui qu'on peut éprouver pour un homme. À vrai dire, Laura, ma relation avec Olivia me comble parfaitement. J'en suis presque jalouse des mères célibataires, me confia-t-elle d'un air coupable. Ce doit être tellement douillet, d'être seule avec son bébé, sans avoir à se préoccuper des autres.

À ce moment-là, nous entendîmes Hugh renifler et toussoter en marchant dans la chambre, puis ouvrir des tiroirs et des placards.

— Il va descendre dans une minute pour dîner.

Elle dévissa le couvercle d'un biberon et me le passa.

— Tu veux bien donner son biberon à Olivia ? Je lui donne du lait maternisé le soir, j'ai les seins vidés !

Tandis que j'installais Olivia au creux de mon bras, Fliss ouvrit la porte du réfrigérateur pour en sortir du bifteck, un pot de crème fraîche et une plaquette de beurre.

— Tu suis le régime Atkins, Fliss ?

Elle en avait besoin. Le gain de poids moyen au cours d'une grossesse est de plus de douze kilos, mais Felicity, qui était déjà ronde au départ, avait réussi à prendre vingt-huit kilos et demi.

— Atkins ? Tu plaisantes.

Elle tira un sac de frites du congélateur.

— J'aime trop les sucres lents. De toute façon, j'allaite encore, donc je ne suis pas censée faire de régime. C'est mon excuse.

— Le lait est directement tiré de la réserve adipeuse de la mère. Même si tu perdais quelques kilos, cela ne poserait pas de problèmes, Fliss.

Et tu as de quoi tenir plusieurs semaines, ajoutai-je mentalement.

— Je sais bien que je devrais faire attention.

Elle tira sur l'élastique de son vieux pantalon de maternité.

— J'ai encore neuf kilos à perdre.

Sans compter le reste !

— Je croyais que, lorsqu'on allaitait, on fondait forcément, reprit-elle.

— C'est un mythe. Au début, on perd du poids, apparemment, ensuite on atteint un plateau et… ça reste.

Felicity me lança un drôle de regard.

— Comment sais-tu cela ?

— Je l'ai lu quelque part.

— Enfin, reprit Felicity, je suis trop heureuse en ce moment pour m'inquiéter de mes kilos, et Hugh est trop occupé par ses inventions idiotes pour le remarquer. Les rares fois où je dois être chic, je porte mon panty atomique pour aplatir le lard.

— Il ne faut pas se laisser aller, Fliss. C'est ce qu'on dit dans tous les bouquins.

— Ah, ça finira bien par fondre, dit-elle, insouciante. Et Hugh n'est pas quelqu'un de superficiel.

C'était aussi mon avis, mais j'espérais qu'elle avait raison.

— Alors arrête de m'embêter avec ça, d'accord ? C'est déjà assez dur pour moi, d'avoir deux sœurs minces comme des fils.

Je remarquai un petit sac sur la chaise haute.

— Tu as fait du shopping ? Qu'as-tu acheté ?

Elle se sécha les mains.

— Un truc adorable

Elle ouvrit le sac pour en tirer une feuille de papier de soie jaune pâle, enveloppant un minuscule cardigan blanc d'une douceur exquise.

— Sublime, non ?

Ma gorge se serra.

— Oui.

Olivia l'attrapa et essaya de se le fourrer dans la bouche.

— C'est du cachemire, ajoutai-je en le caressant.

Felicity fit la grimace.

— Je sais. Ça m'a coûté quatre-vingts livres et elle ne le portera que trois mois, mais c'était tellement adorable que je n'ai pas pu résister. Et puis, pourquoi ma petite fille n'aurait-elle pas ce qu'il y a de meilleur au monde ?

Effectivement, Olivia était habillée comme une princesse, en Oilily, BabyDior et Petit Bateau. Elle dormait dans des draps en lin. Elle circulait dans une poussette Bugaboo qui avait coûté la bagatelle de cinq cents livres, ou dans un porte-bébé Bill Amberg doublé d'agneau retourné. Son visage souriant ornait un cabas personnalisé d'Anya Hindmarch, et ses petons de nouveau-né avaient été moulés en bronze massif. La robe de baptême en soie que Felicity lui avait fait confectionner pour la cérémonie, dimanche prochain, valait deux cent vingt livres.

— Tu en as les moyens ? demandai-je tandis qu'Olivia tétait goulûment son biberon.

— Bien sûr que non, répliqua-t-elle. Mais je m'en fiche, parce que c'est ma lune de miel avec elle, Laura. Je n'ai aucune envie d'être radin, parce que je ne revivrai plus jamais ça.

C'était l'antienne de Felicity. Elle répétait qu'elle ne revivrait plus jamais cette période privilégiée, qui devait donc être parfaite à tous points de vue. Puis elle se mit à me parler du baptême, du pasteur qu'elle aimait beaucoup, de l'église qui était traditionnelle… « Pas ces trucs épouvantables où on tape des mains

85

comme des cons. »... De la musique magnifique qu'elle avait choisie, des traiteurs haut de gamme dont elle avait retenu les services, de tous les gens qu'elle avait invités et du nouveau tailleur qu'elle allait porter.

— Tu comptes reprendre le travail bientôt ? lui demandai-je tout en penchant le biberon pour Olivia. Ton congé maternité doit tirer à sa fin.

Felicity retint son souffle.

— Je ne reprendrai pas.

— Quoi ?

— J'ai pris ma décision, Laura.

Elle ouvrit la porte du réfrigérateur.

— Je ne retournerai pas travailler. Pendant trois ans au moins, se reprit-elle en fouillant dans le frigo. N'y fais pas allusion devant Hugh. Je ne lui en ai parlé que ce matin, et il ne le prend pas très bien.

— Cela ne m'étonne pas.

Je savais qu'ils avaient contracté une hypothèque énorme, d'autant plus que les traitements de fertilité avaient coûté une fortune.

— Ça va être dur pour lui, Fliss.

Elle haussa les épaules.

— C'est son problème. Il avait un bon poste. Je sais que tu dois me trouver dure, reprit-elle en sortant un flacon de vinaigrette, mais pendant dix-sept ans, je me suis occupée des chères têtes blondes des autres, et maintenant, je veux me consacrer à la mienne. Je compte sur Hugh pour me faire vivre pendant un moment, et voilà. Si ma décision l'oblige à reprendre un boulot fixe, tant mieux, parce que cette foutue lubie de devenir inventeur, ça ne marchera pas.

— Qui sait ? Il pourrait découvrir une invention... pratique, non ?

— Jusqu'ici, il n'a pas eu de coup de génie, pas vrai ? Ce machin rempli de beurre qui ressemble à un tube de colle ; ces deux petits parapluies qu'on fixe sur ses chaussures…

— Ah oui. Pour les protéger de la pluie.

Elle leva les yeux au ciel.

— C'est ça. Le parapluie muni d'une lucarne pour qu'on puisse regarder s'il a arrêté de pleuvoir sans se mouiller…

— Mouais… et ces couverts comestibles pour les pique-niques…

— Je sais. Nullissime ! ricana Felicity. Que va-t-il nous sortir encore ? Une cible gonflable pour jouer aux fléchettes ?

J'entendis l'escalier grincer. Olivia avala sa dernière gorgée de lait en soupirant de satisfaction.

— Elle a tout bu, Fliss.

Je lui essuyai le coin de la bouche.

— Elle a fait vite. Viens, ma chérie…

Elle prit Olivia, la leva à bout de bras, l'embrassa deux fois puis la cala contre son épaule.

— C'est vrai, enfin… Hugh pourrait inventer des trucs utiles.

— Quoi, par exemple ? dit Hugh un peu sèchement en entrant dans la cuisine.

Hugh est très grand – un mètre quatre-vingt-dix – et un peu débraillé, avec son vieux pantalon en velours côtelé et son grand pull, mais c'est un très bel homme, au visage juvénile.

— Salut, Laura.

Il me sourit largement et me colla une bise fraternelle.

— Quel truc utile veux-tu que j'invente, Fliss ?

— Des trucs dont on a vraiment besoin, répliqua-t-elle. Du vernis à ongles qui sèche en une seconde, par exemple, ou des collants qui ne filent jamais, ou un four à micro-ondes avec un bouton « retour » pour les fois où je fais trop cuire les aliments, ou un système de boîte vocale qui permette d'effacer le message stupide et incohérent qu'on vient de laisser, ou, voyons voir… Zut, elle a vomi !

Une minuscule lagune blanche s'était formée sur l'épaule de Felicity et s'écoulait lentement dans son dos.

— Où est le linge ?

Elle regarda dans tous les sens.

— Je n'ai jamais, jamais de linge quand j'en ai besoin.

— Ce qui explique que tu ressembles à un Jackson Pollock ambulant.

— Tu peux me passer du Sopalin ?

Hugh lui en remit quelques feuilles pour éponger son tee-shirt noir informe.

— Zut ! Je vais devoir le mettre au sale. Enfin, soupira-t-elle. Ce sont des choses qui arrivent, et au moins, elle en a gardé.

La tête d'Olivia s'était calée contre la poitrine de Felicity.

— Elle est crevée, pauvre chou. Tu pourrais la mettre dans son berceau, Hugh, pendant que je prépare le dîner ?

— J'étais sur le point de me servir un verre. La journée a été longue.

— Tu prendras un verre après, répliqua-t-elle en lui passant le bébé. Je veux qu'elle se couche tout de suite.

Hugh prit Olivia, puis adressa un salut militaire à Fliss.

— À vos ordres. Bonne nuit, tata Laura ! couina-t-il en me tendant le bébé pour que je l'embrasse. Au fait, ton émission était géniale.

— Merci.

— Toutes nos connaissances l'ont regardée. Tu as dû avoir une bonne audience.

— En effet. Pour une première émission, on a eu des chiffres fantastiques. Près de trois millions. On a réalisé la meilleure « part de marché », comme on dit dans le métier.

— Tu as vu le petit article dans le *Standard* ?

— Oui. Ça a eu l'air de leur plaire.

— Ils ont adoré, dit Fliss. Et nous aussi.

— Quadrimum, marmonna Hugh. J'adore. Enfin, allez, Miss Bébé, on monte.

— Il faut vraiment que je m'attaque à ce problème de nuits, dit Felicity tandis que je sortais les couverts. Elle se réveille au moins deux fois. C'est épuisant.

— Ça ne dérange pas Hugh ?

— Non, il dort encore dans la chambre d'amis.

— Vraiment ?

Je ramassai une minuscule chaussette blanche brodée d'une guirlande de roses.

— Ça ne l'ennuie pas ?

— Je ne crois pas. Il ne s'en plaint pas. Ce qui est d'autant plus étonnant que nous n'avons pas… enfin… tu sais, depuis une éternité.

— Vraiment ? fis-je poliment.

Comme je l'ai déjà dit, Fliss aime bien s'épancher. J'ai toujours trouvé cela touchant, bien que je ne lui rende pas la pareille – mais Fliss, elle, a besoin de se raconter. Les confidences jaillissent d'elle comme le pétrole d'un puits texan. Tout le contraire de Hope, discrète et réservée.

— Zéro galipette, expliqua-t-elle. Pas depuis avant la naissance du bébé.

Elle sortit trois assiettes.

— Ça ne me dit rien.

— Enfin, Fliss, tu ne crois pas que c'est risqué ? À ta place, je ne le délaisserais pas comme ça...

— *Baby love, my baby love...*

Par l'interphone, nous entendions Hugh chanter pour Olivia en changeant sa couche.

— *I need you, oh how I need you...*

— Enfin, il est bel homme, Fliss...

— *But all you do is treat me bad...*

Elle s'esclaffa.

— Oh, Hugh est bien trop coincé pour aller voir ailleurs.

— *Break my heart and leave me sad...*

— Et puis, qui voudrait de lui ? dit-elle en allumant le feu de la cuisinière. Il ne gagne pas un rond. Il passe ses journées dans l'appentis.

— *Dou bi dou, bi dou bi dou, 'cause baby love, my baby love...*

— En tout cas, dans les livres, on recommande de ne pas négliger son mari après la naissance du bébé.

— *Been missing ya, miss kissing ya...*

Fliss m'adressa un drôle de regard.

— Comment tu sais tout ça, toi ?

— Eh bien, je...

Je désignai l'étagère.

— J'ai parcouru tes livres... tu sais combien j'adore bouquiner. Et on conseille aux nouvelles mamans de ne pas négliger... cet aspect.

— *Dou bi dou bi dou bi dou da dou bi dou bi dou bi dou...*

— Je ne sais pas, Laura, soupira-t-elle. Je n'ai aucun mal à vivre sans sexe – ça ne me manque pas du tout.

— Moi, si, fis-je d'un ton sinistre en mettant la table. Je n'ai pas eu, ne serait-ce qu'un câlin, depuis trois ans.

Felicity prit trois verres dans le placard.

— C'est insensé. J'ai toujours dit que tu devrais trouver quelqu'un.

— Comment ? J'étais trop déprimée, et en plus je n'avais aucune confiance en moi... Et puis qui aurait voulu de moi ? Avec ce que je me trimbale ? conclus-je d'un ton morne.

— Enfin, oui, je sais que ta situation n'était pas... brillante. Mais, dis donc, et ton patron ? demanda-t-elle en versant de la vinaigrette dans le saladier. Chaque fois qu'il répond quand je t'appelle au travail, je trouve qu'il a l'air très gentil... Sa voix me fascine, elle est tellement belle.

— Tom est gentil. Et il a une belle voix, en effet. J'y suis si habituée que j'y songe rarement.

— D'où vient-il ?

— De Montréal. Côté anglophone. Il vit à Londres depuis plusieurs années.

— Pourquoi pas lui ?

Je secouai la tête.

— Il ne te plaît pas ?

— Pas comme ça.

Elle tourna la salade.

— Tu veux dire qu'il ne te plaît pas.

— Non, ce n'est pas ça. Il est bien. Il est même très bien.

Elle versa quelques gouttes de vinaigrette en plus.

— Il est comment ?

— Eh bien, il a du charme, dans le genre gentil garçon. Des cheveux bruns, un peu dégarni sur les tempes. De grands yeux bleus. Taille moyenne, poids moyen. Un peu dans le genre Tobey McGuire.

— Tu crois que tu lui plais ?

— Mon Dieu… je l'ignore. Je crois qu'il n'a jamais songé à moi sous cet angle-là. Il… il m'aime bien, je crois, mais c'est tout.

— Il a été sympa, après Nick, non ?

Elle revissa le bouchon du flacon de vinaigrette.

— Oui, c'est vrai. Il m'a vraiment soutenue. Nous travaillons ensemble depuis six ans maintenant… on a démarré ensemble. Au début, il n'y avait que lui et moi, donc nous avons d'excellents rapports professionnels.

— Pourquoi ce rapport ne peut-il pas devenir personnel ?

— D'abord parce que c'est mon patron et que cela pourrait compliquer les choses, et ensuite… tu me jures de ne pas le répéter ?

— Je le jure, déclara-t-elle sérieusement.

— Il a fait un truc assez épouvantable, il y a quelques années. Je ne t'en ai jamais parlé, par loyauté envers lui. Mais en fait, bien qu'il soit formidable, je trouve cette histoire… rédhibitoire.

Felicity écarquillait des yeux comme des soucoupes.

— Qu'est-ce qu'il a fait ?

— Il a quitté sa femme…

— Ah.

Elle tourna à nouveau la salade.

— Et alors ? C'est courant. Tu ne peux pas lui en vouloir pour ça, Laura. Franchement, tu es trop sévère, parfois.

— … un mois après la naissance de leur bébé.

Les couverts à salade restèrent suspendus dans les airs.

— Ah. Je vois. En effet, c'est affreux.

Elle grimaça.

— La pauvre femme.

— À qui le dis-tu !

— Il a eu du mal à accepter la paternité ?

— Non. Il l'a quittée pour une autre.

— Mon Dieu…

— On en a parlé dans la presse à potins.

— Vraiment ? Pourquoi ?

— Parce que la femme en question, c'était Tara McLeod.

— L'actrice ?

— Oui. Elle avait tenu le rôle principal dans un docu-fiction que nous tournions sur Hélène de Troie… Ils se sont connus comme ça. Leur liaison n'a pas duré, mais ça a détruit son couple. Comme elle était en pleine ascension professionnelle, la presse s'en est mêlée, et quelques articles ont raconté que la femme de Tom, Amy, ne s'en était pas remise.

— Ces journaux racontent n'importe quoi. Comment peux-tu savoir que c'est la vérité ?

— D'abord parce que je l'ai vu avec Tara plusieurs fois. Ensuite, sa propre sœur me l'a confirmé. Elle est venue à Londres peu de temps après – elle fait partie du conseil d'administration de la boîte. Nous avons déjeuné, et elle m'en a parlé, comme si elle voulait s'expliquer.

— Elle était sans doute un peu gênée pour lui.

— Je crois que oui. Elle m'a demandé si j'étais au courant, j'ai répondu que oui, puis elle a simplement haussé les épaules en prétendant qu'il s'agissait d'un « coup de foudre ». J'imagine qu'il a perdu la tête.

Felicity sortit une bouteille de vin.

— Quitter sa femme quand elle vient d'avoir votre enfant, en effet, c'est vraiment tordu.

Je songeai, comme souvent lorsque je suis seule, à quel point il était incongru qu'un type aussi gentil que Tom puisse s'être aussi mal comporté. Cependant, je suis bien placée pour savoir – à cause de Nick – que même les gens les plus « gentils » peuvent vous surprendre de la pire façon.

— Voit-il son enfant ?

— Je ne crois pas. Sa femme a demandé le divorce, puis elle est rentrée au Canada. J'ignore s'il le voit quand il rentre au pays. Il n'en parle jamais, et il n'a aucune photo de lui dans son bureau, donc je suppose que non. Mais… cela a affecté ma façon de le percevoir. Au niveau personnel, du moins.

— Je comprends que tu ne veuilles pas te rapprocher de lui. Restes-en là. Rapports chaleureux, mais strictement professionnels.

— C'est ce que je fais. De toute façon, j'aurais du mal à voir Tom – ou qui que ce soit au boulot – autrement que d'un point de vue professionnel.

Tandis que Felicity fouillait dans un tiroir pour trouver un tire-bouchon, je songeai qu'il était curieux de passer autant de temps avec mes collègues, tout en connaissant aussi peu de choses sur leur vie. Je savais seulement que Dylan avait une copine productrice, que notre assistant de production, Gill, était fiancé, que le petit ami de Sara était enseignant et que Nerys vivait seule à Paddington avec deux perruches. Et je savais que Tom avait quitté sa femme un mois après la naissance de leur enfant.

— Il y a quelqu'un d'autre qui pourrait t'intéresser ? reprit Fliss.

Elle me tendit la bouteille et je commençai à arracher le capuchon métallique.

— Au fait, j'ai invité au baptême un garçon qui est un très beau parti.

Je la regardai, consternée.

— Non, Fliss, je t'en prie.

— J'ai eu sa fille dans ma classe il y a quelques années.

— Ne me fais pas ça.

— Je suis tombée sur lui récemment et il m'a dit qu'il avait divorcé.

— Encore moins dans une réunion familiale.

— Il s'appelle Norman et il est agent de change.

— Ça ne se fait pas. Et merde ! Je n'arrive pas à retirer le capuchon métallique.

— Désolée, je l'ai déjà invité.

— Pourquoi ?

— Premièrement, parce que j'ai invité des tas de gens, donc peu importe qu'il soit là lui aussi, et deuxièmement – c'est la raison principale – parce que je veux que tu rencontres quelqu'un de bien.

Elle se tourna vers moi.

— Laura, tu auras trente-cinq ans en juin. Je veux que tu puisses fonder une famille. Je veux que tu connaisses le bonheur de la grossesse.

Je me tortillai sur ma chaise.

— Je veux que toi aussi, tu éprouves la joie de sentir un bébé qui grandit en toi – ton bébé, ajouta-t-elle avec une ferveur évangélique, tandis que je me débattais avec le capuchon métallique. Je veux que tu connaisses, toi aussi, le bonheur indescriptible de tenir ton bébé dans tes bras pour la toute première fois…

— Tais-toi, tu veux, Fliss ? Et merde !

Le sang coulait de mon index.

— Ça y est, je me suis coupée ! geignis-je. Arrête de me faire la morale, tu veux, et va me chercher un pansement.

J'essuyai une larme de colère.

— Je suis désolée d'être aussi directe, Laura, insista Felicity d'une voix douce. Mais je vois que j'ai touché une corde sensible.

Elle enroula un Kleenex mouillé autour de mon doigt. Il se teinta aussitôt d'écarlate.

— Pardonne-moi de t'avoir fait de la peine, Laura.

Felicity passa le bras autour de mes épaules. Ma colère s'atténua.

— Je veux juste que tu sois heureuse. Regarde comme j'ai eu du mal à tomber enceinte… Qui sait, tu auras peut-être du mal, toi aussi.

Mon estomac se noua.

— Je ne voudrais pas que tu rates cette dimension merveilleuse de la vie… Et pour ça, tu dois trouver quelqu'un très vite. Pas vrai ? J'essaie simplement de t'aider.

Je la dévisageai.

— Eh bien… je n'ai peut-être pas besoin de ton aide.

Je jetai un coup d'œil à ma coupure. Elle avait presque arrêté de saigner.

— Pourquoi pas ? s'enquit Felicity en déballant un pansement adhésif. Que veux-tu dire par là ?

— J'ai peut-être déjà rencontré quelqu'un. Tu vois, il s'est passé un truc extraordinaire hier…

Tandis que Felicity posait le pansement, je lui racontai mes retrouvailles avec Luke.

— Luke ? s'exclama-t-elle en souriant. Lui, il me plaisait bien – on l'adorait tous, non ? Il était tellement marrant.

Elle déboucha la bouteille et versa deux grands verres de vin.

— Il avait toujours une info inutile et drôle à raconter – comme quoi, déjà ? – ah oui, que le lait de l'hippopotame était rose – je n'ai jamais oublié ça – ou que Virginia Woolf avait écrit tous ses livres debout...

Elle hocha la tête d'un air ravi.

— Oui, Luke était formidable. Je suis enchantée que tu l'aies retrouvé. Ce qui s'est passé à l'époque... c'était vraiment dommage.

— En effet. C'était dommage de l'avoir retrouvé au lit – ou plutôt dans la baignoire – avec une autre.

— C'est vrai. Mais... Allez, Laura, il était très jeune. Vous l'étiez tous les deux.

Elle sirota son vin.

— Et puis, ce n'était qu'une aventure d'une nuit, non ?

— C'est ce qu'il m'a juré. Mais j'avais l'impression d'avoir marché sur une mine... Tout était gâché... Je n'ai pas pu supporter.

— Peut-être que maintenant, tu y serais arrivée. Avec l'âge, on change de perspective.

— Tu as sans doute raison. Après ce que Nick m'a fait, je pense que je pourrais supporter n'importe quoi. Mais ça, c'est maintenant.

— Et maintenant... (Elle m'adressa un regard éloquent.) C'est une seconde chance, Laura. Une seconde chance, de rallumer une vieille flamme. Il faut que tu fonces. Tu as attendu assez longtemps. Affectivement, tu étais... paralysée. Maintenant, tu dois cueillir le jour !

Curieux. Tom avait dit la même chose.

— *Carpe diem !* ajouta gaiement Fliss. Alors, dis-moi. Il y a eu des étincelles ?

— Oui. Je me suis si souvent demandé ce qui se passerait si je rencontrais Luke à nouveau… Et, à présent, je le sais. C'est exactement comme avant. Sauf qu'aujourd'hui, il est séparé de sa femme, avec une fillette de six ans et moi, je suis…

Je déglutis. J'ai toujours du mal à prononcer ce mot.

— Tu vas le revoir, dis ?

Je ne répondis pas tout de suite.

— Je t'en supplie, dis-moi que tu vas le revoir, Laura. Ne me fais pas de cachotteries. Je te connais.

Mon cœur effectua un triple salto.

— Je dîne avec lui demain soir.

3

Par la façon dont la question est formulée, certains quiz permettent aux candidats de préparer leur réponse. Ainsi, John Humphreys de *Mastermind* dit : « En musique classique, que signifie le terme *"legato"* » plutôt que, tout simplement, « Que signifie *"legato"* ? ». Ou encore : « Histoire : en quelle année s'est tenue la diète de Worms ? » plutôt que « Quand a eu lieu la diète de Worms ? » Ce qui accorde aux candidats une fraction de seconde supplémentaire pour entrer dans le sujet. Ceux de *Vous savez quoi ?* n'ont pas ce luxe : on leur balance les questions, boum, boum, boum. « Hécate était la déesse grecque de quoi ? » (les Enfers) ; « Quel est le nom du gnou en Afrique du Sud ? » (wildebeest) ; « Quelle est la latitude de la frontière entre la Corée du Nord et la Corée du Sud ? » (le 38e parallèle). Cette méthode augmente la difficulté, tout en ajoutant de la tension et du rythme. Tandis que je remontais Ladbroke Grove pour rejoindre Luke vendredi soir, les questions déferlaient dans ma tête. « M'as-tu trompée plusieurs fois au cours de nos deux années ensemble ? Tu es sorti avec combien de femmes après moi ? Ta femme est-elle jolie ? Est-elle intelligente ? Est-ce qu'elle a réussi dans la vie ? Pourquoi avez-vous rompu ? »

— Ne fais pas cette tête sinistre, Laura !

Il se tenait à l'angle de Kensington Park Road, juste en face de l'English National Opera. Il me fit la bise, puis pressa son visage contre le mien un instant et, une fois de plus, mon désir pour lui se réveilla. Je l'avais tant aimé. Quand nous entrâmes dans le restaurant, je sentis la pression légère de sa main dans mon dos. J'exultai.

— Au début, je t'ai mal compris, dis-je pendant qu'on nous guidait vers une petite table tranquille dans un coin de la salle. J'ai cru que tu m'invitais à l'opéra.

— On ira la prochaine fois. D'accord ?

Je sentis mon visage s'enflammer de plaisir à l'idée qu'il y aurait une prochaine fois. Je réprimai un sourire en examinant la déco du restaurant, avec son parquet en bois blond et ses écrans en bois noir laqué.

— C'est joli.

— Tu n'es jamais venue avec ton mari ?

Il avait pris le ton respectueux et plein de tact qu'ont tous les gens qui parlent de Nick.

— Non. On n'allait pas souvent au restaurant. Notre budget était assez serré.

— Il travaillait pour une ONG, n'est-ce pas ?

— Il dirigeait SudanEase, une petite agence de développement pour le Soudan.

— Ce devait être un type très bien.

— En effet, c'était quelqu'un de très bien, à plus d'un titre.

Je détestais parler de Nick au passé ; cela m'attristait.

— J'avais l'intention de t'écrire, précisa Luke en dépliant sa serviette. J'ai même commencé une lettre.

100

Mais c'était… délicat. Je ne savais vraiment pas quoi te dire.

— Ne t'en fais pas, fis-je avec un sourire crispé. Tu n'as pas été le seul.

L'expression de Luke me laissait entendre que, malgré sa curiosité au sujet de Nick, il ne voulait pas paraître indiscret – il s'enquit donc de ma famille. Tout en sirotant mon champagne, je lui racontai que mes parents s'étaient retirés dans les Pennines pour s'occuper d'un *Bed & Breakfast*, que Hope réussissait très bien à la City, qu'elle ne voulait pas d'enfants et qu'elle était satisfaite de sa décision, tout comme son mari, Mike. Puis je lui parlai de Fliss.

— Je l'ai vue, dit-il. Avec une poussette, sur Westbourne Grove.

— Ils vivent dans le quartier.

— Moi aussi. Sur Lonsdale Road. Je m'étonne de ne pas l'avoir croisée plus tôt. Je voulais lui parler – je mourais d'envie de lui demander de tes nouvelles.

— Pourquoi ne l'as-tu pas fait ?

— C'était… embarrassant. J'ai supposé que j'étais devenu *persona non grata* auprès des membres de ta famille.

— Tout ça, c'est de l'histoire ancienne.

— Je sais, mais tout de même, j'ai cru qu'ils devaient m'en vouloir.

— Mais non…, mentis-je.

— Vraiment ?

— Bon, d'accord… Oui. Ils t'en ont voulu. Mais surtout parce que je devais être demoiselle d'honneur au mariage de Felicity la semaine suivante.

— Je m'en souviens.

— Et que j'étais dans un triste état.

— Oh là là.

101

— J'ai pleuré pendant toute la cérémonie.

Je m'interrompis le temps que le serveur pose nos *dim sum* sur la table.

— Ma mère a dû raconter à tout le monde que j'étais émue par le mariage.

— Je vois.

— Puis, quand Fliss m'a lancé le bouquet, je le lui ai renvoyé.

— Mince alors.

— J'étais très mal.

— Apparemment. Écoute…

Il ouvrit sa veste et caressa sa chemise.

— … tu vois ceci ? C'est un cilice. En pur crin de cheval.

Je levai les yeux au ciel en souriant.

— N'importe quoi !

— Et j'ai apporté un petit fouet, à des fins d'autoflagellation – ou tu peux opérer toi-même, si ça te tente. Sérieusement, Laura…

Il baissa la voix.

— … parlons-en tout de suite, tu veux ? Pour qu'on passe une soirée agréable, ensuite… Puis-je simplement te dire que je suis vraiment désolé de ce que j'ai fait ? J'étais très jeune et très con. Au cas où tu m'en voudrais encore, ne serait-ce qu'un petit peu – je vois bien que si –, j'aimerais te demander pardon du fond du cœur. En juin 1993, j'ai été un salaud. Tu ne méritais pas ça. J'en suis désolé. Alors… ça suffit ?

Mes derniers vestiges de froideur envers lui s'évanouirent dans une bouffée de vapeur – j'eus l'impression d'avoir été passée à la poêle.

Je souris.

— Oui. Merci. Cela suffit amplement.

J'ouvris mes baguettes.

— Tu sais, j'en ai souffert, moi aussi. Tu as fait ta valise et tu es partie. Tu n'as répondu à aucun de mes appels. Tu m'as renvoyé toutes mes lettres. Ta détermination à m'amputer de ta vie a été… impressionnante.

— Je n'ai pas supporté de te voir… avec elle. Comme ça.

L'image de Luke, allongé dans la baignoire de l'appartement que nous partagions, plongé dans les bulles jusqu'à la poitrine, avec Jennifer Clarke debout, toute nue devant le lavabo, surgit dans mon esprit. Je n'oublierai jamais l'expression d'horreur de Jennifer lorsqu'elle s'était regardée dans le miroir et qu'elle m'y avait découverte.

J'étais allée chez mes parents la veille, pour le dernier essayage de ma robe de demoiselle d'honneur. Je n'étais censée rentrer que dans l'après-midi. J'étais revenue plus tôt, parce que je m'étais querellée avec Luke avant mon départ et que je voulais me réconcilier avec lui, lui faire une surprise. La surprise avait été pour moi. Jennifer – qui, soyons juste, était très belle, avec de longs cheveux soyeux comme j'en ai toujours rêvé – appartenait à notre équipe de quiz entre facs, dont nous avions remporté la finale de justesse la semaine précédente.

— Je suis vraiment désolé, répéta Luke. Vraiment, ça a été la première et unique fois où j'ai fait un truc de ce genre. J'ai commis une faute lamentable – je regrette simplement que tu en aies été la victime.

— Et pourquoi l'as-tu fait, alors ? D'après toi ?

Il réfléchit.

— Parce que j'étais jeune, j'imagine, et très immature, et parce qu'on venait de passer nos examens de fin d'année et que c'était une façon de décompresser

– et parce que je paniquais à l'idée d'avoir mon diplôme et de devoir affronter le monde des adultes. Et puis on s'engueulait souvent, tu te rappelles, et puis tu n'étais pas là et Jennifer était… disponible. En plus, je t'étais fidèle depuis deux ans et peut-être que j'avais envie de me lâcher. Tout cela ne signifie pas que je ne t'aimais pas… Je t'aimais.

— Ça va, Luke.

Depuis, j'avais, hélas, appris que même les gens qui vous aimaient le plus pouvaient vous faire du mal.

— Tu aurais pu mieux choisir que Jennifer Clark.

Il sourit.

— C'est vrai. Ce n'était pas une flèche. Sans vouloir être indiscret…

Il se pencha vers moi.

— … elle ne savait même pas que la capitale de Cuba, c'est La Havane.

— Ou que *La Dolce Vita* a été réalisée par Fellini. Tu te rappelles ?

— Ou que le palais de l'Ermitage est à Saint-Pétersbourg. Elle croyait que c'était à Paris !

— Lamentable. J'ignore comment elle a été choisie pour faire partie de l'équipe. Probablement parce qu'elle te plaisait.

Il se mordit la lèvre inférieure.

— Peut-être – elle était inculte. À cause d'elle, nous avons failli perdre. Tu te rappelles, on a vraiment gagné de justesse.

— Je sais. Elle ne savait même pas que le plus gros organe du corps est le foie, tu te rends compte ?

— Ou que le roman le plus vendu de tous les temps est *La Vallée des poupées*.

— Ah bon ? J'avais oublié.

— Il s'est vendu à trente millions d'exemplaires.

— Vraiment ? Merci… On va s'en servir pour *Vous savez quoi ?*

Il me prit la main.

— Tu me pardonnes, Laura ?

Je souris.

— Bien sûr que je te pardonne… maintenant. J'en aurais été incapable à l'époque. Tu m'avais trop blessée, Luke. C'était comme une douleur physique. Ici. En plein là…

Je frappai mon sternum.

— … comme si on m'avait mordu le cœur. J'étais heureuse avec toi, Luke. Plus heureuse que je ne l'ai jamais été. Peut-être que je ne te reverrai plus, donc peu m'importe que tu le saches.

J'éprouvai un bref pincement de culpabilité, à cause de Nick. Je l'ignorai. Nick m'avait fait bien pire.

— Nous étions heureux, c'est vrai, reprit Luke. Nous étions très jeunes, mais c'était sérieux.

— Oui.

Je me rappelai combien je me sentais vivante avec Luke. Son exubérance et sa vitalité m'avaient galvanisée, alors que j'étais timide et studieuse. J'étais introvertie, et il m'avait donné confiance en moi. Je me croyais moche, il m'avait donné l'impression d'être belle. J'avais éprouvé pour lui une passion qu'aucun autre homme n'avait éveillée en moi. Il avait été… oui… l'amour de ma vie. Si je l'avais su à l'époque, j'aurais pu lui pardonner, comme il m'en avait suppliée. J'avais choisi de le quitter, sans un mot ni un regard. J'avais suivi un autre chemin.

À présent, l'atmosphère entre nous était si dégagée qu'on se serait crus au sommet du mont Blanc.

— Alors, dis-je. Qu'es-tu devenu après cela ? Tu es entré chez Christie's, c'est ça ?

— Oui, j'y ai bossé pendant huit ans. J'ai démarré comme manutentionnaire, et j'ai fini directeur du département d'art contemporain britannique. Côté vie personnelle, j'ai eu quelques liaisons pas très satisfaisantes. Puis, au cours de l'été 1996, j'ai rencontré Magda.

— Ça a été le coup de foudre ?

Il réfléchit avant de me répondre.

— Non. Mais j'étais très… attiré par elle.

J'éprouvai un pincement de jalousie.

— Je la trouvais fascinante, intense. Elle est hongroise – elle vivait ici depuis douze ans – et elle avait un style captivant, bohème. Elle s'habillait en vintage, elle avait d'immenses yeux bleus et de grands cheveux blonds qu'elle empilait sur sa tête.

— Vous vous êtes rencontrés comment ?

— Dans… un cours de dessin.

— Donc, elle est artiste, elle aussi.

Il prit une gorgée de vin.

— On s'est fréquentés pendant quelques mois, puis j'ai commencé à sentir la pression, parce qu'elle avait cinq ans de plus que moi et qu'elle avait envie de se caser ; mais j'avais déjà le sentiment que ça n'allait pas.

— Pourquoi ?

— Elle pouvait être adorable, mais elle avait des accès d'humeur noire. Je cherchais le courage de rompre quand elle m'a annoncé qu'elle était enceinte.

Il haussa les épaules.

— Je n'étais pas rassuré, on ne se fréquentait que depuis quatre mois et on n'avait jamais parlé de vivre ensemble, encore moins d'avoir des enfants. Mais la perspective d'être père m'a bouleversé. J'ai décidé d'assumer.

— Parle-moi de Jessica, maintenant.

Il sourit et secoua la tête, émerveillé.

— Jessica ? Que puis-je dire d'elle ? Simplement…
que je l'adore. C'est pour elle que je me lève le matin.
C'est pour elle que je vais bosser. Elle est ce qu'il y a
de plus précieux dans ma vie… Elle est tout pour moi,
Laura, tout. Elle est ce qui m'est arrivé de mieux… de
mieux, vraiment…

Choquée, je remarquai que sa bouche tremblait ; ses
yeux étaient noyés de larmes.

— Luke, soufflai-je.

Je posai la main sur la sienne. Il se détourna, confus,
et baissa la tête.

— Pardon, fit-il d'une voix éraillée. Ça me déchire,
parce que Jess ne vit plus avec moi et qu'elle me manque. Sa charmante petite présence me manque. Ça me
manque de l'entendre parler, chanter et jouer. Je ne supporte pas de voir sa chambre vide. Parfois, je m'assieds
sur son lit pour pleurer.

— Tu la vois ?

Il hocha la tête.

— Tous les samedis. Et je passe souvent la prendre
à l'école.

— Alors ça va.

Il haussa les épaules.

— Ça pourrait être pire – mais je voulais vivre avec
mon enfant. Magda et moi, nous n'étions pas heureux,
mais je ne l'aurais jamais quittée… à cause de Jessica.

— Pourquoi vous êtes-vous séparés ?

Il poussa un gros soupir.

— Au début, elle était adorablement excentrique,
puis sa conduite est devenue franchement bizarre…

— Par exemple ?

— Elle me cherchait constamment querelle. Elle cachait mes affaires, parfois même elle les brisait. Un jour, j'ai pris la voiture alors qu'elle la voulait. Je venais de mettre la clé dans le contact quand elle a lancé par la fenêtre deux carafes en cristal qui avaient appartenu à ma grand-mère.

Il frissonna.

— Je n'oublierai jamais le bruit qu'elles ont fait en s'écrasant. Elle a fichu sa bague de fiançailles dans les WC et elle a tiré la chasse. En plus, elle était épouvantablement mal élevée avec mes amis.

Il grimaça.

— Elle était capable de partir en plein milieu d'un dîner si quelqu'un avait dit un truc qui ne lui plaisait pas.

— Ce devait être gênant.

— En effet. Elle l'a même fait chez mon patron… j'ai eu peur que ça nuise à ma carrière. Elle me faisait des scènes… affreuses. Je l'avais emmenée dîner au Connaught pour son anniversaire et elle m'avait demandé de commander pour elle pendant qu'elle allait aux toilettes. J'ai donc commandé du saumon, je savais qu'elle adorait ça, mais quand elle l'a vu dans son assiette elle s'est mise à pleurer, très fort – tout le monde nous regardait. J'ai chuchoté : « Qu'est-ce qui t'arrive, Magda : » et elle a hurlé ? « Je voulais de la truite ! »

— Ah bon ! Euh… À ton avis, pourquoi se comportait-elle comme ça ?

— Elle adorait les drames. Et le fait d'attirer l'attention, évidemment. En plus, elle semblait trouver la vie conjugale normale ennuyeuse, alors elle manigançait des ruptures, pour que nous puissions nous réconcilier. Je trouvais cela usant.

— Vous ne vouliez pas d'autres enfants ?

— Moi, si. Pas elle – peut-être parce qu'elle est fille unique. De toute façon, ça allait déjà mal entre nous. Je sentais qu'elle tentait de provoquer une rupture. À cause de Jess, j'essayais de ne pas faire de vagues. Puis, et c'est ça qui a mis le feu aux poudres, elle s'est mise à garder des chèvres.

— Des chèvres ?

Il hocha la tête.

Ah.

— Des chèvres pygmées. Apparemment, sa grand-mère en élevait, dans les Carpates, et ça lui rappelait de bons souvenirs. Enfin, je suis rentré un soir, et j'ai vu une toute petite chèvre dans le jardin, qui croquait joyeusement mes dahlias. « Je te présente Heidi », m'a annoncé Magda d'un air triomphant. Je me suis dit que je pouvais supporter une chèvre miniature – si ça pouvait calmer Magda. Puis, sans m'en avertir, elle a fait s'accoupler Heidi, qui a eu des jumeaux – Sweetie et Ophelia. Puis, quelques mois plus tard, Heidi a encore eu deux chevreaux – Phoebe et Yogi. Quand j'ai suggéré à Magda qu'avoir autant de chèvres n'était pas raisonnable, elle a éclaté de rire en me disant que si j'avais envie d'avoir des petits, maintenant, c'était fait. Nous étions donc à Notting Hill au cœur des beaux quartiers, avec du bétail dans le jardin. Nous étions la risée du voisinage.

— C'est pour ça que tu as éclaté de rire quand j'ai demandé le sens du mot « caprin » ?

Il hocha la tête.

— Je sais à peu près tout ce qu'il y a à savoir sur les chèvres. D'ailleurs, elles sont assez mignonnes. Je les aime bien.

— Ça sent plutôt mauvais, non ?

— Pas les femelles, ni les mâles castrés. Évidemment, quand elles s'échappaient, il fallait que je parte à leur recherche. Quand elles entraient dans la maison, je les retrouvais parfois au sommet de la penderie. De plus, il leur fallait une luzerne spéciale ainsi que des sels minéraux, et c'était à moi de les acheter. Enfin, tous les week-ends, Madga partait faire des salons agricoles – elle avait acheté une petite remorque pour transporter les chèvres. Je trouvais un mot sur la table m'expliquant qu'elle partait en week-end pour assister à une quelconque festivité campagnarde, et me demandant de m'occuper de Jess. On s'engueulait tout le temps à ce sujet. Puis, tout d'un coup, elle a fait ses valises. J'ai essayé de l'empêcher de partir, à cause de Jess. Je me suis même demandé si je ne devais pas saisir un juge des affaires familiales, étant donné le comportement excentrique de Madga, mais une bataille juridique aurait été trop destructrice… En outre, je craignais de perturber Jess.

— Vous avez entamé une procédure de divorce ?

— Pas encore – ce n'était pas urgent – et puis ça traumatiserait Jessica. Le pire, c'est qu'elle croit que c'est de sa faute. Elle s'est mis dans la tête que, si elle avait été « plus gentille », son papa et sa maman ne se seraient pas séparés.

— Pauvre petite.

— Je sais. Je lui répète que c'est faux, qu'elle est une très gentille petite fille, et que ce sont des choses qui arrivent.

Il secoua la tête.

— Mais elle ne peut pas comprendre. Parfois, quand elle est avec moi, au moment de se mettre au lit, elle prie pour que son papa et sa maman vivent à nouveau ensemble.

Il détourna les yeux.

— Ça me fend le cœur.

— Et maintenant… où vivent-elles, ton ex et elle ?

— À Chiswick, dans la maison qui appartenait à Magda avant de me connaître. Son jardin est plus grand que le mien, donc les chèvres sont ravies, et ce n'est pas trop loin. Je paie son hypothèque, toutes les factures et l'école de Jessica…

— Magda ne travaille pas ?

— Non. Elle était interprète… Elle gagnait bien sa vie, mais elle ne veut plus faire ça.

— C'est dur, pour toi.

— Je sais. Heureusement, la galerie marche bien. Je suis arrivé de justesse à garder Lonsdale Road grâce à un prêt bancaire, mais je dois vraiment me serrer la ceinture.

Je trempai une crevette dans la sauce de soja.

— C'est pour ça que tu voulais participer au quiz ?

— En partie. Comme je te l'ai déjà dit, j'ai été accepté à l'école des beaux-arts de Slade. Mais surtout… enfin, je voulais te revoir, Laura. Je ne t'ai jamais oubliée.

Il caressa ma main.

— J'ai si souvent pensé à toi… surtout après avoir appris ce qui s'était passé. Et j'aimerais croire que toi aussi, tu as pensé à moi.

— Je ne me le permettais pas, dis-je doucement. Je te repoussais. Mais tu me revenais dans mes rêves.

Il sourit.

— Je savais que tu accepterais de dîner avec moi.

— Vraiment ? Comment pouvais-tu en être aussi sûr ?

Il désigna mes mains, nouées sous mon menton.

— Parce que j'ai vu que tu portais ma montre.

Je jetai un coup d'œil à mon poignet gauche. Je portais en effet la fine montre en or que Luke m'avait offerte pour mes vingt et un ans. Cela lui avait coûté la totalité de sa bourse d'études.

— Eh bien... Elle me plaît... et... ç'aurait été idiot de... la remiser, non ?

Soudain, son téléphone portable sonna. Il consulta l'écran, puis grimaça.

— Désolé, Laura, je reviens tout de suite.

À travers la vitrine, je le vis faire les cent pas sur le trottoir humide, sous le lampadaire. À une ou deux reprises, il se passa la main gauche dans les cheveux, l'air frustré. Puis je le vis refermer son téléphone d'un coup sec.

— Des histoires de garde d'enfant, expliqua-t-il en reprenant sa place, les lèvres pincées. Magda voulait que son maudit bonhomme passe déposer Jessica demain matin. Juste pour me blesser... quelle conne ! Je lui ai répondu que j'irais moi-même chercher ma fille.

— Et son copain, il est comment ?

— Il s'appelle Steve. C'est un comptable, dans la quarantaine. Divorcé, avec trois ados. Je ne sais pas s'il aime les chèvres, mais Magda ne rate pas une occasion de me signaler qu'il est parfait, gentil, riche... et qu'il ferait un merveilleux beau-père, ajouta-t-il amèrement.

— Et toi, tu as eu des histoires ?

— Non. J'ai été trop secoué par la séparation – je mène une vie monacale. J'ai tellement souffert avec elle que je n'avais aucune envie de courir de risque avec quelqu'un de nouveau.

Il me dévisagea.

— Et toi, Laura, ta vie ? Ton mariage ?

Mon cœur se serra. Je déteste parler de Nick, mais je voulais que Luke sache exactement ce qui s'était passé.

— Vous vous êtes rencontrés comment ? me demanda Luke.

— À Radio 4.

J'avalai une grande gorgée d'eau.

— J'avais organisé une interview avec lui sur le Soudan. Nous avons discuté poliment tandis qu'il attendait de passer à l'antenne. Après l'émission, à mon grand étonnement, il m'a demandé de dîner avec lui.

— C'était quand ?

— Il y a onze ans maintenant. Au printemps 1994.

— Pas longtemps après notre rupture, donc.

Je repoussai une bouchée de *tempura* dans mon assiette.

— C'est exact.

— Tu étais amoureuse de lui ?

— C'est une question très directe.

— Désolé. Mais je veux savoir. Tu étais amoureuse ?

— Je crois. Enfin… oui. Évidemment.

Je fixai la flamme tremblotante du photophore.

— Tu parles comme le prince Charles.

— Écoute, Luke, Nick était quelqu'un d'honorable, de gentil, et il faisait un boulot louable. En plus, il était fou de moi. Alors, oui, je peux dire que ça a… aidé. D'accord, il n'était pas aussi passionnant que toi. Mais il était très intéressant, et c'était quelqu'un de bien. J'avais l'impression qu'il ne pourrait jamais me faire de mal.

— Quelle ironie du sort, non ? Et vous n'avez pas voulu d'enfants ?

Je me tortillai sur ma chaise.

— Je sais que c'est une question très directe, ça aussi… mais je ne sens aucune barrière entre nous, Laura, quand nous parlons comme ça.

Il prit doucement ma main gauche entre les siennes et caressa le bout de mes doigts. J'en défaillis presque de désir.

— Alors… ?

Il m'observa.

— Tu ne voulais pas fonder une famille ? Je t'ai toujours imaginée avec des enfants.

— Nous n'en avons jamais… trouvé le temps.

Je retirai ma main et tripotai ma serviette.

— Nous étions tous deux très pris par nos boulots. Et puis, enfin… tu sais ce qui s'est passé, conclus-je amèrement.

— Je suis désolé. Ça s'est passé quand, au juste ?

— Le 1er janvier 2002.

— Il a fait ça le jour de l'An ? Juste pour que tu en souffres encore plus, j'imagine.

— Le moment était parfaitement choisi, tu as raison. Évidemment, ça a gâché tous les jours de l'An depuis.

— J'imagine que ce qu'il a fait…

Il posa ses baguettes.

— … était la pire chose qu'on puisse faire subir à la personne avec qui l'on vit.

Je hochai la tête.

— La douleur qu'on laisse derrière soi… Et les questions, non ? Les questions sans réponse…

— Oh oui.

— Mais tu t'en remets, maintenant.

Je songeai aux affaires de Nick, ensevelies dans leurs cartons.

— J'ai fait mon deuil.

Je me tournai vers la vitrine. Les passants se pressaient sous leurs parapluies, relevant leurs cols. Les pneus mouillés crissaient sur la chaussée.

— Tu ne crois pas qu'il puisse… se remanifester ?

J'inspirai lentement.

— C'est… hautement improbable.

— Mais ça arrive parfois.

Je le dévisageai.

114

— Je suis sûr d'avoir lu ça quelque part.

Je secouai la tête.

— Ça n'arrive presque jamais. Surtout après une aussi longue période. Si Nick devait revenir, il l'aurait fait depuis longtemps – sans doute dans les trois mois suivant sa disparition. C'est ce qu'affirment les experts. Ils disent que plus longtemps une personne est partie, plus il lui est difficile de revenir. Sans doute par crainte des conséquences, après avoir causé tant de douleur et de stress.

— Il est parti… comme ça ? Tout d'un coup ?

— Tout d'un coup. On a retrouvé sa voiture au bord de la mer.

— Comment ça s'est passé ? Si ça ne te gêne pas d'en parler ?

— Non. À vrai dire, j'ai envie de t'en parler.

J'avalai une nouvelle gorgée d'eau.

— Nous étions allés au sommet du London Eye. Je me disais que ce serait sympa, pour le matin du jour de l'An. Nous avions traversé quelques… turbulences… et je lui ai dit que ça nous redonnerait une vision positive des choses. Par la suite, je me suis souvenue qu'au moment où j'avais prononcé cette phrase, il m'avait adressé un drôle de petit sourire triste.

— Et il a disparu plus tard, ce jour-là ?

Je hochai la tête.

— Il était environ six heures du soir – je le sais, parce que j'écoutais les infos à la radio tout en m'affairant dans la cuisine. Il m'a prévenue qu'il sortait acheter du lait. Une demi-heure plus tard, il n'était pas rentré. Au bout d'une heure, il n'était toujours pas revenu. À ce stade, j'étais très inquiète. J'ai ouvert le frigo et j'ai constaté que nous avions déjà une bouteille de lait bien pleine. J'ai couru jusqu'à la supérette du quartier, j'ai demandé à la caissière si elle l'avait vu, elle m'a répondu que non. Puis j'ai cherché la voiture. Elle avait disparu. J'ai appelé son bureau, au cas où il y serait passé, mais personne n'a décroché – et il ne répondait pas à son téléphone portable. J'ai encore attendu deux heures, de plus en plus affolée. À dix heures, j'étais complètement paniquée. J'ai appelé mes parents, qui m'ont conseillé d'avertir la police. La police m'a dit qu'on ne pouvait pas rapporter une disparition avant vingt-quatre heures. Tu peux imaginer ce que j'ai subi durant ces vingt heures.

— Le martyre.

J'acquiesçai de nouveau.

— Fliss est venue passer la nuit chez moi. Chaque fois que le téléphone sonnait, c'était comme une décharge électrique ; j'avais l'impression que mes nerfs étaient reliés aux fils téléphoniques. Je m'accrochais à la conviction que j'entendrais tout d'un coup la clé tourner dans la serrure. Je ne l'ai jamais entendue. Ni ce soir-là, ni le lendemain… ni jamais.

Luke secoua la tête.

— Il a emporté quelque chose avec lui ?

— Juste la voiture. Trois jours après son départ, on l'a découverte, abandonnée sur la côte du Norfolk, à côté de Blakeney, où il passait ses vacances en famille quand il était petit. Son téléphone, ses clés, son portefeuille… Tout était là. Ses cartes de crédit étaient intactes. Puis, le lendemain matin, on a retrouvé son écharpe. Elle s'était échouée sur la plage.

Ce souvenir me fit frémir.

— On a lancé une importante recherche en mer, avec des hélicoptères et des plongeurs, mais on n'a pas retrouvé de corps. On m'a dit que, s'il s'était effectivement suicidé – ce que je me refusais à croire, parce que je le connaissais suffisamment pour savoir qu'il n'aurait jamais fait ça –, il échouerait plus loin sur la côte, sans doute au bout de trois semaines. Au bout d'un mois, on n'avait rien retrouvé.

— Ça a dû être horrible, cette attente, dit Luke.

Mon estomac se noua, rien qu'à y repenser.

— Pour sa famille aussi, ajouta-t-il.

— Il n'avait ni frères ni sœurs, et ses parents étaient morts tous les deux. Sa mère, plusieurs années auparavant, alors qu'il était étudiant, et son père, trois mois avant la disparition de Nick. L'association nationale d'aide aux personnes disparues m'a beaucoup soutenue. Ils ont diffusé des affiches dans le Norfolk et à Londres. Ils m'ont aussi conseillé de parler aux SDF de l'Embankment, au cas où Nick aurait décidé de vivre dans la rue. J'ai donc passé un mois à faire le tour des pubs et des cafés, à montrer sa photo, en leur demandant s'ils l'avaient vu. Je savais que, s'il vivait dans les rues, il avait pu changer, physiquement. Il portait peut-être la barbe. Il avait dû maigrir – c'était un type costaud. Il avait peut-être une démarche différente, moins assurée. Je me suis rendue à Leicester Square tous les jours pendant quatre semaines, à passer mes après-midi assise sur un banc pour observer les passants, espérant l'apercevoir tout d'un coup. Une fois, j'ai couru derrière un homme que j'avais pris pour Nick. Je l'ai même appelé par son nom, mais il ne m'a pas entendue, alors je l'ai accroché par le bras. Il s'est retourné, l'air profondément choqué… Il a dû me prendre pour une folle.

J'agrippai ma serviette.

— Et j'ai bien été folle pendant un temps.

— Et ton travail ?

— Il a fallu que je le reprenne. C'était dur, mais j'avais besoin d'argent – et de penser à autre chose. Je voulais rester dans l'appartement au cas où Nick appellerait, ou même qu'il revenait. Je craignais que s'il ne me trouvait pas, il ne reparte aussitôt. Mon patron, Tom, m'a laissée travailler à la maison. D'ailleurs, il a été formidable.

Je me rappelai combien Tom m'avait soutenue, malgré ses propres déboires conjugaux. Il passait déposer les livres dont j'avais besoin. Il m'apportait des vidéos de comédies pour me remonter le moral. Il s'assurait que j'avais de quoi manger.

— Tu ne sortais jamais ?

— Pratiquement pas, et jamais très loin. J'avais fait installer une seconde ligne téléphonique, au cas où Nick appellerait, pour que la ligne ne soit jamais occupée. Quand j'étais obligée de sortir, ce qui était très rare, je collais un mot pour Nick sur la porte. J'avais laissé toutes ses affaires exactement là où elles étaient. Notre foyer conjugal était un vaisseau fantôme.

— Ça a duré combien de temps ?

— Deux mois. À ce stade, évidemment, j'étais dans un sale état. Jour et nuit, je vivais… dans le vide. Je souffrais tellement que je n'arrivais pas à avaler une bouchée. À peine à me laver. Puis, début mars, j'ai reçu deux appels silencieux – l'un dans l'après-midi, l'autre le lendemain matin. J'entendais quelqu'un respirer, je savais que c'était lui, j'ai dit : « Nick, je t'en supplie, ne raccroche pas. Je t'en supplie, je t'en supplie, parle-moi. » Les deux fois, j'ai entendu un soupir, ou peut-être qu'il essayait de chuchoter mon nom. Puis il raccrochait. Je n'ai jamais eu d'autre contact. Jusqu'à ce que…

Je m'arrêtai, le temps que le serveur débarrasse la table.

— Jusqu'à ce que… ?

— À la mi-avril, *The World Tonight* a consacré un reportage aux personnes disparues, et ils m'ont interviewée.

— J'ai vu. C'est comme ça que j'ai appris.

— Le lendemain matin, la responsable de mon dossier à l'association d'aide aux personnes disparues m'a téléphoné, pour me dire qu'elle avait des nouvelles extraordinaires : Nick était entré en contact avec eux. J'étais follement heureuse…

Ma gorge se serra.

— J'étais… au septième ciel. Je lui répétais sans arrêt que c'était merveilleux, je l'ai remerciée de son aide, mille fois…

Ma gorge était douloureuse de sanglots retenus.

— Puis je lui ai demandé quand je pourrais revoir Nick. Elle n'a rien dit. J'ai à nouveau posé la question. « Quand puis-je le voir ? Je veux le voir. » Il y a eu un petit silence bizarre. Et la fille m'a répondu que Nick avait appelé leur numéro vert pour dire qu'il était vivant et en bonne santé, et que, enfin…

Des larmes me piquaient les yeux.

— … qu'il ne souhaitait aucun contact.

— Aucun contact ?

Je couvris mon visage de mes mains.

— Tu ne peux pas t'imaginer quel soulagement… quel soulagement c'était de savoir qu'il se portait bien. En même temps, de savoir qu'il ne voulait pas me voir… c'était si cruel… après tout ce que j'avais subi.

Une larme brûlante glissa sur ma joue.

— Pardon, murmurai-je. Je ne peux jamais en parler sans pleurer.

— Qui pourrait te le reprocher ? souffla Nick.

Il me passa discrètement son mouchoir.

— Au moins, grâce au ciel, il n'était pas mort, ajouta-t-il.

Je déglutis.

— C'est ce que je me suis dit. « Au moins, il n'est pas mort. » Bien que d'une certaine manière, il l'ait été. C'est comme ça depuis. Je vis dans des limbes horribles où je me sens veuve – j'ai même reçu des lettres de condoléances – et pourtant, mon mari est vivant. Je ne peux pas refaire ma vie avec quelqu'un d'autre : techniquement, je suis toujours mariée – bien que ce ne soit plus le cas. Même s'il revenait, ce qu'il ne fera pas après si longtemps, nous ne pourrions plus jamais redevenir un couple « normal ». Tu imagines mon ressentiment ? En plus, je n'aurais aucune confiance en lui – il pourrait recommencer.

Je songeai de nouveau à l'ironie de la situation : c'était Nick, qui m'avait semblé tellement fiable après mes déboires amoureux avec Luke, qui m'avait infligé ce truc horrible.

— Tu ne peux pas divorcer ?

— On ne peut divorcer sans le consentement de son conjoint qu'après un délai de cinq ans de rupture de vie commune. En plus, je n'arrive pas à me faire à l'idée que, si je sors avec quelqu'un, je doive expliquer que je suis toujours mariée, mais que mon mari a disparu – qu'il est là, quelque part, je ne sais où, parce qu'il ne veut pas que je le sache. Je me sens stigmatisée par l'acte de Nick. Comme si j'étais tellement invivable qu'il n'avait pu supporter ma présence, ou même de me parler, ou de se séparer de moi franchement et ouvertement. Ça m'a complètement démoralisée.

Luke prit de nouveau ma main. Cette fois, je ne la retirai pas.

— Toi, tu es merveilleuse, Laura. Lui, en revanche, avait manifestement des problèmes affectifs et mentaux terribles, qui n'ont rien à voir avec toi.

La pression légère des doigts de Luke sur ma peau me faisait picoter les joues.

— Peut-être… Oui… J'imagine. Je… ne sais pas.

— Il n'a plus jamais contacté qui que ce soit ?

— Pas moi. De temps en temps, il envoie un e-mail à l'association d'aide aux personnes disparues, pour dire qu'il va bien, mais pas où il est. Le dernier, c'était avant Noël.

— On ne peut pas retracer l'origine de ses e-mails ?

Je secouai la tête.

— Impossible. Il utilise un compte différent chaque fois. Il s'est purement et simplement évanoui dans la nature… Le pire, c'est que c'est son droit. Ce n'est pas un crime, que de disparaître. Des milliers de personnes le font chaque année. Elles sortent de leur vie, et leurs familles n'y peuvent rien, sinon attendre, se poser des questions, espérer. Je ne pourrais contraindre Nick à revenir, même si je savais où le trouver. Je veux juste refermer ce chapitre de mon existence.

— Il n'avait pas de maladie mentale ?

Je fis signe que non.

— Et il n'y avait rien d'anormal dans son travail. On s'est demandé s'il n'avait pas commis un détournement de fonds, mais les membres du conseil d'administration de l'ONG m'ont assuré que les comptes étaient en bon ordre. Certains se sont imaginé que Nick avait une maîtresse, voire une autre épouse ; mais je n'ai rien retrouvé dans ses e-mails, son agenda ou son téléphone portable qui permette de croire qu'il menait une double vie. D'autres ont pensé que moi, j'avais un amant, ou bien qu'il était gay et ne pouvait pas l'assumer, ou qu'il voulait changer de sexe, ou qu'il avait rejoint une secte, ou qu'il avait découvert qu'il souffrait d'une maladie en phase terminale... ou qu'il vivait sur la lune avec Elvis...

— C'est normal que les gens cherchent une raison à son acte, objecta Luke.

Je me tortillai sur ma chaise.

— Oui, c'est normal.

— Ils n'arrivent pas à croire que ce genre de chose puisse se produire... comme ça.

— C'est... vrai. Mais ça a été ignoble, d'être l'objet de tous ces ragots. Je ne pouvais pas le cacher, parce qu'il y avait eu de petits articles dans la presse : « Le directeur d'une ONG disparaît », ce genre de truc. Donc tout le monde était au courant.

— Et vos amis... ? Ils t'ont soutenue ?

— Ils m'ont lâchée au bout d'un moment – c'est sans doute pour ça que je me suis autant rapprochée de Felicity et Hope. Elles me rendent folle, chacune à sa façon, mais au moins je peux compter sur elles. J'avais une amie très proche, mais peu de temps après elle est partie vivre aux États-Unis avec son mari. Tous les autres étaient des amis communs à Nick et à moi. Au début, ils ont été gentils, mais au bout d'un certain temps ils se sont mis à m'éviter – c'est vrai, que peut-on dire dans ces cas-là ? Au moins, le veuvage confère une certaine dignité, mais là, on n'a droit qu'à la pitié, à la curiosité... et aux ragots. Depuis que je passe à la télé, je suis terrorisée à l'idée qu'un des journaux à scandale ne s'empare de cette affaire... Tu ne dois jamais, jamais en parler à qui que ce soit. Tu me le jures ?

— Je le jure solennellement. Tu as une idée de ce qui aurait pu motiver son acte ?

Je tripotai le pied de mon verre.

— Non… Non, aucune, je… je ne sais pas. Il était allé au Soudan peu de temps auparavant, et il en était revenu déprimé. Il était très affecté aussi par la mort de son père. Il travaillait pour l'ONU et Nick le vénérait ; il est mort d'un infarctus six semaines avant la disparition de Nick. Il n'avait que soixante-quatre ans. Et après ça, Nick s'est refermé sur lui-même. Et puis… en fait, il s'est passé autre chose…

Je soupirai.

— On a eu un accident de voiture. Deux semaines avant Noël, on a fait une embardée en rentrant d'une soirée dans le Sussex.

— Tu n'as pas été blessée ?

Je me tus, en repensant aux lumières bleues clignotantes des voitures de police et aux ululements de l'ambulance. À la gentillesse des infirmières… *Ne vous en faites pas*, m'avaient-elles dit. *Tout ira bien*. C'était faux.

— Nick s'est pris un mauvais coup sur la tête. Commotion cérébrale. Après cela… il n'a plus été tout à fait… lui-même.

— C'est à ça que tu faisais allusion, quand tu m'as dit que vous aviez eu des difficultés ?

— Ou… ui. Et je me suis dit que peut-être… peut-être qu'il avait subi des lésions neurologiques, ou une forme d'amnésie…

Je me tus.

— Quels sont tes sentiments à son égard, maintenant ?

Je poussai un long soupir, qui semblait venir du plus profond de mon être.

— Je suis simplement… tellement… incroyablement… furieuse. Parce que lui, il sait où il est. Pas moi. Comme si nous jouions une partie de cache-cache morbide. Souvent, très souvent, je le hais de m'avoir fait vivre un tel enfer.

— Il devait être en pleine débâcle, le pauvre.

— Oui, soupirai-je. Et d'une certaine manière, j'ai du chagrin pour lui – mais le fait est qu'il m'a laissée, moi aussi, en pleine débâcle. En plus du stress, je me suis retrouvée toute seule à rembourser le prêt immobilier – neuf cents livres par mois – alors que je ne gagnais pas grand-chose. L'assurance ne paie rien quand un mari disparaît. On reste le bec dans l'eau. J'ai trouvé du boulot à mi-temps, à compiler des questions de quiz, et mes parents ainsi que Hope m'ont prêté de l'argent.

Je me rappelai une fois de plus combien Tom avait été gentil. Il m'avait offert une « prime » de deux mille livres, bien qu'il ait été en plein milieu d'un coûteux divorce.

— Pourquoi n'as-tu pas revendu l'appartement ? me demanda Luke. Pris un appart plus petit ?

— Parce que la propriété est à nos deux noms. Dans ce cas, c'est impossible.

— Il retire de l'argent sur son compte ?

— Non. Plus tard, nous avons découvert qu'il avait retiré cinq mille livres de son compte d'épargne personnel, dix jours auparavant. Donc, il se préparait à s'enfuir. Il savait qu'il partait. C'est pire encore. Enfin, soupirai-je. Maintenant tu sais.

— Mais tu reconstruis ta vie.

— Oui. J'ai attendu trois ans et je ne compte plus attendre. Nick m'a nettement fait comprendre qu'il ne voulait plus me revoir.

Luke me tendit la main.

— Moi, je veux bien.

Je le dévisageai.

— Je veux te revoir, Laura. Alors… je peux ? demanda-t-il doucement.

Il consulta sa montre.

— Tu as cinq secondes pour me répondre.

Je le regardai dans les yeux.

— Le compte à rebours a commencé.

Ses pupilles étaient tellement noires que je pouvais m'y mirer.

— *Drinnngg !* Le temps est écoulé. Et la réponse est… ?

— Eh bien…

— Désolé, mais je suis obligé de te presser.

J'esquissai un sourire.

— Oui.

— Vraiment ? dit-il.

Je hochai la tête. Il porta la main à la poitrine, soulagé.

— C'est… génial. Alors… quand ? Voyons voir… je suis pris demain, c'est ma journée avec Jessica, mais pourquoi pas dimanche après-midi ? Ça me plairait bien… Je suis toujours triste, le dimanche, quand Jessica retourne chez sa mère. On pourrait déjeuner. Ça te tenterait ?

— Désolée, dimanche, ce n'est pas possible. J'ai le baptême d'Olivia.

— D'accord. Alors lundi ? D'ailleurs, lundi, ce serait parfait.

— Et pourquoi donc ?

— C'est la Saint-Valentin.

4

Samedi matin je m'attardai au lit, pour savourer le délicieux souvenir de mon dîner avec Luke. J'éprouvais une sensation inédite de satisfaction – comme si ma vie, qui se traînait depuis si longtemps, avançait désormais au pas de course, sur tous les fronts. À neuf heures et demie, le téléphone sonna. C'était peut-être Luke, qui voulait me souhaiter une bonne journée. Je laissai sonner quatre fois avant de tendre la main.

— Laura ?

— Tom ! Salut !

— Salut. Tu as l'air de bonne humeur.

— Hmmm, dis-je. Je le suis. Et toi, ça va ?

— Ça va. Désolé de t'appeler un samedi…

— Tu peux m'appeler quand tu veux, Tom, tu le sais.

— Je sais. Je voulais simplement te poser une question très sérieuse…

— Oui, souris-je. Quelle est-elle ?

— Tu as vu le *Daily Post* de ce matin ?

Je me redressai.

— Non. Pourquoi ?

— Il y a une critique dithyrambique de l'émission. Nerys m'a téléphoné et j'ai foncé l'acheter. On a eu de très bons papiers, mais toujours courts. Celui-là est très long… et il est génial.

Je remontai la couette sur mes épaules dénudées.

— Ça raconte quoi ?

— C'est un papier de Mark McVeigh… tu sais, ce critique qui est toujours… comment, déjà…

J'entendis le froissement du journal.

— … drôle et grinçant.

— Dis plutôt vindicatif et venimeux. On le surnomme Mark McVil.

— Eh bien, avec toi, il s'est transformé en Mark McIdylle. Il a titré « L'esprit vif ».

— Dis donc !

— Il adore « le rythme rapide de l'émission », lut Tom. Il aime aussi « la juxtaposition entre le décor bas de gamme et les questions haut de gamme ». Et puis surtout, il loue ton « assurance » et ton « autorité »… Voilà : « Mme Quick, qui n'affiche ni stupéfaction lorsque les candidats trouvent la bonne réponse, ni dérision lorsqu'ils se trompent, fait souffler un vent d'air frais sur le genre. Cette intelligente jeune femme est l'héritière naturelle du plus grand présentateur britannique de quiz télévisés, Bamber Gascoigne. Comme avec lui, on a l'impression d'être en de bonnes mains. Et comme lui, Mme Quick donne l'impression de pouvoir répondre à la plupart des questions elle-même – sans avoir besoin de téléphoner à un ami. »

J'étais si ravie que la tête m'en tournait.

— Je t'avais bien dit que les critiques allaient t'adorer, reprit Tom.

Soudain, j'entendis son téléphone portable gazouiller.

— Ne quitte pas, Laura… Allô ?… Ah, bonjour…

127

Tiens, à qui pouvait-il bien parler ?

— … Je suis en ligne… Oui, j'adorerais… D'accord… Je pourrais me rapprocher de ton quartier…

Curieux. Nous nous connaissions bien, mais nous ne parlions jamais de nos vies privées.

— … et si on se rejoignait à Ravenscourt Park ? À dix heures et demie ? Près du terrain de jeux ? Génial.

De qui pouvait-il bien s'agir ?

— Désolé, Laura. Qu'est-ce que je disais ? Ah oui… je voulais te prévenir que les médias commencent à s'intéresser à toi.

Mes entrailles se tordirent.

— Déjà ?

— Oui, parce que l'Audimat est excellent. En plus, on parle beaucoup de l'émission. D'après notre enquête marketing, les gens aiment bien que le présentateur soit mis sur la sellette.

— Évidemment, c'est là-dessus qu'on se vend. Mais je refuse d'être interviewée, parce que je sais qu'on va m'interroger sur Nick. Je refuse de parler de ça.

— Je comprends. Mais le service de presse de Channel Four veut quand même que tu fasses de la promo.

— Normal… tout dépend des journaux.

— Le *Daily Mail* et le *Sunday Post* te demandent des billets pour leurs pages « style de vie »… Nerys t'a transmis les détails par e-mail. Passe un bon week-end.

J'ouvris l'ordinateur et cliquai pour consulter mes messages. Il s'agissait du genre de petits articles signés par des célébrités qui servent de bouche-trous dans les pages *people*. En général, je trouve ces papiers cuculla-praline – *Mon Cottage, Ma chambre d'amis* – ou, au contraire, atrocement impudiques – *Ma pire erreur, Ma descente d'organes, La pire journée de ma vie*. La rubrique du *Sunday Post* s'intitulait *Mes bêtes noires :* je devais énumérer les trois trucs que je déteste le plus. *1)* Nerys, songeai-je méchamment ; *2)* mes voisins fouinards ; *3)* la façon dont Felicity radote sur son bébé. Évidemment, il n'était pas question d'écrire ça. Tout en me douchant et en m'habillant, je réfléchis sérieusement à la question. Mes trois bêtes noires… Les resquilleurs dans les files d'attente ; le noir – j'ai vraiment horreur d'être dans le noir – et – ah oui ! – les ex-taulards en libération conditionnelle qui vendent des packs de lessive et des torchons en porte à porte. Je ne les supporte pas, non pas que je sois contre le principe, mais parce qu'ils se pointent toujours après la tombée de la nuit. Je suis une femme, je vis seule et, quand je découvre un inconnu sur mon paillasson au crépuscule, qui me raconte qu'il est en liberté surveillée et me demande si je veux bien acheter des torchons, je ne suis pas rassurée. Ils arpentent souvent ce quartier. Résultat, j'ai à peu près deux cents torchons et trente packs de lessive.

Quant au *Daily Mail*, il me demandait de rédiger une chronique sur *Mes cinq derniers achats avec ma carte bancaire*, ce qui me parut assez anodin, d'autant que j'avais précisément des emplettes à faire. Je n'avais pas encore acheté le cadeau de baptême d'Olivia, et je voulais un nouvel ensemble pour la cérémonie – les instructions de Felicity aux membres de la famille étaient formelles : tenues chic obligatoires.

Une demi-heure plus tard, je me frayai un chemin à travers la foule de touristes japonais et italiens sur Portobello Road pour chiner chez les antiquaires. J'achetai une boîte à bijoux victorienne en argent doublée de velours bleu nuit pour Olivia, puis je bifurquai sur Westbourne Grove. Il y a cinq ans, le coin était truffé de brocantes mais maintenant, c'est devenu une sorte de mini-King's Road. Disons que c'est le seul quartier où la boutique Oxfam fasse régulièrement des promos Prada.

J'achetai un exemplaire du *Post* et m'installai à la terrasse du Café 202 pour siroter un crème au soleil, tout en parcourant, ravie, la critique télé de Mark McVeigh. Puis j'entrai chez Agnès b. et me livrai aux délices, non pas d'admirer les vêtements, mais de savoir qu'enfin, je n'étais plus fauchée. Pendant près de trois ans, je n'avais acheté que des articles essentiels, mais désormais, comme je touchais un cachet pour chaque émission en plus de mon salaire régulier, je pouvais me permettre de me gâter. Je m'offris donc pour deux cents livres une paire de boucles d'oreilles en or ornées de perles chez Dinny Hall, simplement parce que j'en étais capable, en savourant le plaisir inédit d'une telle extravagance. D'ailleurs, ce n'était pas une extravagance, mais ma récompense pour avoir survécu à mes difficultés. Puis, je cherchai une tenue.

J'essayai les robes portefeuille de Diane von Furstenberg, puis des jupes dansantes en mousseline chez Joseph et des cardigans en cachemire chez Brora avant d'entrer chez LK Bennett. J'optai pour un tailleur en crêpe de laine rose foncé, assez ajusté, que je pourrais également porter à l'antenne. Leurs chaussures ne me plaisaient pas trop. Je me rendis donc chez Emma Hope. J'attendais que la vendeuse m'apporte une paire d'escarpins cramoisis à ma taille lorsque je jetai un coup d'œil à la vitrine. Mon cœur s'arrêta de battre. C'était Luke. Il marchait sur le trottoir d'en face, main dans la main avec Jessica, le visage rayonnant d'amour et de fierté.

Mon premier mouvement fut de m'élancer hors de la boutique pour lui faire signe – mais il avait l'air si heureux. J'eus le sentiment qu'il valait mieux ne pas m'imposer. Jessica gambadait dans son anorak bleu et ses bottes à pois, en faisant danser ses couettes d'un blond nordique. Sans doute dit-elle quelque chose de drôle, car Luke s'esclaffa en renversant la tête en arrière, avant de la presser contre lui. Cela me fit chaud au cœur. Tout en les regardant traverser le passage pour piétons, puis descendre la rue et disparaître peu à peu, je me permis de fantasmer sur la vie que Luke et moi pourrions mener ensemble – avec Jessica, car Magda avait consenti à laisser à Luke la garde de leur fille, afin de se consacrer plus pleinement à ses chèvres. Tous les trois, on était tellement heureux…

Nous nous rendions au terrain de jeux de Holland Park tous les samedis. Luke et moi poussions Jessica sur la balançoire, elle hurlait de rire, la tête en arrière, les cheveux au vent ; puis, nous rentrions à la maison pour goûter. J'avais préparé un gâteau au chocolat avec du glaçage, elle s'en mettait plein la figure. Je lui essuyais la bouche et les mains. Je l'aidais pour ses leçons de piano ou ses lectures, je lui enseignais le tricot ou je rangeais avec elle son coffre à déguisements. Puis je lui apprenais que j'avais pris des billets pour aller voir *Le Lac des cygnes* à Covent Garden le week-end suivant, et lui promettais d'aller faire un peu de shopping avec elle, pour lui trouver un ensemble digne de l'occasion. Et son visage s'illuminait de bonheur.

Le soir, nous regardions tous les trois un DVD, un truc vraiment amusant comme, je ne sais pas, *Shrek*, par exemple. Et Jessica se blottissait contre Luke sur le canapé. Pleine de tact, je restais un peu à distance. Puis, tandis que se déroulait le générique, elle bâillait comme un chaton et Luke disait : « Allez, il est temps d'aller au lit, ma cocotte, dis bonne nuit à Laura. » Jessica venait me faire un câlin, je sentais son petit visage doux contre le mien, je lui rappelais que je l'emmenais prendre une leçon d'équitation à Hyde Park le lendemain – elle raffolait des poneys – et elle poussait un soupir heureux. J'étais heureuse de l'entendre chuchoter : « Ah, j'ai tellement de chance que tu sois ma belle-maman, Laura… »

— Blabla, blabla, blabla…

Et moi je répondais, « Mais non, Jess, c'est moi qui ai de la chance de t'avoir. J'adore les petites filles, je les adore, et tu es la plus adorable petite fille du monde… »

— Blablabla, chaussures, madame ?

— Euh ?

La vendeuse m'apparut, brandissant une paire de chaussures.

— Voici, madame. Taille 41.

Je les fixai.

— Vous allez bien, madame ?

— Quoi ?

— Vous allez bien ? Souhaitez-vous un verre d'eau ?

— Ah. Non…

Je repensai à mon rendez-vous avec Luke, lundi, et souris.

— Ça va, merci.

— Dis donc, tu es très en beauté, me dit maman lorsque je rejoignis mes parents le lendemain, sur le parvis de l'église St. Mark, à deux heures et demie.

— Toi aussi, répondis-je en l'embrassant, ou plutôt en tentant de l'embrasser – nos deux chapeaux s'entrechoquaient. À vrai dire, je me trouve un peu trop endimanchée.

— Moi aussi, m'avoua maman. Mais après tout, ce n'est pas tous les jours qu'on assiste au baptême de sa première petite-fille, et notre Fliss nous a bien recommandé de nous tirer à quatre épingles.

Nous redoutions tellement d'arriver en retard que nous avions facilement vingt minutes d'avance ; nous entrâmes donc, mes parents et moi, pour nous asseoir sur le troisième banc à droite. Des épées de soleil printanier traversaient les vitraux, dispersant des éclats de couleur comme des fragments d'arc-en-ciel. Nous humâmes l'odeur exquise de cire d'abeille et de poussière de la vieille église. Tandis que les premiers accords d'orgue s'élevaient sous la nef, je parcourus l'élégant ordre de cérémonie qu'avait fait imprimer Fliss. Je lus l'exergue, extrait d'un poème d'Emily Dickinson.

> *Comme si la mer s'ouvrait*
> *Pour montrer une autre mer –*
> *Et après celle-là – une autre encore...*

Voilà ce qu'on devait éprouver, quand on avait un enfant.

— Regarde, tous ces beaux textes et ces hymnes, me souffla maman. Tu ne trouves pas qu'elle en fait un peu trop ? ajouta-t-elle en gloussant.

— Si, en effet.

Mais ça, on le savait depuis qu'on avait reçu les invitations. Le carton était si rigide qu'il tenait pratiquement debout tout seul ; les inscriptions italiques étaient si profondément gravées qu'on aurait pu les lire du bout des doigts, comme du braille. Malgré leurs maigres ressources financières, Felicity avait refusé le principe d'un baptême en famille et opté pour une cérémonie beaucoup plus somptueuse. Derrière nous, une imposante chorale se rassemblait dans la tribune d'orgue. Devant nous, un quatuor à cordes accordait discrètement ses instruments. De part et d'autre de l'autel se dressaient deux compositions de fleurs blanches hautes comme des obélisques. Un gros bouquet rond d'anémones blanches et roses ornait chaque rangée de bancs.

— En fait, on dirait plutôt un mariage, ajouta maman tandis que Hope et Mike prenaient place à nos côtés.

— Un mariage princier, renchérit Hope en souriant. Avec photographe et vidéaste officiels.

— Il n'y a rien de trop beau, maugréa Mike.

Je lui jetai un coup d'œil. Normalement, il est plutôt gentil : je trouvais sa remarque un peu acerbe.

— Pourquoi se priver ? protesta Hope, équitable.

Elle ouvrit son sac Hermès pour en tirer un élégant poudrier.

— Après tout, c'est son grand jour, ajouta-t-elle.

Je me rappelai le dernier « grand jour » de Felicity, douze ans auparavant, et à quel point j'étais malheureuse à l'époque. Aujourd'hui, par un contraste délicieux, j'étais aux anges.

— Tu es superbe, Hope, déclara fièrement maman.

C'était vrai. Hope est toujours impeccablement élégante avec ses petits tailleurs, ses accessoires parfaitement assortis, ses chaussures chic, ses collants satinés, son maquillage discret et sa coupe au carré qui lui encadre le visage, comme un casque lisse et luisant. Elle est brune et menue – physiquement à l'opposé de Fliss, qui est ronde et blonde. Je ne ressemble à ni l'une ni l'autre de mes sœurs avec ma silhouette dégingandée, mes cheveux en broussaille et mes traits un peu anguleux. Luke disait toujours que, si j'avais été un tableau, ç'aurait été un Modigliani. Felicity, avec son teint de lait et ses courbes, était un pur Rubens, alors que Hope…

Que serait-elle ? me demandai-je en regardant son profil à la dérobée. Une œuvre de Dora Carrington, peut-être ? Petite et acérée. Insondable. Efficace. Il émane d'elle une sensation de compétence un peu glaciale. Elle feuilletait le livre de cantiques en marquant les pages pertinentes de petits Post-It.

Je suis sans cesse stupéfaite que les mêmes ingrédients aient pu produire mes deux sœurs. Alors que Fliss est brouillonne, exubérante et spontanée, Hope est extrêmement organisée, réservée et maîtresse d'elle-même. Comme si c'était elle, l'aînée responsable, et Fliss le bébé gâté. J'ai toujours fait la charnière entre les deux. Adolescentes, nous avons découvert que maman avait été enceinte, entre Fliss et moi, mais qu'elle n'avait pas mené sa grossesse à terme. Je songe parfois à ce bébé perdu…

Derrière nous montait le murmure des conversations. Les bancs se remplissaient.

— Felicity a invité combien de personnes ? nous demanda papa en jetant rapidement un coup d'œil par-dessus son épaule.

— Cent cinquante, dit Hope en balayant une miette imaginaire de sa manche. Comme c'est dimanche, j'imagine qu'elle aura de bons retours – sans doute soixante-dix pour cent – donc nous serons environ une centaine.

— Ridicule, dit Mike en croisant les bras.

S'il m'avait été antipathique, cette seconde pique m'aurait exaspérée. J'attribuai sa mauvaise humeur au stress. Hope et lui travaillent tous deux à la City – elle dirige les RP de la Bourse des métaux, il est vice-président d'une banque d'investissement – il préparait une opération importante en ce moment. Bien qu'il parût exténué – je remarquai que ses cheveux coupés ras étaient plus gris qu'auparavant – j'eus cependant le sentiment que son intolérance ne relevait pas que de la fatigue. Il semblait exaspéré, comme si on l'avait traîné là contre son gré. Sans doute trouvait-il les baptêmes ennuyeux.

Mike et Hope ne désirent pas d'enfants – d'un commun accord. Mike n'en a jamais manifesté la moindre envie et Hope a toujours plaisanté sur le fait qu'elle était « antinatale ». Il ne s'agit en aucun cas d'une façade destinée à la protéger d'une éventuelle déception, mais d'un choix délibéré et sincère. « Je n'ai pas la fibre maternelle, déclare-t-elle gaiement lorsqu'on aborde le sujet. Pas la moindre – ça ne m'intéresse pas. » Elle a toujours été comme ça. Quand elle avait dix ans, par exemple, mes parents lui ont offert un lapin, mais elle l'a refusé. Puis ils lui ont offert une gerboise, qu'elle a refusée également. Elle a expliqué qu'elle ne voulait pas s'occuper d'un lapin, d'une gerboise, d'une souris, ou de quoi que ce fût, à vrai dire. Parvenue à l'âge adulte, cette résistance s'est étendue aux enfants. Elle m'a avoué il y a longtemps ne pas vouloir de cette responsabilité, ni du « chaos » et du « désordre » que représentent les enfants.

Remarquez, avec les bébés des autres, elle est gentille. Elle les fait sauter sur ses genoux, elle joue à cache-cache avec eux, elle fait des rondes dans le jardin – mais elle est sincèrement ravie de les rendre à leurs parents. Mike et elle sont mariés depuis six ans. Lors de leur premier rendez-vous elle lui a précisé qu'elle ne voulait pas d'enfants et qu'elle n'avait pas l'intention de changer d'avis : il devait le savoir d'entrée de jeu. Il était tellement épris d'elle qu'il a accepté. Une fois, Felicity a demandé à Mike s'il en souffrait. Il a haussé les épaules et répondu que c'était « une question d'amour ».

Cependant, Hope et Mike mènent une vie fabuleuse. Ils sont propriétaires d'une grande maison à Holland Park – luxueuse, dotée de tous les conforts, y compris un four qui leur a coûté six mille livres, qu'ils n'utilisent pratiquement jamais, parce qu'ils mangent toujours au restaurant. Ils prennent des vacances royales – qu'est-ce qu'ils ont râlé quand le *Concorde* a cessé ses vols ! Ils passent leurs week-ends à Paris ou à Prague. Hope mène la vie dont elle a toujours rêvé. Je crois qu'elle ne consentirait jamais à y changer quoi que ce soit.

Je jetai un coup d'œil vers l'arrière de l'église. Fliss et Hugh n'étaient toujours pas arrivés. Peu m'importait. J'aimais bien rester avec mes parents, à bavarder tranquillement. Ils ne viennent pas beaucoup à Londres à cause de leur *Bed and Breakfast* – c'est une grande maison de ferme – et en plus, ils habitent assez loin, dans le nord. Nous avons grandi à Ealing, mais depuis cinq ans, ils ont pris leur retraite à Nether Poppleton, le ravissant village du Yorkshire où est née maman.

— Eh bien, ma Laura, me dit-elle tandis que l'orgue entonnait une toccata de Pachelbel. Je ne te vois pas aussi souvent que je le voudrais, alors dis-moi…

Je me raidis intérieurement.

— … comment va ta vie personnelle ? Tu t'es fait de nouveaux amis ? fit-elle d'un ton plein de sous-entendus. D'après ce que j'ai compris, Fliss a invité un ou deux célibataires pour toi aujourd'hui.

Mon cœur se serra. J'avais complètement oublié.

— Elle n'en a pas besoin, lâcha Hope en épousse-tant ses escarpins Gucci avec son mouchoir en soie. Elle revoit Luke.

— Comment le sais-tu ?

— Par Felicity. Tu la connais, c'est une pipelette. Elle m'a téléphoné exprès pour me l'apprendre, telle-ment elle était contente.

Je levai les yeux au ciel.

— Luke ? répéta maman, songeuse. Luke de la fac ?

Le sang me monta aux joues.

— Tu revois Luke ?

— Enfin…

Je n'avais pas envie d'en faire tout un plat.

— Je l'ai revu, c'est tout.

Je lui racontai la façon dont je l'avais rencontré par hasard au quiz.

— Ah, j'aimais beaucoup Luke ! s'exclama-t-elle.

Elle ne cessait de le répéter après notre rupture, je m'en souvenais maintenant. « J'aimais beaucoup Luke, soupirait-elle environ quatre-vingt-dix fois par jour. Vraiment, beaucoup. » Ça me rendait folle.

— Derek, fit maman en enfonçant le coude dans les côtes de papa. Elle revoit Luke.

— Qui ?

— Luke. Notre Laura revoit Luke. Tu te souviens de Luke ? Elle sortait avec lui à Cambridge. Tu sais bien. Celui qui lui a brisé le cœur.

— Maman !

— Désolée, ma chérie, mais papa est un peu dur d'oreille. Enfin, moi j'aimais beaucoup Luke, répéta-t-elle. Qu'est-ce qu'il était drôle !

Ça, c'était un coup de griffe à Nick, qu'ils avaient toujours trouvé trop sérieux – c'était sans doute pour cela qu'il m'avait plu, d'ailleurs. Felicity, surtout, n'avait jamais éprouvé de sympathie pour lui.

« Trop respectable, l'avais-je entendue expliquer à mes parents, une semaine avant notre mariage. Je sais que c'est un type bien, mais il est un peu chiant, non ? » Cela m'avait piquée au vif. Parce que je savais qu'elle avait raison. Nick n'était pas précisément un boute-en-train. Mais il était intéressant, affectueux, fiable et gentil ; et il était « sans risque ». Du moins, c'est ce que j'avais cru.

— Je me souviens que Luke avait toujours une info marrante à nous raconter, ajouta maman avec chaleur. Les trucs qu'il nous sortait… Comme quoi, déjà ?… Ah oui, qu'un moustique a quarante-six dents. Incroyable. Quarante-six dents ! Un moustique ! Je ne l'ai jamais oublié. Enfin, tu te rends compte, c'est plus que nous, non ?

— Pas en comptant les dents de lait, précisa papa. Ce qui porte le total à cinquante-deux.

— Ce n'est pas quarante-six, intervins-je, mais quarante-sept. Et ce n'est pas une info, maman.

— Ah non ?

— Non. C'est une connaissance inutile.

— C'est la même chose.

— Non, pas du tout – il est très important de distinguer les deux. Une info marrante concerne la culture populaire – qui fait quoi à qui dans un feuilleton, le salaire des footballeurs, ou le nom de la manucure de Victoria Beckham… Une connaissance inutile, c'est très différent… C'est l'étude de faits fascinants, mais totalement superflus, comme, par exemple, le fait qu'Anne Boleyn avait trois seins.

— Vraiment ? firent-ils à l'unisson.

— Oui. Et six doigts à la main gauche. Ou encore, le fait que les bébés naissent sans rotules.

— Ah bon ?

— Non, elles se développent vers l'âge de deux ans. Ou le fait que les pieuvres aient trois cœurs.

— C'est vrai ?

— Voilà un exemple de connaissance parfaitement inutile. Luke a toujours été très fort dans ce domaine. D'ailleurs, si ma mémoire est bonne, c'est comme ça que nous nous sommes connus.

Évidemment, je l'avais remarqué à la fac, mais je l'avais délibérément snobé parce que je le trouvais trop beau : on ne jouait pas dans la même ligue. Lors d'une soirée, il m'avait abordée alors que je regardais les autres danser, appuyée contre un mur. Il était resté planté là, à ne rien dire, en sirotant une bière importée. Puis, de but en blanc, sans même me regarder, il avait lancé : « Tu sais que les empreintes digitales des koalas sont pratiquement impossibles à distinguer de celles des êtres humains ? »

— Vraiment ? avais-je répliqué mollement, malgré mon cœur qui s'emballait.

— Apparemment. En Australie, cela peut engendrer des quiproquos sur les lieux du crime. (Il avala une gorgée de bière.) Voire des erreurs judiciaires.

— C'est affreux.

Il hocha la tête gravement.

— En effet. Et tu savais que… l'escargot ne s'accouple qu'une fois dans sa vie ?

Je contemplai son profil à la dérobée, et mes jambes se liquéfièrent.

— Non, je l'ignorais.

— Et tu savais…

Il me regardait dans les yeux, maintenant.

— … qu'Adolf Hitler et Napoléon n'avaient qu'un testicule ?

— Quoi ? À eux deux ?

Il reprit une gorgée de bière et secoua la tête.

— Chacun.

— Effectivement, c'est fascinant.

Ensuite, une fille l'avait entraîné vers la piste de danse. Je ne lui avais pas reparlé. Mais chaque fois que nous nous croisions, en général à la bibliothèque, il se glissait vers moi et me chuchotait : « Tu savais que… ? », suivi d'une information curieuse mais totalement inutile. Jusqu'au jour où il s'était approché de moi en disant :

— Tu savais…

— Oui ? avais-je répondu poliment.

— …que je suis amoureux de toi ?

— Qu'est-ce qu'il devient, Luke ? s'enquérait maintenant papa.

— Il est séparé. Il a une petite fille. Il dirige une galerie d'art. Où est Fliss ?

Je me retournai. Un quinquagénaire chauve à lunettes, assis à cinq rangées de moi, me fit signe de la main. Comme je ne le connaissais ni d'Ève ni d'Adam, je l'ignorai : de toute façon, Felicity venait de faire son entrée. Pendant qu'elle remontait majestueusement l'allée centrale, je m'attendais presque à entendre résonner l'*Arrivée de la Reine de Saba*. Felicity

141

adore attirer les regards. C'est elle qui aurait dû être présentatrice télé, pas moi.

Hugh portait Olivia, angélique dans sa robe de baptême brodée à la main, garnie de dentelles anciennes, avec un petit bavoir à froufrous amovible, au cas où elle régurgiterait. Felicity était étonnamment en beauté dans son nouveau tailleur. Elle portait certainement son panty atomique, car elle ne paraissait pas trop replète. Mais sous son immense capeline, son sourire figé et son maquillage appliqué par une professionnelle, je voyais bien qu'elle semblait furieuse.

— Tout se passe comme tu veux ? souffla papa tandis qu'elle s'asseyait devant nous.

— Non, siffla-t-elle, souriant comme une poupée de ventriloque. Ce con de pasteur nous a fait faux bond. Il a la grippe, soi-disant. On nous en a dégoté un autre – un vrai ringard.

Soudain, le pasteur parut. Il paraissait âgé de douze ans – il n'en avait sans doute pas plus de trente. Ses yeux hypermétropes nageaient derrière des lunettes épaisses comme des fonds de bouteille.

— Bienvenue à St. Mark, commença-t-il d'une voix affable. Il tendit les mains. Bienvenue à vous tous. Quelle assistance nombreuse ! ajouta-t-il en clignant des yeux pour contempler la foule des fidèles (plus d'une centaine). Nous sommes rassemblés ici pour célébrer le saint baptême de cette adorable enfant... Olivia, Clementina, Sybilla, Alexandra, Margarita...

— Piña colada, marmonna Mike, sardonique.

Hope lui donna un coup de coude.

— ... Florence, Mabel, Carter, conclut le pasteur d'une voix onctueuse, et pour lui souhaiter la bienvenue dans la maison de Dieu. Nous allons maintenant chanter notre premier cantique.

Jusque-là, rien à signaler. Le pasteur s'acquittait parfaitement de la cérémonie, bien qu'il semblât déconcerté par la quantité de marraines et de parrains. Il y en avait cinq de chaque – y compris Hope et moi. Felicity y tenait, bien qu'elle sache que je ne suis pas croyante. Franchement, je trouvais cela ridicule – mes sœurs et moi, nous n'avions eu qu'un parrain et une marraine chacune.

— Renonces-tu à Satan ? demanda le pasteur tandis que nous nous alignions de part et d'autre des fonts baptismaux.

Je trouve toujours ce passage délicieusement archaïque.

— Oui, répondirent parrains et marraines à l'unisson.

— À toutes ses pompes et ses œuvres ?

— Oui.

— Et à ses vaines promesses ?

Pour la plupart, songeai-je. Je compris alors les réserves de Felicity. Le pasteur se lança dans un sermon consternant sur le sens du baptême, sous forme d'une séance imbécile de questions-réponses, comme si nous étions au catéchisme.

— Jésus était le fils de…

Il nous dévisagea en portant la main derrière son oreille.

— Allez, quelqu'un peut-il répondre ? Qui était le papa de Jésus ?

Le silence qui s'ensuivit fut si pénible que nous nous entendions déglutir.

— Allez, je sais que vous le savez, mais je veux vous l'entendre dire. Bon. Alors, on le dit tous bien fort. Jésus était le fils de… ?

— Dieu ? hasarda papa, très fair-play.

— Oui. Très bien ! Absolument correct ! Et qui est le Saint Es… qui aide Dieu, surtout durant la cérémonie du baptême ? Allez, le Saint Es…

Nous étions tous trop tétanisés pour répondre.

— Le Saint Esppppp…, reprit le pasteur pour nous aider.

— Espion, entendis-je marmonner Mike.

— Non, pas le Saint Espion, dit le pasteur avec indulgence en secouant la tête.

— Esprit ! s'exclama Hope pour masquer sa honte, face à la grossièreté de Mike.

Le pasteur lui adressa un large sourire.

— Oui ! C'est cela ! Le Saint Esprit !

Felicity poussa un soupir affligé.

— Et qui peut me dire le nom du Jean qui a baptisé Jésus dans le Jourdain ? s'enquit-il d'un ton affable. Je vais vous donner un indice. Ce n'était pas Jean-Paul II, contrairement à ce que pourraient s'imaginer certains. C'était Jean… ?

Il porta de nouveau la main derrière l'oreille.

— Allez… Ça commence par un « b »… ? Bbbb… baa… baaaaa ?

Nos orteils étaient tellement recroquevillés qu'on aurait pu s'en servir pour déboucher une bouteille de chardonnay. Notre gêne était si palpable que même Olivia l'éprouvait. Pour la première fois, elle se mit à pleurer. D'après moi, Felicity l'avait pincée – en tout cas, ça a été efficace. Elle s'est mise à hurler comme une sirène d'ambulance, l'affreux sermon tourna court et nous poussâmes un soupir collectif de soulagement. Puis il y eut deux lectures de textes, un autre cantique, l'interprétation chorale d'une berceuse mélanésienne, une bénédiction finale, et voilà.

— Dieu merci ! maugréa Felicity, qui souriait toujours comme une concurrente de jeu télévisé. Et dire que j'ai fait une donation de deux cents livres à l'église ! Si j'avais su qu'on me collerait ce branquignol, cinquante auraient suffi. Enfin, dit-elle en passant Olivia à Hugh, au moins je n'ai plus à m'en faire jusqu'à sa confirmation. Bon, rentrons prendre le champ', et le gâteau.

Même les invités qui n'avaient jamais mis les pieds chez Hugh et Felicity n'auraient pas pu se tromper d'adresse. Des ballons roses et blancs au nom d'Olivia flottaient gaiement à la grille d'entrée, et la porte était ornée d'un gros bouquet rond de fleurs blanches. Nous nous entassâmes dans le jardin sous un chapiteau rayé rose et blanc. Je me dirigeais vers un cousin que je n'avais pas vu depuis plusieurs années, lorsque l'homme qui m'avait saluée à l'église s'approcha de moi, l'air empressé et ravi.

— Laura ?

Il me barrait le chemin, ce que je trouvai mal élevé.

— Oui, répondis-je en le regardant avec des yeux vides. Je ne crois pas que nous…

Il me tendit une main osseuse.

— Norman Scrivens.

Bon sang… j'étais abasourdie – car il s'agissait, je venais de le comprendre, de mon « cavalier » !

— Felicity m'a demandé de m'occuper de vous, m'expliqua-t-il joyeusement.

— Vraiment ? fis-je d'une voix faible.

Je sentis son regard me détailler pour m'évaluer, avec une insistance qui me donna la nausée.

— Alors me voici ! plaisanta-t-il. Ravi de faire votre connaissance.

Sa main était sèche, comme une peau de serpent.

— J'ai connu Felicity à l'école.

— Vraiment ?

— Elle était l'institutrice de ma fille.

— Je vois.

— Très beau baptême ! Bien qu'un peu pompeux, ajouta-t-il sans raison.

Puis il leva les yeux au ciel. Quel culot ! Croyait-il vraiment faire ma conquête en critiquant ma sœur ?

— J'ai trouvé cela très beau, personnellement, lâchai-je froidement. Felicity s'est donné beaucoup de mal pour tout organiser.

— Oui, oui, bien entendu, mais ce pasteur présentait mal, n'est-ce pas ? ricana-t-il.

Pas autant que vous, me retins-je de dire. Il était chauve comme un genou et, vu de près, paraissait dans la soixantaine, avec un visage mince et dur, de petits yeux bleus de fouine derrière des lunettes à monture métallique. Et quand il souriait – comme il le faisait maintenant, stupidement – son cou se plissait.

— Felicity m'a tout raconté sur vous.

Il se pourléchait presque.

— Vraiment ?

L'idée me consternait.

— Et, bien entendu, je vous ai vue à la télé, ajouta-t-il avec enthousiasme.

Ainsi, il avait potassé sa copie.

— Je dois dire que vous êtes futée, comme fille.

La mâchoire m'en tomba.

— Vous en savez, des choses.

J'avalai une rasade de champagne pour m'anesthésier face à tant d'horreur.

— Quadrirum…, gloussa-t-il. Cela dit, je me rappelle ce mot dans une ode latine à l'école. Très ennuyeuse, d'ailleurs.

— Pas du tout. C'est dans Horace, et c'est un hymne aux plaisirs de la vie et de la jeunesse. Horace est l'auteur de la phrase *carpe diem*. Ses poèmes sont magnifiques. Ils vous font repenser votre vie.

— *Carpe diem*, hein ? Enfin, je m'y connais assez bien en plaisirs de la vie, reprit-il.

Il se lança dans un monologue fracassant d'ennui sur sa « cave bien fournie » dans son « hôtel particulier ». « Tout près de Chelsea », glissa-t-il, mine de rien, comme si cela pouvait m'intéresser !… Et sur ses vacances en France, ses randonnées dans les collines, ses collections d'antiquités. Au bout de dix minutes, je me demandai pourquoi il ne se collait pas une petite annonce directement sur son front.

— Eh bien, j'ai été ravie de faire votre connaissance, fis-je aussi poliment que possible. Mais je dois aller parler aux autres invités.

— Bien sûr. À tout à l'heure.

Je ne répondis rien.

Je traversai le chapiteau pour bavarder avec ma tante et mon oncle. Au bout de deux minutes, Scrivens s'immisça dans mon champ visuel. Manifestement, il n'avait rien compris. Je passai à la salle à manger pour saluer des connaissances. Trois minutes plus tard, il était là, lui aussi. Pour le décourager, j'entamai une conversation en profondeur avec un ancien collègue de Hugh, qui m'interrogea sur les quiz.

— Que peut-on faire pour améliorer ses chances de gagner ?

Je lui expliquai que l'on peut, par exemple, apprendre par cœur la table périodique des éléments, le nom des capitales du globe, ceux des présidents américains ou des rois et reines d'Angleterre, par ordre

chronologique ; les œuvres clés des grands composi-
teurs, les planètes du système solaire…

— Et puis, évidemment, vous devez lire les journaux, écouter la radio, regarder la télé, bref, vous tenir
au courant. Mais surtout, pour réussir dans les quiz, il
faut avoir un esprit de sauterelle. Mon inaptitude à
me concentrer longtemps m'a été d'un grand secours,
plaisantai-je, un peu grise. Être doué pour les quiz
n'est pas une question d'intelligence, mais plutôt de
mémoire et de capacité de retrouver rapidement une
information. Autrement dit, vous ne devez pas passer
trop de temps sur un sujet. Sinon, au bout de trois
secondes, vous serez tellement absorbé par le vaga-
bondage sexuel d'Henri VIII que vous y aurez
consacré plusieurs heures, alors que vous auriez pu
apprendre des centaines d'infos plus superficielles
mais intéressantes.

J'avalai une autre gorgée de champagne.

— Après tout, qu'importent les motivations psycho-
logiques ou les analyses historiques dans le domaine
de la culture générale ? conclus-je sur le ton de la plaisanterie.

Pendant ce temps, Hugh poursuivait une conversation animée avec une copine de fac de Felicity – une
avocate du nom de Chantal Vane. Fliss l'adore, mais
je ne l'ai jamais trouvée sympathique – elle est glaciale.

— Encore une coupe de champagne, madame ?

À mon grand étonnement, ma flûte était de nouveau
vide.

— Pourquoi pas ?

Je savais parfaitement que j'étais raide. Mon bonheur m'avait poussée à boire beaucoup plus que de
coutume. J'étais en famille ; je me sentais en sécurité ;

148

j'avais confiance en moi. Je venais de traverser une longue période d'angoisse et de souffrance. Dorénavant, ma vie prenait un tour positif. Néanmoins, je sentais toujours le regard de Scrivens me poursuivre, pour tenter d'accrocher le mien. Et – oh non ! – il s'approchait. Ce type était-il incapable de décrypter mon langage corporel ? Mon attitude lui criait littéralement : « Fous le camp ! » Je me précipitai vers le salon, à l'étage. Les invités commençaient à se retirer. Je conversai brièvement avec les voisins de Fliss, que j'avais déjà croisés, repris une coupe de champagne, et tout d'un coup, Scrivens reparut.

— Laura… tenez, dit-il en me tendant sa carte de visite. On devrait déjeuner bientôt. Vous avez une carte ? Ou dois-je vous téléphoner au bureau ?

Comment me tirer de là sans l'insulter ?

— Eh bien…

J'aurais pu m'excuser en disant que je devais aller aux toilettes, mais ce serait un peu trivial…

— Je connais un petit restau génial à St. James. Alors, vous avez une carte ?

Je pourrais faire semblant d'avoir remarqué un ami perdu de vue depuis vingt ans ? Hélas, la pièce était pratiquement vide.

— Non, désolée, je n'en ai pas sur moi.

— Quel jour vous arrangerait ? insista-t-il.

Et si je tombais dans les pommes ?

— Vendredi, ce serait bien pour moi, reprit-il.

Mais alors – pouah ! – il pourrait bien tenter de pratiquer le bouche à bouche pour me ranimer.

— Évidemment, s'il vous est difficile de vous libérer pour déjeuner, nous pourrions dîner… D'ailleurs, cela m'irait mieux.

J'avais envie de vomir. D'ailleurs, je risquais de le faire – j'avais trop bu, je m'en rendais compte maintenant, et son haleine fétide me retournait l'estomac.

— Euh…, bafouillai-je en titubant légèrement.

Et si je disais simplement : « Désolée, je dois y aller. Au revoir. »

— Très bien, dit-il en sortant son agenda. On prend date tout de suite. Comme vous le disiez, *carpe diem…* Alors… quand ?

« Jamais », avais-je envie de dire. J'étais en train de prier pour que quelqu'un vienne me secourir de ses attentions persistantes et mal venues, quand – alléluia ! – mon téléphone portable sonna.

— Ah, désolée, dis-je en fouillant dans mon sac.

Je regardai le numéro affiché. C'était Luke.

— Bonjour ! dis-je, d'un ton délibérément ravi. Qu'est-ce que je suis contente de t'entendre. Pardon ! articulai-je en silence à Norman.

Ce dernier afficha d'abord un air dépité, puis offusqué lorsqu'il comprit que je prenais l'appel. Il rôda autour de moi un bon moment, puis tourna les talons pour descendre au rez-de-chaussée. Je gravis l'escalier jusqu'à la chambre de Felicity, refermai la porte et me jetai sur le lit.

— Comment vas-tu ? me demanda Luke.

Je fixai le plafond. La pièce se mit à tourner.

— Un peu pétée. Autrement, tout va bien.

— Ça ne t'embête pas que je t'appelle en pleine réception ?

Je scrutai la corniche. Les motifs s'embrouillaient.

— Au contraire. À vrai dire, j'en suis ravie.

— Pourquoi ?

— Parce qu'un type immonde me draguait.

— Vraiment ? Qui ?

— Un agent de change, Norman Scrivens. Felicity essayait de me le coller.

— Ah, tiens donc.

— Oui. C'était avant qu'elle apprenne que je t'avais revu. Tout de même, je me demande ce qui lui est passé par la tête ! Il a au moins quinze ans de trop et il est vraiment moche. Maigre, chauve, avec des lunettes… et chiant ! Felicity me dit qu'il cherche désespérément à rencontrer quelqu'un parce que sa femme l'a plaqué – ce qui ne m'étonne pas.

— Ne sois pas trop dure, Laura. Tu ne peux pas reprocher à ce pauvre mec d'avoir tenté sa chance.

— C'est vrai, je suis un peu méchante. Mais c'est parce que j'ai beaucoup trop bu de champagne…

Je fermai les yeux.

— … et parce qu'il ne m'a pas lâché la grappe de tout l'après-midi et parce qu'il ne comprend rien à la neuvième ode d'Horace qui est l'un des plus magnifiques poèmes que j'aie jamais lus – je te le récitais dans le temps, tu te rappelles ? – et, oooooh… ça tourne – ne quitte pas. Hic ! Eh zut ! Maintenant, en plus, j'ai le hoquet. Mais il était vraiment – hic ! – lourd, Luke… Il voulait absolument prendre rendez-vous avec moi. Il a même – hic ! – sorti son agenda ! C'est alors – hic ! – que tu m'as appelée ; de toute façon, pourquoi – hic ! – diable s'imaginait-il qu'il puisse m'intéresser. Il est bien trop vieux et franchement assez hideux… Et en plus, il a mauvaise haleine !

— Quelle horreur…

— Exactement. Quelle horreur. Mon Dieu – hic ! – j'ai vraiment trop bu. Je pense que je vais être malade. Je me demande si Fliss a une bouteille d'eau quelque part…

Je me hissai péniblement sur un coude pour scruter sa table de chevet. Parmi les crèmes antirides, les livres et les lingettes pour bébé, clignotait obstinément un petit voyant rouge.

— Mais qu'est-ce que… ? marmonnai-je.

Je me penchai pour mieux voir l'appareil. Puis je compris ce que c'était.

— Et merde !

5

— Tu te rends compte de la position dans laquelle tu m'as mise ? siffla Felicity.

La réception était terminée. Affalée à la table de la cuisine, j'ingurgitais mon cinquième litre d'eau.

— Tout le monde t'a entendue. Et ta description éloquente ne laissait planer aucun doute sur l'identité de la personne dont tu parlais. Ils étaient scotchés. J'ai éteint dès que je me suis rendu compte de ce qui se passait. Il était déjà trop tard. Il était juste à côté du moniteur bébé – qui était au volume maximum – et tu l'as affreusement blessé. Tu aurais vu sa tête quand il est parti !

— Désolée, Fliss, soupirai-je. J'avais beaucoup trop bu – justement parce qu'il n'arrêtait pas de me coller au train – et j'ignorais totalement que le moniteur était allumé. Pourquoi l'avais-tu laissé allumé, d'ailleurs ? C'était inutile, non ? En fait, tout cela est de ta faute.

— On ne l'éteint jamais, rétorqua-t-elle. Et puis, il était caché derrière le carton d'invitation, autrement je l'aurais éteint.

— Désolée, soupirai-je de nouveau. Il m'a emmerdée tout l'après-midi et j'avais simplement besoin de me défouler. J'ignorais totalement qu'on pouvait m'entendre.

— Jamais je n'ai été aussi confuse, insista Felicity, les narines frémissantes.

Je m'attendais pratiquement à voir de la fumée lui sortir des naseaux.

— En tout cas, moi, j'ai trouvé ça assez rigolo, dit Hugh (lui aussi avait un peu forcé sur le champagne). Quelqu'un veut un morceau de gâteau ? Le glaçage est délicieux.

Pour un homme qui frôlait la banqueroute, il semblait très guilleret.

— Hugh ! Insulter l'un de nos invités n'a rien d'amusant.

— Allez, Fliss ! On connaît à peine ce type et tu ne l'as invité que pour lui faire rencontrer Laura… Et franchement, je trouve que Laura a raison. Il est beaucoup trop vieux pour elle, et trop moche. J'ignore ce qui t'est passé par la tête.

— Merci de ton soutien, Hugh, repliqua-t-elle sèchement, tandis que j'adressais un large sourire à mon beau-frère.

— Tu ne l'as pas.

— C'est un petit incident de parcours, rien de plus, déclara papa.

— Et il n'y a pas vraiment de mal, ajouta Hugh en haussant les épaules. Scrivens travaille à la City. Il est donc peu susceptible d'avoir des relations en commun avec Laura. De toute façon, à sa place, je passerais l'incident sous silence.

— De qui parlez-vous ? s'enquit Hope.

Elle était retournée à la voiture pour prendre le cadeau d'Olivia et n'avait pas assisté à la conversation.

Fliss lui raconta l'incident.

154

— Il s'appelle Norman Scrivens. J'ai eu sa fille dans ma classe il y a quelques années. Il est agent de change.

— Norman Scrivens ? répéta Hope. Il était là ? Il n'est pas agent de change.

— Ah non ? dit Fliss.

— Il l'était, mais il a été licencié pour raisons économiques par Cazenove, et il est devenu journaliste financier. À présent, il dirige la section affaires du *Daily Post*.

— Vraiment, dit Fliss. Euh…

Un vague sentiment de malaise m'envahit.

— Il est très proche du rédacteur en chef, Richard Sole – le roi des tabloïds, connu pour son amour des bêtes. Apparemment, Scrivens s'occupe de son portefeuille d'actions. Je ne l'ai jamais croisé, reprit Hope, mais c'est un connard.

— Pourquoi dis-tu ça ? lui demanda Hugh. Il m'a semblé plutôt aimable.

— Parce que l'an dernier, il a interviewé Carol Stokes, le meilleur trader femme de la Bourse des métaux. Elle est célibataire et très séduisante, mais elle n'a pas été sensible à son charme, alors il l'a traînée dans la boue. Je ne regrette pas que Laura l'ait insulté.

— De toute façon, il ne peut rien écrire sur moi, dis-je. Je ne suis d'aucun intérêt pour son lectorat.

— En effet, concéda Hope.

— Et je suis convaincue qu'il voudra oublier cet épisode le plus vite possible – comme je compte le faire moi-même.

Un ange passa.

— Très bien, repris-je, on n'en parle plus. Fin de l'incident. À moins que quelqu'un n'ait un commentaire à ajouter ?

Tous haussèrent les épaules.

— Aladadazagoyagoya, conclut Olivia.

Le lendemain matin, je m'éveillai assoiffée, avec une migraine épouvantable et un mauvais pressentiment.

— Ah là là, j'espère que je n'ai pas fait une connerie que je vais regretter, grinçai-je en me traînant jusqu'à la salle de bains. Enfin… trop tard. Mieux vaut oublier.

Je me dévisageai dans le miroir. Mes yeux semblaient transformés en cacahuètes. Ils en avaient la taille… J'avalai coup sur coup trois express avant de me rendre au travail.

— Alors elle s'est tournée vers moi…, entendis-je en franchissant la porte. Donc je me suis tournée vers elle et j'ai dit… non, voilà, Maureen, elle s'est tournée vers moi et elle m'a dit…

Voilà autre chose qui m'exaspère chez Nerys. Pour elle, personne ne se contente de « dire » quoi que ce soit. Il faut d'abord qu'ils se « tournent vers elle », bizarrement, avant de parler. Ces pirouettes et ces vrilles doivent être épuisantes. Le seul fait d'en entendre parler me donnait le tournis, ce qui ajoutait à ma gueule de bois.

— Vous avez une petite mine, fit remarquer Nerys en reposant le combiné.

Ses cheveux étaient couleur ketchup. Elle les teint chaque semaine d'une nuance de rouge différente.

— En effet. Intoxication à l'alcool.

— Vous savez ce qu'il vous faut ?

— Sans doute une transfusion sanguine.

— Non. Du bicarbonate de soude.

Elle fouilla dans son tiroir et en sortit sa trousse d'urgence.

— Basique, mais efficace, ajouta-t-elle en tapotant sur le bureau d'un ongle bordeaux acéré. Croyez-moi, c'est le meilleur remède qui soit.

— Ça va, merci. Je vais demander à Tom de me trépaner. Il y a sûrement un ouvre-boîte qui traîne dans la cuisine.

— En tout cas, vous avez reçu du courrier bien agréable aujourd'hui, Laura, ajouta-t-elle. Ça va vous ragaillardir.

Elle désigna mon casier d'un air de conspiratrice.

— Cinq cartes pour la Saint-Valentin !

— Vraiment ? Ça compensera le fait que je n'en aie reçu aucune depuis trois ans.

— Tom en a reçu une, lui aussi, renchérit Nerys d'un air désinvolte.

— C'est vrai ?

Je me rappelai la conversation téléphonique entendue samedi. Je jetai un coup d'œil rapide à la grande enveloppe rouge posée dans sa case. L'adresse était tapée à la machine et le cachet de la poste avait été partiellement effacé par la pluie.

— Je me demande de qui c'est.

Si elle était au courant, Nerys ne résisterait pas au plaisir de m'éclairer. Elle avait dû parler à cette femme au téléphone.

— Eh bien, Tom est très populaire, plaisanta-t-elle. Très séduisant. Et intelligent, en plus. Eh oui… très intelligent, ce Tom.

On aurait cru qu'elle vantait les mérites de son propre fils.

— Vous ne trouvez pas, Laura ?

— Euh, oui, en effet.

Mon plaisir d'avoir reçu cinq cartes me rendait loquace.

— Oui, bien sûr, repris-je. Tom est très séduisant, très intelligent et c'est un patron formidable.

— Un patron formidable ! conclut-elle joyeusement. Et un homme merveilleux.

— C'est vrai.

— En plus, il est tellement fiable.

— Mmoui. En effet.

Je songeai à sa pauvre femme et à leur bébé.

— C'est un très beau parti, ajouta Nerys. Un très beau parti.

— C'est... vrai. Et je suis persuadée que celle qui l'attrapera aura beaucoup de chance, Nerys.

— Eh bien...

Elle tripota son médaillon en or. Je me suis souvent demandé ce qu'il contenait.

— Puis-je vous donner mon avis ?

— Oui, Nerys.

Il y eut un moment de silence. Elle m'adressa un regard par en dessous, comme si elle était sur le point de me révéler un potin particulièrement croustillant.

— Eh bien, moi, je pense que...

Tout d'un coup, le téléphone sonna et elle passa son casque.

— Bonjour, Trident Ti-viiiiiiiiiiii.

Tant pis, songeai-je.

— Ah, salut, Joan...

Je trouverais une autre occasion de lui tirer les vers du nez.

— Non, pas du tout. Oui. Ouiiii. Je la connais, oui... Vraiment... ?

Ma première carte de Saint-Valentin m'était adressée par un téléspectateur anonyme désireux de me suggérer quelques questions pour le quiz – concernant les dimensions d'une certaine portion de son anatomie. Je la jetai aussitôt à la corbeille. Les deuxième et troisième provenaient de types qui voulaient désespérément passer à l'émission et s'imaginaient que leurs références m'épateraient. *J'ai été finaliste du quiz de Radio Wales*, m'écrivait le premier. *J'ai été nommé « L'agent immobilier le plus intelligent de Grande-Bretagne »* ! pavoisait le second. La quatrième carte provenait de la Ligue des Quiz de Merseyside. *Il n'y a pas vingt-deux terrains sur le plateau de Monopoly*, me précisaient-ils. *En fait, il y en a vingt-huit en comptant les quatre gares et les deux services publics. Mais il y en a effet vingt-deux cases de couleur. Mis à part cette erreur flagrante et franchement surprenante, nous adorons votre émission.* La cinquième carte était de Luke. Je la décachetai en dernier car j'avais reconnu son écriture. C'était un portrait de moi, à la craie rouge, sur un papier kraft en forme de cœur. *Je passerai te prendre à sept heures et demie*, avait-il écrit. *Ce sera un rendez-vous mystère...*

À six heures et demie, j'étais chez moi, en train d'essayer de dompter mes cheveux grâce à des quantités industrielles de mousse antifrisottis et à l'aide d'un fer lissant, quand la porte sonna. Un jeune homme musclé se présenta, muni d'un grand cabas.

— S'il vous plaît, mademoiselle, dit-il en me montrant une carte d'identité. Je suis un détenu de la prison de Wandsworth en liberté surveillée...

Mon cœur se serra.

— ... mais ne me refermez pas la porte au nez, ne me renvoyez pas dans la nuit sans m'acheter quelque chose, un chiffon, un linge à vaisselle...

Voilà autre chose qui m'agace – le baratin larmoyant de ces types. Je finis par ajouter un autre paquet de lessive à ma vaste collection, puis repris ma bataille contre les frisottis. À sept heures dix, j'appliquais mon mascara lorsque l'on sonna de nouveau à l'Interphone. J'entendis la porte de Cynthia s'ouvrir, puis ses pas dans l'escalier.

— Désolée, l'entendis-je minauder. Je vous ai pris pour mon rendez-vous de sept heures. Laura !

J'entendais ses colliers de perles s'entrechoquer. J'ouvris la porte.

— Vous avez un visiteur, gloussa-t-elle.

Luke se tenait sur le seuil, un énorme bouquet de fleurs à la main.

— Merci, Cynthia, dis-je.

Comme j'évitais Cynthia depuis la semaine dernière, je décidai de me montrer amicale – d'autant plus que j'étais heureuse. Tout en faisant signe à Luke d'entrer, je humai le parfum de ma voisine – *Intuition* – et admirai son cardigan en cachemire beige sable. Comme toujours, elle portait une tenue dispendieuse.

— Pardon, dit-il. Je suis un peu en avance.

Soudain, son téléphone portable sonna. Il grimaça en regardant l'écran.

— Vous m'aviez bien dit qu'il y avait de l'amour dans l'air, rappelai-je aimablement à Cynthia tandis que Luke ressortait pour prendre l'appel.

— Oui, dit-elle, d'un air un peu suffisant. En effet.

Je lui souris. Elle était sympathique, en fait. Simplement un peu bizarre. Elle désigna Luke du menton.

— Mais pas avec lui.

— Je vous demande pardon ?

— Pas avec lui, répéta patiemment Cynthia, tandis que Luke descendait l'escalier.

Quel culot !

— Oui, Magda, disait-il. En fait, non, le moment est mal choisi. D'accord... d'accord. (Il se tourna vers moi en levant les yeux au ciel.) Non, Magda, tu te trompes...

— Merci, Cynthia, dis-je, mais je me passerai désormais de vos prédictions. Pour parler franchement, je ne les trouve pas très exactes.

Elle m'énervait. Soit, elle avait deviné la disparition de Nick, mais elle aurait aisément pu l'apprendre des voisins. Les connaissant, c'était plus que probable. En plus, cette histoire de champ de fleurs était de la pure fumisterie.

— Voudriez-vous que je vous enregistre *University Challenge ?* s'enquit-elle aimablement, comme si je ne venais pas de la rabrouer.

— Non, répliquai-je sèchement. Non merci.

— C'est la première demi-finale... Ce devrait être assez palpitant.

— Ce ne sera pas nécessaire.

— Je te demande pardon, dit Luke en rentrant. C'était mon engueulade quotidienne.

— À propos de quoi ?

— Ah, tout, répondit-il. À propos de tout. Alors... c'est ici que tu vis.

Il m'avait raccompagnée vendredi mais n'était pas entré. Je lui fis donc faire le tour du propriétaire.

— Tous tes classiques, dit-il en contemplant les rayons de livres.

Il parcourut les tranches du doigt.

— Je m'en souviens très bien, soupira-t-il.

Je me demandai où était mon exemplaire des *Odes* d'Horace, je n'arrivais pas à remettre la main dessus.

— L'appart est grand, continua-t-il en me suivant dans l'escalier.

Je déballai le bouquet – des tulipes perroquet aux pétales froufroutants.

— Je sais qu'on offre traditionnellement des roses rouges, reprit-il. Mais je me suis rappelé combien tu aimais les tulipes.

— C'est vrai. Je les adore… Il y a tellement de variétés superbes, et celles-ci sont magnifiques. Ce sont ces « dentelles de Bourgogne ».

Elles portaient tellement de fanfreluches qu'on aurait dit qu'elles allaient se mettre à danser le cancan.

— Ta voisine a l'air sympa, fit-il observer. Qu'est-ce que c'était au juste, son rendez-vous de sept heures ? Ça m'a paru un peu douteux.

Je lui tendis l'un des prospectus qu'elle dépose dans le hall d'entrée.

— *Laissez Cynthia la voyante régler tous vos problèmes,* lut-il. *Cette dame talentueuse lira votre passé, votre présent et votre avenir.*

Il sourit.

— N'importe quoi.

Tout en disposant les fleurs dans deux vases, je repensai à ce qu'elle m'avait dit à propos de Nick.

— En effet. Ce sont des foutaises. Là… c'est sublime. Bon… tu veux boire quelque chose ?

— Non merci. Il faudrait qu'on y aille.

Je pris mon sac.

— Où va-t-on ?

— Au cinéma.

— Pour voir… ?

— Tu te rappelles cette Saint-Valentin où nous sommes allés voir *Casablanca* au Arts Cinema ?

— Oui, dis-je avec nostalgie. On l'a vu deux fois d'affilée.

— Eh bien…

Il m'adressa un sourire qui me liquéfia les genoux.

— On va revoir *Casablanca* ? Ça me plairait beaucoup.

— Non. On va voir *Les Rites sataniques de Dracula*. Il y a un festival de films d'épouvante produits par les studios Hammer Horror à l'Electric.

— C'est… génial, dis-je en passant mon manteau. Tu as toujours adoré les films d'horreur. D'ailleurs, tu es un grand connaisseur du genre.

— C'est vrai. Je suis accro.

Tout en remontant Portobello Road, Luke se lança dans une conférence sur le mélange unique en son genre de sang et d'érotisme qui faisait le succès des films Hammer.

— Vers la fin, ils sont tombés dans l'autoparodie, dit-il, mais les premiers sont de petites merveilles de kitsch, sanguinolents dans le style Grand-Guignol…

— Évidemment, acquiesçai-je joyeusement en entrant avec lui.

— De plus, ils sont assez érotiques, ajouta-t-il tandis que nous grignotions un encas au bar, arrosé d'une coupe de champagne.

C'était un bon choix, pour un rendez-vous amoureux. L'obscurité chaleureuse et veloutée de la salle, ajoutée aux frissons du film, invitait au contact physique. Tout en nous calant dans les fauteuils en cuir, Luke m'aida à retirer mon manteau, et lorsque son bras m'entoura les épaules, je sentis mes cheveux se redresser sur ma nuque. Tandis que le film se déroulait sur l'écran, nos avant-bras se frôlèrent, d'abord prudemment, puis plus hardiment. Quand Christopher Lee enfonça ses crocs dans la nuque de Joanna Lumley, Luke posa sa main sur la mienne et nos doigts s'entrelacèrent. Je humais son odeur – un accord familier de citron vert et de vétiver. Je percevais le rythme de sa respiration.

— C'était génial ! s'exclama-t-il lorsque les lumières revinrent dans la salle. J'adore avoir peur. C'est si… rafraîchissant. Bon…

Il jeta un coup d'œil à sa montre.

— Il est onze heures cinq. Et si on prenait encore une coupe de champagne, avec une glace au chocolat ?

— Où ? Il se fait tard.

— Au trente-huit, Lonsdale Road.

Mon cœur fit un plongeon d'hirondelle.

— Tu es d'accord, Laura ?

Il se pencha vers moi et approcha sa bouche de mon oreille.

— Tu veux rentrer avec moi ?

Je ne lui répondis rien.

— J'ai une brosse à dents neuve que je peux te passer. À poils durs.

Mon visage s'empourpra.

— Tu as toujours préféré les brosses à dents à poils durs, pas vrai ? murmura-t-il d'un ton faussement innocent. Et tu n'as jamais porté de pyjama, alors ça ne devrait pas t'embêter ?

Je secouai la tête.

— Tu veux bien ?

Je hochai la tête. La tension érotique était si forte que j'étais incapable de prononcer une parole.

— Si nous venions de faire connaissance, j'imagine que j'aurais été plus… convenable, précisa-t-il doucement tandis que nous sortions du cinéma. Il aurait

164

fallu… au moins quatre rendez-vous chastes avant que nous… tu sais…

Il haussa un sourcil. Mes joues brûlaient.

— Mais puisqu'on qu'on se connaît déjà, on peut passer en vitesse sur… les entraves de la pudeur, non ?

— Hum, acquiesçai-je, rêveuse, tandis qu'il prenait ma main.

— Dans notre cas, deux rendez-vous, c'est parfaitement acceptable… tu ne crois pas ?

— Parfaitement.

Mon corps frémissait par anticipation.

Nous descendîmes en silence Westbourne Grove. Luke habitait la section la moins chic de Lonsdale Road, près de Colville Estate. Il ouvrit la porte et désactiva le système d'alarme. Sur la desserte du vestibule, le répondeur clignotait rageusement. Il n'y prêta guère attention. Il alluma. Chaque centimètre carré des murs était couvert d'art abstrait.

— Ce sont pour la plupart des œuvres de mes clients, m'expliqua-t-il en me débarrassant de mon manteau. Je préfère les accrocher sur mes murs plutôt que de les entreposer dans ma réserve.

J'examinai les motifs tournoyants d'un tableau.

— C'est un Craig Davies. Nous organisons une grande rétrospective de son œuvre, fin mars. J'adore son travail.

— Et moi, j'adore celui-ci, déclarai-je. C'est un Luke North.

Il s'agissait d'un portrait de Jessica à l'encre et au lavis, dénué de mièvrerie ; malgré son jeune âge et son innocence, il lui conférait du charisme et de la puissance. Sa présence était évidente partout dans la maison. Ses petites baskets roses étaient rangées près de la porte et son petit manteau accroché sur la patère ; ses livres et ses poupées Barbie traînaient dans le salon et ses dessins pailletés ornaient les murs. Il y avait aussi des dizaines de photos d'elle. Pendant que Luke débouchait le champagne, j'examinai celles affichées dans la cuisine. Jessica, à dix-huit mois environ, souriant gaiement à l'objectif ; nouveau-née, blottie dans les bras de Luke ; dans sa petite piscine gonflable, uniquement vêtue d'un bob ; sur son petit vélo rose. On la voyait nourrir les chèvres, ou encore à Disneyland, entre ses parents. En regardant cette dernière photo, je me raidis… Ainsi, c'était elle, Magda… Elle correspondait parfaitement à la description que Luke m'avait faite. Menue et très jolie. J'éprouvai un pincement de jalousie. Elle avait une crinière de longs cheveux blonds et lisses, empilés en chignon flou sur le sommet de sa tête ; ce qui, avec sa robe vintage, lui donnait une allure curieusement désuète. Une drôle de petite lueur de défi scintillait dans ses grands yeux bleus, comme si elle cherchait la bagarre.

— Tu as vraiment envie d'une glace ? me demanda Luke.

Je me détournai de la photo et me sentis rosir.

— Non, chuchotai-je. Pas vraiment.

Le désir m'avait coupé l'appétit. Je ressentais un besoin physique presque douloureux de Luke. Il me prit par la main et me guida vers l'étage. Sur le palier, je m'arrêtai. Car là, sur un petit guéridon en acajou, était posé un grand cadre en argent contenant un portrait en noir et blanc de Luke, Jessica et Magda. Ce nouvel indice de leur vie familiale me mit mal à l'aise, comme si j'étais une intruse. Je dus me répéter – comme j'allais souvent le faire dorénavant – que Magda avait quitté Luke et vivait ailleurs.

— Ça te gêne ? dit-il doucement.

— Non, mentis-je.

Je remarquai de nouveau le même éclat combatif dans les grands yeux bleus de Magda.

— Je l'ai laissée là pour Jess, m'expliqua-t-il tandis que nous passions dans la chambre. Comme je te l'ai déjà dit, la séparation a été difficile pour elle, alors je cherche à dédramatiser.

— Je comprends.

Il referma la porte derrière nous et me regarda dans les yeux. Puis il s'avança pour m'embrasser, déboutonna mon chemisier et le repoussa sur mes épaules ; il défit doucement la fermeture Éclair de ma jupe. S'il s'était agi d'un nouvel homme, j'aurais eu peur de lui dévoiler mes défauts – mon « moi »… pour la première fois ; mais Luke me connaissait, et je le connaissais, lui.

— Laura, souffla-t-il, la bouche contre mon oreille. Ma belle Laura… Je n'arrive pas à croire que tu sois ici.

Aucune timidité entre nous. Nos douze années de séparation s'évanouirent aussi naturellement et facilement que nos vêtements avaient glissé sur le sol. Nos corps se rappelaient l'un de l'autre. Nous nous endormîmes, membres entrelacés.

Je me réveillai à six heures, le bras de Luke autour de ma taille, me serrant contre lui, ses mains sur mes seins, ses jambes tièdes contre les miennes.

— C'est tellement bon de te tenir à nouveau dans mes bras, soupira-t-il en me caressant la hanche. Je ne t'ai jamais, jamais oubliée, Laura.

Je me retournai vers lui et enfouis le visage dans son cou, muette de bonheur. Je me sentais reconnectée, non seulement à Luke mais à une époque de ma vie où tout me semblait positif, prometteur, heureux.

Luke caressa mes cheveux, les cala derrière mes oreilles et prit mon visage entre ses paumes, caressant mes pommettes de ses pouces.

— Je ne te laisserai plus jamais repartir, murmura-t-il.

Il m'embrassa.

— Non, chuchotai-je en fermant les yeux.

Luke m'avait de nouveau attirée vers lui, inéluctablement. Il était mon nord magnétique...

De l'extérieur nous parvint le vrombissement assourdi de la voiture du laitier. Puis des chants d'oiseaux. Un triangle opalin se dessina entre les rideaux et une lueur diffuse baigna la chambre.

— On devrait se lever, murmura-t-il, rêveur. Tu dois être au bureau à quelle heure ?

— Pas avant dix heures.

— Alors on peut prendre une douche ensemble.

— Hum.

— Comme dans le temps, tu t'en souviens ?

— Oui.

— Puis on mangera le petit déjeuner au lit – je vais sortir t'acheter des florentins.

— Mes biscuit préférés.

— Je me souviens aussi de ça. Je me rappelle tant de choses de toi...

— Quoi, par exemple ?

— Tu as une grand-mère française. Ton hamster s'appelait Percy... Tu t'es enfermée sans faire exprès dans les WC de la gare d'Euston quand tu avais sept ans. On a dû appeler les pompiers.

Je souris.

— Je me rappelle que tu avais peur dans le noir.

— J'ai toujours peur dans le noir.

— … et que Felicity t'a cassé le nez par accident en t'apprenant à jouer au hockey quand tu avais neuf ans, d'où sa forme un peu bizarre, mais charmante.

Il m'embrassa.

— Alors ? Je peux revenir en deuxième semaine ?

— Oui. Avec des points en bonus.

— Y a-t-il d'autres candidats ?

— Non. Ils ont tous été éliminés.

Je passai à la salle de bains et ouvris le robinet de la douche. Luke et moi gagnions vraiment sur tous les tableaux, songeai-je – la tension délicieuse d'une nouvelle histoire, et la réconfortante familiarité d'une histoire ancienne. J'avais à la fois la nouveauté et l'habitude, des expériences inédites et des souvenirs partagés. Avec lui, je pouvais à la fois vivre dans le présent et dans le passé. Tout en testant la chaleur de l'eau, j'entendis la sonnerie stridente et insistante du téléphone vriller notre ambiance douillette, comme une perceuse Black and Decker.

— Oui, répondit Luke d'une voix rauque de fatigue. Quoi ? Non, je n'ai pas écouté tes messages. Je suis rentré tard. Non. J'étais au cinéma. Avec une amie, si tu veux savoir. Bon, qu'est-ce qu'il y a, Magda… il est très tôt… Tu es sûre qu'il s'agit d'une urgence ?… Non, je ne suis pas sans cœur… mais ça n'a pas l'air très grave… Tu lui as donné du paracétamol ?… Non, je ne veux pas qu'elle rate l'école à moins que ce ne soit absolument indispensable…

Tandis que Luke parlait à Magda sur un ton de plus en plus exaspéré, j'ouvris l'armoire à pharmacie pour tenter de repérer la brosse à dents promise. J'y trouvai les effets de rasage de Luke, son flacon de vétiver Penhaligon's, un tube de Colgate, de la soie dentaire, du paracétamol, un petit serre-tête rose et une boîte de pansements « La

Petite Sirène ». Puis, sur l'étagère du dessous, je découvris un flacon de fond de teint Lancôme, un atomiseur Guerlain, deux rouges à lèvres et un tube de mascara, une bouteille de lotion hydratante Decléor, du démaquillant et une boîte de Tampax entamée… Ce fut comme si des flammes me parcouraient les veines.

— D'accord, Magda, d'accord. Me rendre à Chiswick en pleine heure de pointe ne m'arrange pas, et à mon avis, il ne s'agit pas d'une urgence… En plus j'ai plein de rendez-vous à la galerie, mais si tu n'arrives pas à gérer…

Elle l'avait quitté plus de dix mois auparavant. Pourquoi ses affaires étaient-elles toujours là ? J'étais si tendue que je m'entendais respirer.

— Non, non, pas du tout, je ne dis pas que tu sois une mère incompétente… Loin de là, Magda…

La conversation risquait de s'éterniser. Je fermai donc le robinet. Un brusque silence résonna, comme si je venais de frapper sur un énorme gong.

— Quoi ? disait Luke. Personne. Non. Je suis seul. J'allais prendre une douche, et j'ai fermé le robinet… bon, d'accord, d'accord, tu as gagné. Je viens tout de suite, sans prendre ma douche. Contente ? Bon. Maintenant, tu veux bien raccrocher ?

Il soupira en posant le combiné.

— Désolé, dit-il en me rejoignant dans la salle de bains. Elle me harcèle constamment, comme tu as dû le remarquer.

— Pourquoi lui as-tu dit que tu étais seul ?

Il s'aspergea le visage d'eau froide, puis saisit une serviette.

— Parce que je ne veux pas l'énerver. Si elle s'imagine que je suis avec une femme, elle va perdre les pédales.

Je cillai, comme s'il m'avait giflée.

— Même si c'est elle qui t'a quitté ?

— Oui.

— Même si elle a un petit ami ?

— Oui.

Il commença à s'habiller.

— Tu ne trouves pas ça un peu injuste ?

— Oui. Magda est quelqu'un d'injuste… en outre, elle est très instable, voire un peu folle.

Il enfila son boxer, puis son jean.

— Si je la contrarie, elle réduira mon temps de garde de Jessica. Elle menace constamment de le faire.

Il repassa la chemise de la veille.

— Ou bien elle essaiera de monter Jess contre moi.

— Elle irait jusque-là ?

— Si elle était assez fâchée contre moi, oui. Elle a un tempérament explosif, donc je fais tout mon possible pour qu'elle reste calme.

— Ses affaires sont toujours dans l'armoire à pharmacie, dis-je d'un ton neutre, mais le cœur battant.

— C'est vrai ?

Il passa les doigts dans ses cheveux.

— Sincèrement, je ne l'avais même pas remarqué ; j'ai tant d'autres soucis.

Il glissa les pieds dans ses chaussures.

— Elle a dû les oublier, ou elle n'a pas eu envie de les prendre. Enfin, il faut que je parte tout de suite.

Il m'embrassa, puis m'enlaça un instant.

— Pardon pour le petit déjeuner.

J'éprouvai un pincement au cœur – manger des florentins au lit avec Luke… ç'aurait été le paradis.

— Prends ce que tu veux dans la cuisine et ferme la porte avec cette clé de rechange. Tu me la renverras par la poste. On se parle plus tard.

Il m'embrassa à nouveau et partit.

C'était curieux de me retrouver seule dans la maison de Luke. Tout en ramassant mon chemisier tombé par terre, je remarquai une photo de ses parents, qui n'avaient pas changé depuis la dernière fois où je les avais vus, avec sa sœur Kim, qui était partie vivre en Australie, et une photo de Rocky, son ancien chien. La porte de la penderie était ouverte. En allant la fermer, je jetai un coup d'œil à l'intérieur. J'y vis les vestes de Luke – des vestes sport pour la plupart, sauf trois, qui dataient sans doute de l'époque où il travaillait chez Christie's. Puis, à côté, ses chemises, subtilement rayées ou à carreaux discrets. L'une d'entre elles attira mon attention, avec son imprimé Liberty. Depuis peu, les hommes en portaient. Ce motif Art Nouveau turquoise et rouge devait bien aller à Luke. Je la sortis et, ce faisant, remarquai qu'il ne s'agissait pas d'une chemise d'homme. C'était celle d'une femme. J'eus l'impression qu'on m'avait aspergé la poitrine d'acide.

À côté, je découvris une robe vintage en lourd satin noir, puis une veste en velours – taille 34 – et, plus loin, une robe en soie vert pâle, style années quarante, avec un imprimé de muguets. Il y avait trois paires d'escarpins à talons hauts. Elle avait de très petits pieds. Brusquement, je lui en voulus autant de cela que du fait que, près d'un an après son départ, les affaires de Magda soient toujours suspendues près de celles de Luke. Je réprimai l'envie de les arracher de leurs cintres pour les fourrer dans un sac-poubelle. Mais je ne pus résister à l'impulsion masochiste de rechercher d'autres traces d'elle. Elles furent, hélas, très faciles à trouver.

Sur la cheminée, dans le bol en porcelaine où il déposait ses boutons de manchettes, il y avait deux paires de boucles d'oreilles en cristal, une grosse broche en strass, des barrettes scintillantes et un rang de perles. Sur l'étagère, à côté du lit, se trouvaient *Le Journal de Bridget Jones*, un dictionnaire anglais-hongrois et le *Manuel du soin et de la santé des chèvres*. Au fond du tiroir de la commode, je découvris deux chemises de nuit en soie, une hydre de collants entremêlés et, à ma grande consternation, plusieurs petites culottes en dentelle noire. Dans le tiroir de la table de chevet qui devait être de « son » côté, il y avait un chapelet, une brosse à cheveux, un flacon de vernis à ongles rouge et un petit sac à main en cuir. Partout où je regardais, je tombais sur les restes de Magda – comme une traînée de bave d'escargot.

Je m'effondrai sur le lit, cœur battant, au bord de la nausée. Pourquoi avait-elle laissé tant d'affaires – et des affaires aussi intimes ? Luke et elle étaient-ils toujours… ? J'inspirai profondément, m'efforçant de réfléchir rationnellement. Puis je tirai les rideaux. Le ciel était d'un bleu parfait. Non. S'ils étaient toujours ensemble, ils vivraient ensemble, comme l'aurait souhaité Luke, à cause de Jess. Et il ne m'aurait pas fait la cour.

Elle l'a quitté, elle vit ailleurs, elle est avec quelqu'un d'autre, me dis-je fermement.

Pourtant, j'étais toujours déroutée, secouée. Mais en passant ma jupe, je remarquai quelque chose qui m'étonna et me consola. Là, sur un fauteuil près de la fenêtre. Wilkie, mon ancien nounours. Je le pris et le serrai contre moi, en humant son odeur de renfermé. Ses pattes en daim étaient luisantes d'usure, et le pull vert tricoté pour lui par ma mère lorsque j'avais cinq ans s'effilochait. Autrement, il était en assez bon état. Je l'avais offert à Luke après son appendicectomie : je voulais qu'il ait auprès de lui quelque chose que j'avais aimé. Il l'avait conservé, après tant d'années, et visiblement, il y tenait. Calmée, je partis.

Ma sérénité fut de courte durée.

— Bonjour, Tom, dis-je en arrivant au bureau deux heures plus tard.

Il était plongé dans le journal.

— Bonjour, Tom, répétai-je.

Il semblait incapable de m'entendre.

— Tu m'entends, Tom ?

— Euh, Laura… euh… pardon.

Il paraissait mal à l'aise.

— Du nouveau ?

— Eh bien…

Il a vraiment l'air mal à l'aise, remarquai-je alors. Tout comme Dylan et Sara, qui disparurent furtivement. Nerys m'avait lancé un drôle de regard à mon arrivée, mais j'avais imaginé qu'en femme d'expérience elle avait décelé mon éclat postcoïtal.

Tom posa le journal, puis passa la main gauche dans ses cheveux.

— Ça ne va pas te plaire.

Il me tendit le journal. La rubrique « potins » signée *Incognito* affichait une énorme photo de moi – elle avait sûrement été prise la veille – marchant sur Portobello Road. J'avais l'air d'une folle.

Un sale caractère, disait la légende.

— Que… quoi ?

Laura Quick, présentatrice du nouveau quiz original de Channel 4, Vous savez quoi ?, *a réussi son baptême du feu lors de son début à la télé la semaine dernière, mais dans une réception à Notting Hill ce week-end, des invités se sont dits « consternés » par la conduite peu reluisante de Madame Je-sais-tout. Elle*

174

était « ivre et grossière », a raconté l'un des témoins.
Quick a apparemment des problèmes d'ordre person-
nel – son mari, la star du caritatif, Nick Little, est sorti
acheter une bouteille de lait voici trois ans, et a décidé
de ne pas rentrer. Incognito n'en est pas vraiment
étonné...

J'eus l'impression d'avoir dégringolé dans un puits de mine.

— C'est affreux, grinçai-je.

Je fermai les yeux, inspirai et lançai un regard implorant à Tom.

— C'est... affreux. Ils ont tout déformé.

— C'est ce que j'ai pensé... Que s'est-il passé, en réalité ?

Je le lui racontai.

— Ce Scrivens est, manifestement, à la fois le mouchard et le « témoin » anonyme, dit Tom.

— Oui. C'est bien Scrivens... mais il a déformé la vérité.

Je feuilletai les pages affaires : il y était bien, avec sa photo... Hideuse.

— Il l'a sans doute rédigé lui-même.

Je songeai, horrifiée, à tous les gens que je connaissais, qui avaient pu lire ce torchon.

— Je veux que tu poursuives le *Post*, Tom.

— Trident ne peut pas les poursuivre, Laura, il faudrait que ce soit toi. Et il sera difficile de démontrer qu'il y a diffamation, puisque, de ton propre aveu, tu avais trop bu.

— J'étais seulement un peu joyeuse – c'était un baptême de famille – et mon comportement n'a rien eu de grossier. Il est simplement dommage que mes remarques sur ce Scrivens, peu flatteuses je l'admets,

175

aient été diffusées sur ce satané moniteur bébé. Je l'ai insulté sans le savoir et il se venge.

Les larmes me piquèrent les yeux.

— Hope m'a bien dit que c'était un connard, et elle avait raison ! Mais un million de personnes vont lire ça, Tom. Et certains d'entre eux vont le croire.

— Si ça peut te faire plaisir, je passerai un coup de fil aux avocats de Channel Four, répondit-il posément. Mais je sais ce qu'ils me répondront. C'est dur, Laura, mais il faut encaisser. Tu vas aussi devoir te montrer plus circonspecte. L'émission a suscité beaucoup d'intérêt – tes paroles et tes actes risquent d'intéresser la presse. Et tu ne pourras pas demander réparation : les journaux invoqueront le fait que tu es désormais une personnalité publique.

Je posai la tête sur le bureau. Ma journée avait commencé dans l'allégresse, mais dès l'instant où Magda avait téléphoné, tout était allé de mal en pis – comme si son coup de fil m'avait jeté un mauvais sort.

— C'est une catastrophe, gémis-je. Tous ceux que je connais vont voir cet article. J'ai… envie de rentrer sous terre.

— Ils oublieront, me rassura Tom. Je le sais, parce que j'ai vécu la même chose.

— Ah oui ? fis-je distraitement.

— Et franchement, poursuivit-il, qu'une présentatrice télé boive un coup de trop à une fête, ce n'est pas une info fracassante, pas vrai ?

Je me redressai.

— Non. Mais le fait de raconter que le mari de la présentatrice en question a disparu il y a trois ans, ça, c'est intéressant.

— Enfin… oui, dit Tom à regret. Hélas.

Cinq minutes plus tard, j'engueulais Felicity.

— Comment as-tu pu ?

Je m'étais réfugiée dans la salle de réunion pour passer mon coup de fil discrètement.

— C'est déjà assez grave d'avoir invité ce salaud au baptême, mais pourquoi as-tu été lui parler de Nick ?

— Je suis désolée, gémit-elle. J'ignorais totalement qu'il travaillait pour un journal.

— Même si ce n'était pas le cas, tu n'avais aucun droit de discuter de ma vie privée avec lui, ou avec quiconque. Je t'ai priée de rester discrète sur mon compte, mais toi, tu as tout déballé. Tu lui as même raconté que Nick était sorti chercher une bouteille de lait – quel petit détail croustillant ! J'espérais que cette histoire ne ressortirait pas – du moins, pas avant longtemps, jusqu'à ce que je sois en mesure d'encaisser. Maintenant, grâce à ma propre sœur, c'est sorti, dès le premier jour, noir sur blanc !

— Je suis désolée ! pleurnicha-t-elle. J'essayais de te rendre plus sympathique !

Je levai les yeux au ciel. Je voyais très bien Felicity en faire des tonnes sur la façon dont j'avais été « cruellement abandonnée » par un « mari lâche » qui s'était « enfui, comme ça ». Elle n'avait jamais été tendre envers Nick et, après qu'il se fut « fait la belle », comme disait maman avec tact, elle ne s'était plus gênée.

— Je suis désolée, répéta-t-elle. J'essayais simplement de te rendre service.

— Tu as fait exactement le contraire.

Je raccrochai, un peu soulagée d'avoir pu décharger mon indignation. Tout en passant devant le bureau de Tom, je remarquai que sa fenêtre était grande ouverte et que la brise soulevait les papiers rangés sur le bord.

J'entrai pour la refermer et ramasser les bouts de scénarios et de correspondance éparpillés sur la moquette usée. Sous un courrier de la banque se trouvait la carte de Saint-Valentin. C'était mignon plutôt que romantique, avec un gros ourson serrant un cœur en satin rouge dans ses bras. Incapable de résister à ma curiosité, je l'ouvris avec un pincement de culpabilité.

À Tom, avec tout mon amour, de... L'écriture était délibérément enfantine – il y avait un chapelet de bisous après la signature à peine lisible – S... a... m... Donc, il sortait avec quelqu'un qui s'appelait Sam... Samantha. Je posai la carte. Je ne voulais pas que Tom s'imagine que je fouinais dans ses papiers.

En redescendant, je me demandai qui Samantha pouvait bien être, quelle tête elle avait, ce qu'elle faisait dans la vie, si elle ressemblait à la Samantha de *Sex and the City* et s'il lui posait des questions « très sérieuses », à elle aussi ; je me demandai aussi comment il l'avait connue, depuis combien de temps ils étaient ensemble, avant de me rendre compte, soulagée, que ces pensées m'avaient distraite de l'horreur du papier *d'Incognito*. De toute façon, je devais me concentrer sur autre chose, puisqu'on enregistrait aujourd'hui. Mais lorsque j'arrivai au studio, je vis que l'un des spectateurs tenait un exemplaire du *Post*. Je faillis me trouver mal, persuadée qu'il avait lu l'article aux autres à haute voix et qu'ils se moquaient tous de moi.

— Ils avaient de drôles de regards, confiai-je à Marian tandis qu'elle me maquillait. Certains m'attendaient à l'accueil. Quand je suis arrivée, ils m'ont dévisagée d'un air sournois.

— Seulement parce que tu es la présentatrice et qu'ils sont curieux, dit-elle fermement. Inutile d'être parano à cause d'un petit potin idiot dans un canard bas de gamme. Oublie, et tâche d'assurer.

J'eus toutes les peines du monde à me concentrer, tant je brûlais de honte et d'indignation. Je laissai même tomber mes fiches de questions à un moment donné, tant j'étais perturbée – elles s'envolèrent littéralement de mes mains. À mon grand soulagement, le gagnant ne choisit pas de renverser les rôles – j'ignorais comment je m'en serais tirée – et, au cours du pot d'après tournage, personne ne me parla de l'article. Mon angoisse s'atténua un peu.

Tom a raison. Les gens vont oublier, me dis-je fermement en prenant un taxi pour rentrer au bureau. Demain, ce torchon servira de cornet à frites.

Malheureusement, Nerys m'apprit dès mon arrivée qu'elle avait reçu au moins huit demandes d'interviews des emballeurs de frites concurrents.

— Ils veulent à tout prix vous parler.

— De quoi ?

— Eh bien, de… votre mari.

Je défaillis. Voilà ce que cet article *d'Incognito* avait suscité ! Précisément ce que je voulais éviter.

— Ils veulent que vous parliez « à cœur ouvert » de votre, comment déjà… ?

Nerys consulta son calepin.

— Ah oui…

Elle tripota nerveusement son médaillon.

— … de votre « drame secret ».

— Et merde ! Et qui sont ces « ils » ?

Elle consulta la liste en regardant par-dessus ses lunettes.

— Le *Daily News*, le *Daily Post*, le *Daily Mirror*, le *Daily Star*, le *Daily Mail*, le *Daily Express*…

— Que des torchons. Je ne veux parler à aucun d'entre eux, dis-je. Et pourquoi y consentirais-je ? Pour qu'ils vendent plus d'exemplaires de leurs feuilles de chou ?

Je maudis de nouveau Felicity *in petto*.

— Si j'étais vous, je parlerais, lança Nerys, pragmatique, en retirant ses lunettes.

— Pourquoi ? Rien ne m'y oblige.

— Non, mais si vous ne parlez pas, ils ne vous laisseront pas de répit.

Quelle femme exaspérante… Toujours en train de vous dire quoi faire.

— Merci de votre conseil, Nerys, rétorquai-je. Mais si je ne leur parle pas, ils n'auront rien à écrire. Le silence est d'or.

Elle haussa les épaules.

— C'est vous qui voyez. D'après moi, vous commettez une erreur.

Maudite bonne femme, toujours en train de se mêler de ce qui ne la regarde pas.

— Bonjour. Trident Tiiii-viii. Tom O'Brien ? Certainement. Je vous le passe…

— Au moins, la photo est bien, me consola Luke lorsqu'il me téléphona à cinq heures.

— Moi, ça me flanque la chair de poule de savoir qu'on l'a prise à mon insu.

J'imaginai l'objectif braqué sur moi, de loin, comme un sniper.

— En plus, l'article est un mélange de mensonges et de malveillances.

— Écoute, tu as eu des tonnes de bonne pub. Un truc méchant, ça ne compte pas tellement, non ? Bon, quand est-ce qu'on se revoit ?

Cela me rendit aussitôt ma bonne humeur.

— Demain, ça t'irait ? reprit-il. Passe à la maison et je te préparerai à dîner.

— Demain, c'est parfait… Mais ça ne t'embête pas que je regarde l'émission ? Ce n'est pas de la vanité… ça fait partie du boulot.

Cela ne l'embêtait pas du tout… Il adorait les quiz, qu'ils soient présentés par moi ou pas…

— J'aime bien laisser s'exprimer mon binoclard intérieur, m'expliqua-t-il en allumant le poste de télé le lendemain soir. Et celui où je suis, il passe quand ? Il ne faut pas que je rate ça.

— Fin mars. Il y a six semaines de décalage entre l'enregistrement et la diffusion. Tu en as parlé à Magda ? lui demandai-je tandis qu'il me servait une bière.

— Non, parce que je réserve la surprise à Jess. J'ai hâte de voir sa tête. Je dois m'assurer qu'elle soit avec moi ce soir-là.

Nous regardâmes l'émission, calés dans le canapé. Luke hurlait les réponses. Durant la pause publicitaire, Magda appela.

— Je ne peux pas te parler, je regarde un truc, s'excusa Luke. Euh… ce nouveau quiz sur Channel Four… Tu le regardes, toi aussi ?

Mes yeux s'écarquillèrent.

— Oui, c'est très bien, en effet.

J'étouffai un gloussement.

— Non. Moi aussi, j'ignorais que le Kilimandjaro était le plus grand volcan du monde. Oui… la présentatrice est excellente, n'est-ce pas ?

Je couinai. Il m'adressa un sourire.

— Non, Magda… Je suis seul. Ah, ça recommence. D'accord, Magda. On se parle demain. Salut…

Il raccrocha avec un soupir de soulagement.

— Elle est de bonne humeur, en ce moment. Presque raisonnable. Schoenberg ! J'ai l'impression que ça se passe bien avec son jules. Apparemment, il ne s'est pas encore rendu compte qu'elle était cinglée. Wallace et Gromit !

— Ils se voient depuis combien de temps ?

— Six mois. Manifestement, elle se maîtrise, mais il va vite piger. Albert Einstein !

— Luke… pourquoi lui as-tu dit que tu étais seul ?

— Parce qu'elle m'a demandé si j'étais avec quelqu'un… les Wolverhampton Wanderers !… et je n'ai pas voulu le lui dire.

— Pourquoi pas ?

— Je ne veux pas qu'elle se mêle de notre histoire. Anagramme ! Non, palindrome !

— Qu'est-ce que ça peut bien lui faire ?

— Sharon Stone !

— Elle t'a quitté, Luke.

— Je sais, mais cela ne signifie pas pour autant que ça lui plairait. Frankenstein !

— Je vois. Elle ne veut pas que tu sois avec quelqu'un d'autre.

— En quelque sorte, oui. Je vais lui parler de toi, mais je dois le lui annoncer dans les formes. Acide désoxyribonucléique ! Tu comprends ça ?

— Étant donné la situation… Non.

En fin de compte, Magda l'apprit. Mais pas par Luke.

Son réfrigérateur était vide après le week-end, donc nous sommes allés dîner au Café 202. Nous en ressortîmes vers dix heures et demie, heureux et détendus, lorsqu'un jeune homme avec une capuche sombre et un pantalon baggy nous barra le chemin. Je crus qu'il allait nous braquer.

— Laura ? dit-il.

Je le fixai. Un flash m'aveugla.

— Laura !

Puis un autre. Et merde !

— Par ici, Laura !

Je portai la main à mon visage. Il y eut encore un flash.

— Allez, Laura !

— Fichez-moi le camp ! hurlai-je.

— Arrête. Ne le regarde pas et ne dis rien, me souffla Luke tandis que nous nous éloignions au pas de course, poursuivis par le photographe.

— Encore une, Laura ! Sois gentille ! Allez…

J'aurais voulu me retourner pour l'envoyer balader, mais Luke me propulsait sur le trottoir.

— Ne dis rien, cours !

Incapables de dormir, nous n'eûmes aucun mal à nous lever dès six heures du matin, pour descendre acheter les quotidiens. La photo était en page trois du *Daily News*. On nous voyait sortant du Café 202, main dans la main, l'air ahuris. L'article était intitulé QUICK SÉDUCTION ! et sous-titré : « La liaison clandestine de Laura Quick avec un homme marié ! EN EXCLUSIVITÉ ! » Sur une autre photo, je me cachais le visage ; une troisième me montrait l'air furieux ; dans la dernière, on nous voyait de dos, fuyant le paparazzi.

— Oh…, fis-je.

J'étais trop sous le choc pour articuler quoi que ce soit de plus complexe. Car, entre les mains des tisseurs de mythes du *Daily News*, j'étais devenue *La présentatrice de quiz tourmentée…* cachant un *chagrin secret* après *la disparition de son héroïque mari*. Un « ami » de Nick, opportunément anonyme, était « cité », affirmant que « *Nick ne supportait plus... Il avait tout essayé avec Laura... Elle est intelligente, mais elle peut être très difficile et exigeante* ».

— C'est comme s'ils parlaient d'une autre personne que toi, fit remarquer Luke.

Il y avait une vieille photo de Nick, l'air sérieux – c'était son expression naturelle – légendée *Tourmenté*. Je suffoquais, maintenant. Le journal s'était aussi procuré, Dieu sait comment, un vieux cliché de Luke et moi en train de nous bécoter au Bal de Mai. *Mme Quick a maintenant une liaison clandestine avec son ex-fiancé de Cambridge – Luke North, marié et père d'un enfant*, poursuivait l'article. Comment s'y étaient-ils pris pour dégoter cette info aussi rapidement ?

— Ce n'est pas une « liaison clandestine », m'écriai-je. C'est scandaleux ! Nous sommes tous les deux libres !

— Magda va péter un plomb, souffla Luke.

J'éprouvai comme un coup de poignard de colère – il songeait à ses sentiments à elle, pas aux miens. Mais ses craintes étaient fondées. Elle l'appela à sept heures dix, avertie par sa mère, qui se faisait livrer le *Daily News* tous les matins.

— Ce n'est qu'un tissu de mensonges, entendis-je Luke affirmer tandis que je me versais un café très serré. Ce reporter devrait écrire des romans de gare.

— Tu nies être avec elle ?

Luke avait mis le haut-parleur pour que je comprenne à qui il avait affaire.

— Je ne le nie pas, Magda. Non. Mais nous n'avons rien fait de mal. « Liaison clandestine », cracha-t-il. Laura est libre, et moi aussi.

Je levai le pouce.

— Oui, concéda-t-elle froidement. Tu es libre…
mais uniquement parce que tu m'as quittée.

Luke en resta bouche bée.

— Non Magda, rectifia-t-il posément, comme s'il
parlait à une enfant de cinq ans. C'est toi qui m'as
quitté. Tu t'en souviens ?

Il y eut un moment de silence. J'avais l'impression
d'entendre les neurones de Magda crépiter, à la recherche d'une parade.

— Enfin… d'accord… mais uniquement parce j'y ai
été obligée. Parce que tu étais méchant. Tellement…
immonde. DESCENDS, HEIDI ! DESCENDS DE LA TABLE !

— Tu dis n'importe quoi. J'ai toujours été très gentil. Tu m'as quitté, Magda, parce que tu en avais assez
de moi, parce que j'avais rempli mon office de don-
neur de sperme et parce que tu as préféré tes maudites
chèvres !

— Ne mêle pas mes chèvres à ça, Luke ! Qu'est-ce
qu'elles t'ont fait, ces pauvres chéries ?

Je hochai la tête. Elle avait raison.

— Tu ne rends pas Phoebe et Sweetie responsables
de notre séparation ?

Luke fit marche arrière.

— Non.

— Elles ont été traumatisées, elles aussi. Yogi, surtout, a eu beaucoup de mal à s'adapter. Il a manifesté
beaucoup de négativité et d'agressivité dernièrement.

— Très bien, concéda Luke. Je retire ce que j'ai dit.

— Et en fait… elles t'aimaient bien.

Sa voix s'était fêlée en disant « t'aimaient ».

— Je sais, Magda.

Il semblait ému.

— Et je dois dire que tu étais très gentil avec elles, Luke.

Je l'entendis renifler.

— J'ai de très bons souvenirs… Tu sais, quand tu leur donnais des cookies à la vanille.

Il haussa les épaules.

— Bon… je savais qu'elles aimaient bien les cookies.

— Ta façon de racler la crème fourrée pour elles était assez… touchante.

À mon grand étonnement, mes propres yeux s'étaient légèrement humectés.

— Nous avons vécu de bons moments ensemble, ajouta-t-elle d'un ton larmoyant. N'est-ce pas ?

Pour elle, la mièvrerie sentimentale était manifestement une stratégie alternative à l'agression directe.

— C'est vrai, nous avons vécu de bons moments. Ne pleure pas, Magda. Je t'en prie. Je ne supporte pas de t'entendre pleurer.

— Nous formions une famille, sanglota-t-elle. Une adorable… snif-snif… petite famille… snif… n'est-ce pas ?

— Oui, concéda Luke. C'est vrai.

Il devait penser à Jessica. Il passa la main gauche dans ses cheveux.

— Je ne comprends pas ce qui s'est passé, couina Magda. Pourquoi – hou-hou – en est-on arrivés là ?

Luke sembla tout d'un coup reprendre ses esprits.

— Je vais te dire comment on en est arrivés là, Magda. On en est arrivés là parce que tu m'as traité comme de la merde pendant très longtemps, puis tu m'as quitté et tu en as rencontré un autre.

— Mais ce n'est pas… snif… vrai.

Les grandes eaux étaient lâchées. Le combiné était pratiquement dégoulinant.

— Oui, c'est vrai, Magda. J'ignore pourquoi tu es si bouleversée d'apprendre que je vois une autre femme depuis peu, puisque toi, tu es avec ce crétin de Steve depuis au moins six mois !

— Je suis bouleversée parce que…

Elle renifla bruyamment.

— … parce que je ne savais pas que cette, cette… cette… Laura était ta fiancée à Cambridge.

— Oui, répondit Luke d'une voix lasse. Là, au moins, ils ont dit vrai.

— Tu ne m'as jamais parlé d'elle.

— Ah non ?

— Pas une seule fois depuis que je te connais. Ce qui ne peut signifier qu'une chose…

Sa voix se brisa de nouveau.

— … qu'elle comptait particulièrement pour toi.

— Non… je…

Il me lança un regard coupable. Je haussai les épaules.

— Et que tu as été obsédé par elle, pendant toutes ces années.

— Pour l'amour du ciel, Magda !

— Ce qui veut dire que notre histoire est nulle et non avenue. Nulle, nulle, nulle !

Elle sanglotait bruyamment maintenant. J'imaginai ses yeux rougis et son menton crispé.

— Ce n'est pas vrai, Magda.

— Je n'étais… qu'un second choix !

— Ne sois pas ridicule.

— Rien qu'un lot de… snif… consolation.

Elle était hystérique. En fait, elle est vraiment folle, me dis-je calmement. Authentiquement folle. Une vraie cinglée.

— Comment as-tu pu… snif… m'épouser si mal-honnêtement ? gémit-elle.

Luke eut un éclat de rire sardonique.

— Je t'ai épousée très honnêtement, Magda, parce que, si tu t'en souviens bien, tu t'étais arrangée pour tomber enceinte, au bout de quatre mois, sans me consulter auparavant.

Elle hoqueta. Puis, silence.

— Espèce de salaud ! Sans cœur ! Tu regrettes, c'est ça ? Tu considères ta magnifique petite fille comme un simple accident de parcours, j'imagine !

Le visage de Luke se crispa de rage.

— Bien sûr que non, Magda. Je dis simplement que j'ai fait pour le mieux.

— Comment peux-tu parler ainsi de ta propre fille ?

— Tu es vraiment tordue, Magda… Jessica compte plus que tout dans ma vie, tu le sais parfaitement. Je l'adore. Je mourrais pour elle, sans une seconde d'hésitation. Et si tu veux savoir, elle est une compensation merveilleuse aux huit années d'enfer que j'ai passées avec toi.

Il y eut un silence stupéfait. Puis un petit reniflement.

— Tu regretteras toute ta vie cette phrase, Luke North, grinça Magda. Tu la regretteras toute ta vie. Parce que tu n'entendras plus jamais parler de moi… Et que tu ne reverras plus ta ravissante fille… plus jamais.

Elle raccrocha brutalement. Puis le téléphone sonna de nouveau.

— Allô ?

— Plus jamais, Luke ! Tu m'entends ?

6

— Comment peux-tu supporter cela ? me demandait Hope, quelques semaines plus tard.

Elle était venue me rejoindre au Julie's Wine Bar, car Luke avait dû partir à Chiswick de toute urgence, au moment où on nous apportait notre entrée. Hope vivait tout près, sur Clarendon Road. Elle scruta la soupe de Luke.

— C'est du gaspacho ?

Je hochai la tête.

— Il n'en a pris qu'une cuillerée, précisai-je.

— Je vois. Alors il a dû foncer en Hongrie, ajouta-t-elle sèchement.

Je lui passai une cuiller propre.

— Hélas ! Tu peux prendre ma mousse au saumon si tu veux, je n'en ai mangé qu'une bouchée.

— C'est très tentant, mais je ne veux rien, merci.

Elle tapota le verre de vin.

— Et ça, qu'est-ce que c'est ?

— Un chablis californien. Il n'en a bu qu'une gorgée.

— Hum… Je ne raffole pas des vins du Nouveau Monde.

Pendant qu'elle consultait la carte des vins, je lui racontai les dernières extravagances de Magda.

La bouche impeccablement maquillée de Hope se durcit.

— Quelle horreur !

— En effet. C'est une « Buda-peste ».

— Moi, je n'arriverais pas à supporter, dit Hope.

En général, elle est assez réservée. Aujourd'hui, elle était bien plus directe, d'humeur acerbe et agressive.

— Je plains Luke de vivre sous ces menaces constantes.

— Tu sais, ça ne va jamais très loin.

En effet, les menaces de Magda restaient lettre morte. Néanmoins, Luke recevait de ses nouvelles toutes les huit minutes en moyenne, voire plus souvent. Selon lui, elle voulait le punir d'avoir une petite amie et prouver qu'il lui « appartenait » toujours.

— Si je comprends bien, dit Hope, Magda quitte Luke pour se trouver un autre mec, mais lui, il doit rester célibataire afin de demeurer à son entière disposition.

— Précisément.

Je posai mon couteau sur l'assiette.

— C'est pour ça que toutes les affaires de Magda sont encore chez lui. Elle ne les a pas oubliées, elle les a délibérément laissées là.

— Comme une chatte qui marque son territoire, fit observer Hope.

Je me rappelai l'éclat agressif du regard de Magda.

Pendant que Hope sirotait son vin, je lui racontai que l'astuce préférée de Magda consistait à simuler une « crise » quelconque – fuite de gaz, micro-ondes défectueux, Martiens dans le jardin – nécessitant invariablement l'assistance de Luke.

— Une fois, elle a réussi à le faire venir simplement parce qu'elle avait esquinté une casserole. Et la semaine dernière, elle a exigé sa présence parce qu'Ophelia et Yogi se battaient. Quand il a refusé, elle a menacé d'appeler la police.

— Qui aurait fait quoi, au juste ? Arrêter Luke pour refus d'obtempérer, ou les chèvres pour coups et blessures ?

— On n'a jamais très bien compris. Ce qui m'est insupportable, c'est la façon dont elle l'affole à propos de Jessica. Elle prétend qu'elle a une méningite, alors qu'il s'agit d'un simple mal de tête, ou un abcès lorsqu'elle a une dent qui pousse.

J'en étais arrivée à abhorrer la sonnerie du téléphone portable de Luke. Sa petite mélodie guillerette annonçait invariablement une série de vingt minutes de fausses alarmes, de menaces et d'exigences. Il n'osait pas l'éteindre, au cas où une véritable urgence se présenterait. Magda devait éprouver une enivrante sensation de pouvoir.

— Comment peux-tu supporter tout ça ? répéta Hope en secouant sa tête au brushing parfait.

Comme toujours, on avait l'impression qu'elle sortait de chez le coiffeur.

— Eh bien, je supporte parce que…

Je songeai à ce que Mike avait un jour dit à Fliss.

— C'est une question d'amour. J'aime Luke, voilà la réponse. Si je ne l'avais pas connu avant, alors, oui, j'avoue que j'aurais du mal. S'il s'était agi d'une nouvelle histoire…

— Mais c'en est une ! m'interrompit Hope. Tu es avec lui depuis, quoi, six semaines ?

— Oui, mais en réalité, c'est bien plus ancien.

— Pourquoi ? Tu vis dans un univers parallèle, ou quoi ?

— Nous avons déjà une histoire commune. Tu comprends ?

— Non.

Hope commençait à m'énerver, comme seule peut le faire une sœur.

— D'après moi, c'est surtout pratique pour Luke. Au bout d'à peine plus d'un mois, il te connaît assez pour te planter en plein dîner, dès que son ex claque des doigts.

— Luke n'a pas une vie facile, répliquai-je fermement, et il faut se montrer compréhensif, quand une personne a des enfants.

Je n'ajoutai pas que Hope, n'en ayant jamais désiré, était peut-être incapable de le comprendre.

— C'est sans doute vrai, dit-elle en tripotant les boucles d'oreilles en or de chez Tiffany's offertes par Mike pour son dernier anniversaire. Je te conseille simplement de ne pas laisser Luke prendre trop tôt ses aises. Il doit conquérir la nouvelle Laura, pas seulement prendre l'ancienne pour acquise. Tu as changé. Lui aussi, d'ailleurs.

— Eh bien, oui. Nous sommes différents, à plus d'un titre… Mais le temps que nous avons passé ensemble nous donne une base solide.

Elle me versa de l'Évian.

— Tu crois ?

— Magda sait que Luke tient à moi. Elle ne peut pas m'écarter comme une amourette de passage. En plus, elle est furieuse que je l'aie connu avant elle. C'est pour ça qu'elle est aussi odieuse.

— Elle est odieuse parce qu'elle est odieuse, lâcha Hope, pragmatique. Et parce qu'elle est un peu cinglée, de toute évidence.

C'était vrai. Ma crainte de voir Magda reconquérir Luke était absurde, je le savais désormais. Toute réconciliation était exclue.

— Au fait, il a pris quoi comme plat ?

— De l'agneau.

— Pas trop rosé, j'espère ?

— À point.

Elle hocha la tête, approbatrice.

— Et comme accompagnement ?

— Épinards et purée de pommes de terre. Luke est simplement prudent, voilà tout. Il ne veut pas faire quoi que ce soit qui compromette ses rapports avec Jessica, étant donné l'état d'esprit de Magda en ce moment.

— Donc, il voit Jessica tous les samedis. J'imagine que vous passez vos dimanches ensemble.

— Euh… pas ces temps-ci.

Je tripotai ma serviette.

— Pourquoi pas ?

— Euh… parce qu'il… va souvent là-bas.

Hope me fixa comme si j'étais folle.

— Tu me dis qu'il passe le samedi avec Jessica, et le dimanche avec Jessica et Magda ?

Je soupirai patiemment.

— Eh bien, oui. Depuis qu'elle a appris mon existence, Magda invite Luke à déjeuner tous les dimanches, en prétextant qu'ils doivent passer du temps en famille pour le bien de Jessica.

— Si elle tenait autant que cela à sa vie de famille, elle n'aurait pas dû le quitter, intervint Hope. Mais elle détient des armes imparables… goulasch au paprika et Jessica.

— En effet. Luke veut passer le plus de temps possible avec Jessica et bien qu'il soit déchiré, à cause de moi, il tient à y aller. En outre, Magda affirme que, s'il ne vient pas, elle va inviter son jules, et qu'il finira par devenir le papa de Jessica.

— Quelle sale manipulatrice, fit Hope en secouant la tête. Mais l'autre type, ça ne l'emmerde pas qu'elle joue les familles modèles avec son ex ?

— Apparemment, le dimanche, il joue au golf, alors ça l'arrange.

— Comment peux-tu supporter ça ? insista Hope. Moi, j'en serais bien incapable.

— Je sais que ce n'est pas l'idéal. Mais il y a douze ans, j'ai rompu avec Luke parce que, enfin…

— Parce qu'il t'a trompée, lança Hope.

— Ou… ui.

Son accent de colère me surprit.

— Il s'en est voulu à mort, il m'a suppliée de lui pardonner… Je n'ai pas pu. J'étais… péremptoire à l'époque. Je voyais tout en noir et blanc. Maintenant, je suis plus mûre et plus sage. J'ai traversé moi-même des épreuves, et j'ai l'intention de me montrer un peu plus indulgente.

— Du coup, il me semble que tu lui pardonnes trop… et que tu ne le juges pas assez sévèrement.

— Écoute, Hope, c'est tout à son honneur de vouloir faire passer sa fille avant tout – je ne l'aimerais pas autant si ce n'était pas le cas.

Je repensai à Tom, qui avait fait passer ses amours avant sa femme et leur bébé nouveau-né. Malgré l'affection que je lui portais, cela l'avait sérieusement diminué à mes yeux.

— De toute façon, ça finira par se tasser, ajoutai-je. Luke m'a demandé d'être patiente.

Hope haussa les épaules.

— Enfin… c'est ta vie. Mais je ne me laisserais jamais traiter de la sorte, répéta-t-elle. (Elle tapota la table de ses ongles parfaitement manucurés.) Ah non, fit-elle. Pas question.

Elle commençait à m'énerver sérieusement. Je décidai de changer de sujet de conversation. Je lui parlai des articles me concernant. Comme elle est dans les relations publiques, Hope sait comment ces choses-là se passent.

— Tu as été victime d'une bataille de diffusion entre le *Daily Post* et le *Daily News*, m'expliqua-t-elle tandis que le serveur emportait nos assiettes. Leurs rédacteurs en chef se détestent.

— Pourquoi ?

— En partie par tradition – ils se battent tous les deux pour le même lectorat – et en partie pour des motifs personnels. L'an dernier, R. Sole a piqué la femme de Terry Smith. Grâce à Scrivens, le *Post* a sorti ce petit potin ignoble sur ton « ivrognerie », donc le *News* a voulu lui damer le pion avec son « scoop » sur ta prétendue « liaison clandestine » – Tu as été victime de la guerre des tabloïds, conclut-elle.

— Comment ont-ils pu se procurer cette vieille photo de Luke et moi ?

— En se branchant sur les réseaux d'anciens camarades de fac pour repérer des gens qui vous connaissaient à l'époque.

Je songeai à tous les copains que j'avais laissés tomber après ma rupture avec Luke. Pourquoi auraient-ils fait preuve de loyauté envers moi ?

— On a sans doute interrogé tes anciens collègues professionnels, poursuivit Hope. Ou ta coiffeuse, ou encore tes voisins…

Je songeai à Mme Singh.

— Tous ceux qui t'ont connue. Les journalistes sont très débrouillards. Enfin, Dieu merci, on n'en parle plus.

— Grâce au ministre des Affaires familiales.

Pour la première fois de la soirée, Hope sourit. L'honorable Éric Wilson, marié et père de quatre enfants, avait entamé une thérapie hormonale préalable à une opération de changement de sexe. Mon « histoire » s'était refroidie.

— Tu vas devoir être prudente, quand même, me prévint-elle. Ne parle pas aux journalistes.

— Je préférerais avaler ma langue.

— Et l'émission avec Luke, elle passe quand ?

— Demain soir.

— Vraiment ? La presse va certainement s'y intéresser. Prépare-toi.

J'eus un haut-le-cœur. Nos plats principaux arrivèrent, et Hope me parla de Fliss.

— Le baptême a coûté cinq mille livres. C'est de la pure folie. Encore trois mois et ils vont devoir mettre la maison sur le marché. Elle t'a dit ce qu'elle veut faire pour ramener de l'argent ?

— Non. Je ne lui ai pas parlé depuis deux semaines.

— Elle va faire bosser Olivia.

— Il faut la dénoncer !

— Mannequin bébé. Elle m'a raconté aujourd'hui qu'elle avait envoyé une photo chez « Kiddlywinks », une agence de mannequins enfants, et qu'ils lui avaient fait signer un contrat dans l'heure. Fliss est ravie – elle meurt d'envie de voir la tête d'Olivia en couverture de « Nourrissons magazine » – en plus, elle est persuadée que ça va leur rapporter une fortune.

Je pris une bouchée d'épinards.

— Et Hugh, qu'en pense-t-il ?

— Il trouve que c'est de l'exploitation, que c'est indigne. Elle lui a répondu que, puisqu'il ne gagnait pas un sou avec ses « inventions à la con », il n'avait pas son mot à dire.

Elle sirota son vin.

— Elle n'a pas tort, en un sens, mais tu ne trouves pas qu'elle est méchante avec lui ?

— En effet. Bien que les idées de Hugh soient totalement farfelues.

— Je suis d'accord. Il t'a parlé des garde-boue à poser derrière les mollets les jours de pluie ?

— Non.

— Ou de la burka en PVC en cas de mauvais temps ?

— Absurde.

— Au moins, il fait des efforts. Mais Fliss va le regretter, ajouta Hope d'un ton sinistre. Elle va vraiment le regretter, le jour où Hugh en aura marre et prendra une maîtresse.

Elle pinça les lèvres, comme si elle mordait dans un citron vert.

— Tu crois qu'il en serait capable ?

— La plupart des hommes en seraient capables, s'ils en avaient l'occasion. Pourquoi s'en priveraient-ils ? répondit-elle en haussant les épaules.

Hope me dévisagea intensément, comme si elle sollicitait mon avis.

— Je veux dire que…, précisa-t-elle, n'importe quel homme est susceptible de le faire. C'est ce qu'on dit, non ?

— Hum… pas tous les hommes.

— C'est ce qu'on dit, insista-t-elle.

Elle eut un regard éploré.

— Parfois, je me demande même si…

Elle posa ses couverts.

— Quoi, Hope ?

— Eh bien…

Elle avala une gorgée de vin, puis fit courir son médius sur le bord de la coupe, qui émit un bourdonnement aigu.

— Je me demande parfois si… Mike me trompe, dit-elle enfin. D'ailleurs…

Voilà pourquoi elle était d'humeur aussi agressive, ce soir.

— … d'ailleurs, j'en suis sûre.

Je la fixai avec incrédulité.

— Impossible. Ce n'est pas son genre.

— C'est ce que je croyais, chuchota-t-elle. Mais tu sais, Laura…

Ses yeux s'étaient remplis de larmes.

— Je me trouve dans une situation assez délicate… À vrai dire, je suis contente de pouvoir t'en parler…

Ses lèvres tremblèrent un instant, puis elle se ressaisit.

— Qu'est-ce qui se passe, Hope ? Dis-moi.

Elle se tamponna le coin de l'œil, de l'annulaire. L'énorme diamant offert par Mike pour leur cinquième anniversaire de mariage jeta mille feux.

— D'accord. Je vais te le dire.

C'était la première fois que Hope me faisait des confidences sur son couple. Alors que Felicity adorait s'épancher, Hope avait toujours été discrète. Je n'aurais pas été étonnée d'apprendre qu'elle travaillait pour les services secrets.

— Mike a… un curieux comportement.

Je repensai à ses remarques acerbes le jour du baptême, à son humeur irritable.

— Comment ça ?

— Il travaille tard le soir.

— Depuis quand ?

— Fin janvier. Tous les mardis et jeudis, sans faute, il rentre deux heures plus tard que d'habitude.

Elle jouait avec la salière.

— Au début je n'ai rien remarqué, puis quand je m'en suis aperçue, je ne m'en suis pas préoccupée. J'ai toujours eu confiance en notre couple.

— Et pourquoi pas ? Mike a toujours été fou de toi.

Elle haussa les épaules.

— C'est ce que je croyais.

— Vous avez l'air tellement heureux.

Elle hocha la tête d'un air piteux.

— Et vous avez une vie formidable, tous les deux.

— Je sais. On a eu beaucoup de chance… on était amoureux, mais on était aussi très bons amis. Maintenant, j'ai l'impression que tout cela est compromis. Parce que les mardis et jeudis, il ne rentre jamais avant neuf heures et demie. En général, on arrive à la maison vers sept heures et demie, à moins que Mike ne bosse sur un dossier important, ou qu'il soit en voyage d'affaires. C'est ce qui a éveillé mes soupçons.

— Tu lui as posé la question ?

— Bien entendu. Sur le coup, il a été incapable de me fournir une réponse satisfaisante. Il ne l'a toujours pas fait, d'ailleurs. Chaque fois que je fais une remarque là-dessus, il est fuyant, il répond qu'il « travaille ». C'est ce qui m'a mis la puce à l'oreille. En plus, un soir, j'ai tenté de le joindre au bureau : il n'a pas décroché. Il n'a pris aucune de ses lignes directes et son téléphone portable était éteint.

Voilà qui semblait de mauvais augure.

— Vraiment ? Tu lui en as parlé directement ?

Elle hocha la tête tripotant le petit vase de narcisses.

— Il a eu l'air très mal à l'aise, puis il m'a répondu sèchement, ce qui n'est pas son genre.

— Qu'est-ce qu'il a dit ?

— Que j'avais dû composer le mauvais numéro, ou que la ligne était en dérangement, ou que son téléphone portable ne recevait pas le signal, ou qu'il devait être à la cantine, ou aux WC, ou dans l'ascenseur.

— Hum.

Elle pinça les lèvres.

— Autrement dit… des mensonges. Il reste injoignable pendant trois heures, et quand il rentre, il est d'une humeur bizarre. Assez… émotive. Finalement, la semaine dernière, je lui ai directement posé la question.

Son menton se fripa.

— Ça a été l'horreur.

Elle posa les paumes sur la table, comme pour se raidir contre la douleur.

— Je lui ai demandé s'il avait une maîtresse. Il m'a regardée si tristement que j'ai cru qu'il était sur le point de tout m'avouer. Au contraire, il a répondu : « Non, je n'ai pas de maîtresse, Hope, je n'en ai jamais eu, et je n'en aurai jamais. Parce que je t'aime. »

— Donc, il a catégoriquement nié… et ça ne t'a pas rassurée ? Pourquoi ?

— Parce que la situation est restée la même. Tous les mardis et jeudis soir, Mike « travaille tard », mais ne peut pas être joint et refuse de me dire où il a été. Ce soir, par exemple, il est sorti. C'est pour ça que j'ai pu venir te rejoindre. Je sais qu'il rentrera tard. C'est toujours la même histoire.

— Bizarre. Tu as épluché ses relevés de cartes bancaires ?

Elle hocha la tête d'un air coupable.

— Je ne l'avais jamais fait auparavant. Cela ne m'avait tout simplement pas traversé l'esprit de l'espionner.

— Et ?

Elle secoua la tête.

— Rien. Il paie peut-être la lingerie fine et les roses en liquide.

— Des parfums inconnus sur ses vêtements ?

— Aucun. Mais je suis convaincue qu'il a une maîtresse, insista-t-elle d'une voix fêlée. Il n'y a pas d'autre explication plausible sur son emploi du temps, ou ses réticences à s'expliquer, sans compter son humeur bizarre quand il rentre.

— Eh bien... en effet, tout cela paraît assez bizarre.

— À mon avis, Mike est incapable d'avouer qu'il a une maîtresse, même à lui-même, parce que c'est quelqu'un de bien, alors il me ment.

Nous nous tûmes car le serveur était venu débarrasser. Hope n'avait presque pas touché à l'agneau.

— On prétend que l'instinct d'une épouse ne la trompe jamais, reprit-elle tristement. On dit aussi qu'on ne peut jamais vraiment faire confiance... à aucun homme, ajouta-t-elle avec un haussement d'épaules douloureux.

Je repensai à Tom, qui est vraiment quelqu'un de bien. Pourtant, il s'était conduit en salaud.

— Enfin, tu n'aurais jamais imaginé que Nick ferait ce qu'il a fait, n'est-ce pas ?

— Non. Je t'assure que je n'ai rien vu venir.

« On entend tout le temps ce genre d'histoires, poursuivit Hope. Des femmes qui affirment : « Je n'ai jamais imaginé une seconde que mon mari me tromperait. Ce n'était pas son genre. » Ou alors : « Je croyais connaître mon mari – maintenant, j'ai l'impression que notre mariage n'était qu'une imposture. » Pourquoi serais-je à l'abri de ça, Laura ? Pourquoi aurais-je cette chance ? Il y a plein de gens qui souffrent – comme toi – et maintenant, c'est peut-être à moi de souffrir. Enfin, gémit-elle en fouillant dans son sac Kelly pour trouver un mouchoir, voilà ma vie en ce moment.

— Hmmm…

Elle me regarda. Ses yeux étaient rouges et son mascara avait coulé. C'était étrange de la voir dans cet état.

— Alors, murmura-t-elle. Alors…

Pourquoi répétait-elle ce mot ?

— Alors, à ton avis, qu'est-ce que je dois faire ?

— Oh…

Je fus décontenancée. Comme je l'ai déjà dit, Hope ne m'avait pratiquement jamais fait de confidences, et encore moins sollicité mes conseils. À vrai dire, cela m'effrayait. Que Hope, dont toute la vie adulte semblait aussi lisse que son brushing, ait des problèmes personnels qui nécessitaient mon aide…

— Qu'est-ce que je dois faire ? répéta-t-elle.

— Je… ne sais pas, répondis-je sincèrement.

Je ne voulais pas lui dévoiler le fond de ma pensée – que l'instinct de Hope ne la trompait sans doute pas. Voilà pourquoi Mike était aussi irritable au baptême. Le fait d'être dans une église lui rappelait amèrement les vœux de mariage prononcés six années auparavant. Il était agressif parce qu'il se sentait coupable.

— Tu veux bien m'aider, Laura ?

Je la dévisageai. Elle avait douze ans.

— Oui, bien entendu, bégayai-je. Tu peux me parler quand tu veux – jour et nuit – tu le sais bien.

— Ce n'est pas ce que je voulais dire.

— Alors quoi ?

Elle cligna des yeux plusieurs fois, puis inspira profondément.

— Je veux que tu le prennes en filature.

— Quoi ?

Mon cœur s'enfonça jusque dans mes escarpins.

— Ne me demande pas ça, marmonnai-je. Je ne peux vraiment pas…

— Je t'en prie, Laura. Il faut que tu le fasses.

Je secouai la tête.

— J'en serais incapable.

— Pourquoi pas ?

— Parce que, s'il a vraiment une maîtresse, je ne veux pas être la personne qui te l'apprenne, Hope. Cela pourrait affecter notre relation, jusqu'à la fin de nos jours.

Elle secouait la tête à son tour.

— Je préfère que ça soit toi qui me l'apprennes plutôt qu'un autre. Nous sommes sœurs, nous pourrions y survivre.

— Je n'en suis pas certaine… ce truc est un vrai champ de mines.

J'étais déconcertée de voir Hope dans cet état. Sa soudaine vulnérabilité me troublait profondément, d'autant qu'elle m'avait toujours semblé inattaquable.

— Écoute, Laura, j'ai besoin de ton aide, et je ne peux pas demander ça à un ami. Moi, je t'ai bien aidée, pas vrai ?

J'espérais tant qu'elle ne dirait pas cela.

— C'est vrai, tu m'as aidée, Hope, mais c'était très différent. Tu n'as eu qu'à me faire un chèque, que je t'ai remboursé dès que possible. Mais, là, je pourrais payer un prix psychologique terrible. Tu ne comprends pas ? Si tu veux faire filer Mike, adresse-toi à quelqu'un de neutre, de préférence un détective privé.

Elle secoua la tête.

— Pourquoi pas ? Tu en as les moyens.

— Il ne s'agit pas d'argent, fit-elle en levant les yeux au ciel. C'est trop humiliant ! Déballer son intimité à un parfait inconnu... sans même être assurée qu'il n'ira pas tout raconter. Je sais que toi, tu seras discrète. Contrairement à Felicity. Je t'en supplie, Laura. J'allais t'appeler, mais c'est bien plus facile de te le demander en personne. Je suis contente que Luke t'ait laissée tomber ce soir, ça m'a permis de te parler.

— Et toi, tu ne peux pas le suivre ?

— Non. (Elle frémit.) Ce serait... affreux. De toute façon, je me trahirais. Il me repérerait, j'en suis certaine... parce qu'il sentirait ma présence, à cause de notre connexion affective. Toi, il ne te remarquera pas. Je t'en prie, Laura, insista-t-elle. S'il te plaît. Je suis tellement angoissée.

Je contemplai son visage anxieux. Je voulais tant l'aider.

— Désolée, Hope. Mais je dois refuser.

J'aime les faits. Ils me réconfortent. D'une certaine manière, avec les faits, on se sent en sécurité. En général, on peut compter dessus, bien plus que sur les opinions ou les conjectures. Les faits ne déçoivent pas. Pas seulement des faits du genre « Riga est la capitale de la Lituanie », mais les faits au sens plus large, plus humain du terme. Par exemple, certains faits du comportement de Mike tendaient douloureusement, mais inexorablement, vers une seule conclusion possible. Voilà pourquoi j'avais refusé d'accéder à la requête de Hope.

Si j'avais cru qu'elle se méprenait, j'aurais été ravie d'accepter, pour avoir le plaisir de la détromper. Mais, d'après moi, elle ne se trompait pas. Sinon, pourquoi Mike aurait-il un comportement aussi bizarre ? S'il s'agissait d'une occupation innocente – aller au gymnase, suivre des cours du soir –, il en aurait parlé ouvertement. S'il dînait avec des clients, il l'aurait dit. S'il allait voir ses parents ou sa sœur, il l'en aurait informée, puisque de toute façon, dans ces cas-là, elle l'accompagne.

Il était toutefois possible que Mike ait honte d'avouer ses activités. Peut-être qu'il allait chez un psy, ou à l'église, ou chez les Weight Watchers (même s'il n'était pas gros), ou les Alcooliques anonymes (même s'il ne buvait pas) ou dans un club de strip-tease avec des collègues plus délurés. Cependant, si c'était le cas, il aurait préféré l'avouer à Hope plutôt que de la laisser croire qu'il avait une maîtresse.

Mais il lui refusait le moindre éclaircissement sur ses activités, tout en continuant à rentrer tard deux fois par semaine. Donc, hélas, les faits semblaient corroborer la conviction croissante de Hope, que Mike « fricotait ailleurs ». Ce qui expliquait son humeur massacrante, et ses propos aussi intransigeants sur Luke. Elle reportait sur lui toute sa colère contre Mike.

Il n'en restait pas moins que j'avais le cœur brisé de lui refuser mon aide.

— Désolée, Hope, répétai-je. Je ne peux pas faire ça.

Je tripotai nerveusement ma serviette.

— Je sais pourquoi. Tu refuses parce que tu es vexée de la façon dont j'ai critiqué Luke. N'est-ce pas ? Parce que je n'ai pas dit ce que tu avais envie d'entendre.

— Pas du tout.

— Mais si. Tu étais pareille quand on était petites. Tu essaies de me punir.

— Absolument pas.

Elle prit son sac.

— Bon, je rentre. Je te prie de ne pas souffler un mot de notre conversation à âme qui vive.

— Tu sais bien que je n'en dirai rien, Hope.

— Oui, répondit-elle, glaciale. Au moins, je sais que je peux compter sur ta discrétion – même si je ne peux pas compter sur ton soutien.

Elle me lança un regard de genre « toi aussi, Brutus ? » et partit.

Du coup, pour me confirmer à moi-même que j'avais pris la bonne décision, je m'imaginai en train de faire ce qu'elle m'avait demandé. Tout en sirotant mon express, je me projetai prenant Mike en filature à la sortie du bureau, à pied ou en taxi, à une distance prudente, espérant ne pas me faire repérer par lui, ou par quiconque – d'ailleurs – car mon visage commençait à être connu du public. Je me vis en train de l'observer, entrant chez sa copine ou dans un hôtel anonyme ; de traîner jusqu'à ce qu'il en émerge, les cheveux en bataille, la cravate de travers – sans doute avec « elle ». Hope exigerait sans doute des preuves photographiques. Je me vis lui présenter une photo d'eux en train de s'embrasser, par exemple, ou main dans la main. Non, me répétai-je. Pas question. J'offrirais avec joie un rein, mon sang, ma moelle osseuse ou toutes mes économies à Hope… mais je n'étais pas prête à lui annoncer la mauvaise nouvelle.

Supposons qu'elle brandisse les preuves sous le nez de Mike – des preuves glanées par moi – et qu'il avoue enfin. S'ils divorçaient ? Jusqu'à la fin de mes jours, je devrais assumer le fait d'y avoir contribué. Et si, au contraire, Mike rompait avec sa maîtresse, qu'ils consultent un psy et que tout s'arrangeait pour le mieux ? Je serais la faille de leur armure conjugale. Ils m'en voudraient… surtout Mike. Même si Hope lui pardonnait, j'aurais sûrement de l'aversion pour lui, et nos rapports s'aigriraient. Conclusion, mieux valait rester en dehors de tout cela, mais, comme je l'ai déjà dit, j'en avais le cœur brisé. Je me repassais le film pour la quatrième fois en me demandant ce que je pourrais bien faire pour aider ma sœur, lorsque Luke m'appela pour me dire qu'il était en route et qu'il viendrait me prendre. Je réglai l'addition, totalement lessivée, et décidai de me refaire une beauté avant son arrivée. Je descendais aux WC lorsque je jetai un coup d'œil vers le bar. Désert en début de soirée, il était maintenant bondé.

Il y avait un groupe de femmes d'une vingtaine d'années près de la vitrine, deux hommes au milieu et un couple dans la trentaine. À en juger par l'électricité qui crépitait entre eux – et à la bouteille de champagne mise à rafraîchir sur le bar –, ils en étaient manifestement à l'un de leurs premiers rendez-vous, mais ça devenait sérieux. L'homme parlait et riait, la femme le contemplait avec le plus vif intérêt. Comme s'il était une star, et elle, la présidente de son fan club.

De temps en temps, elle lui touchait légèrement l'avant-bras, ou rejetait la tête en arrière pour exposer sa gorge. Son langage corporel, à lui, était tout aussi « ouvert » et positif. Je le vis se pencher vers l'avant et lui toucher l'épaule, puis faire glisser sa main plus bas, comme pour lui caresser le sein. Elle lui adressa un sourire d'encouragement. Ils étaient l'image même d'un couple en pleine phase de séduction, pour qui le reste du monde n'existait plus. Ils étaient si absorbés l'un par l'autre que j'aurais pu passer juste à côté d'eux sans qu'ils le remarquent. Mais je les connaissais, et je n'étais pas disposée à courir ce risque. J'étais en haut de l'escalier, à me demander quoi faire, quand, avec sa courtoisie habituelle, Hugh résolut mon dilemme. Il régla l'addition, aida Chantal Vane à enfiler son manteau, lui tint la porte et ils sortirent.

7

Mes sœurs et moi, on n'est pas très heureuses en amour. Nos mariages sont, soit déjà ratés, comme le mien, ou sur le point de s'effondrer. Maman en serait horrifiée – non que j'aie l'intention de lui en parler – car papa et elle viennent de célébrer leur quarantième anniversaire de mariage l'an dernier.

Tout en rentrant avec Luke, je me rappelai avoir vu Hugh discuter avec Chantal au baptême. Elle avait sans doute le béguin pour lui depuis des années. Maintenant, pressentant des signes de lassitude conjugale, comme une hyène décèle l'épuisement d'une antilope vieillissante, elle avait saisi l'occasion de fondre sur sa proie.

Luke ne remarqua pas mon désarroi – il était furieux contre Magda et se plaignait de ses caprices. Sa présence à Chiswick s'était avérée parfaitement inutile, elle ne l'avait fait venir que pour gâcher notre soirée. Il s'était violemment querellé avec elle, Jessica avait pleuré et ça, c'était tout à fait impardonnable.

— Elle n'a pas le moindre self-control, grogna-t-il en se garant devant chez lui. Et pourtant, elle se figure qu'elle me contrôle, moi ! Eh bien non !

— Bien sûr que non, répliquai-je.

À l'instant même, son téléphone portable se mit à sonner. Il fouilla dans sa poche.

— Oui, Magda, siffla-t-il. Non, Magda. Oui, Magda.

Je décidai de profiter de sa mauvaise humeur pour frapper un grand coup. Tout en nous préparant à nous coucher, je lui demandai s'il ne pouvait pas retirer les vêtements de Magda du placard pour les lui rendre. Sa brosse à dents resta suspendue dans les airs.

— Je ne peux pas, dit-il. Elle le prendrait pour une provocation.

Il se pencha sur le lavabo et recracha son dentifrice dans la bonde.

— Elle aurait le sentiment que je la rejette.

— C'est absurde.

— Je sais.

Il se mit à passer de la soie dentaire entre ses dents.

— Elle veut toujours le beurre et l'argent du beurre. Elle racontera à Jessica que j'ai jeté ses affaires aux ordures, et Jessica aura du chagrin. De toute façon, qu'importe que les affaires de Magda soient encore ici, n'est-ce pas, Laura ?

Il me donna un baiser mentholé.

— Ce qui compte, c'est que nous soyons de nouveau ensemble. Cela t'embête vraiment autant que ça ?

— C'est précisément parce que nous sommes ensemble que ça m'embête. Je me sens beaucoup plus possessive envers toi que si nous venions tout juste de nous connaître. Alors, non, je ne supporte pas. En plus, ce ne sont pas des effets anodins. Je pourrais passer sur une paire de baskets ou un vieux sweat – mais elle a laissé traîner des trucs sexy, comme par esprit de provocation.

— C'est presque certainement vrai, concéda-t-il. Elle est très combative.

— Alors pourquoi diable devrais-je tomber sur ses robes en soie à côté de tes vestes, ou sur ses strings en dentelle dans tes tiroirs ?

J'ouvris l'armoire à pharmacie.

— Et je ne veux plus voir sa boîte de tampons quand je prends le dentifrice. Quand tu viens chez moi, Luke, tu vois les affaires de Nick ? Non. Rien du tout. Tu ne vois pas sa mousse à raser dans la salle de bains. Tu ne vois pas ses slips en ouvrant un tiroir. Imagine ce que tu éprouverais si les rôles étaient renversés.

— Je détesterais ça… mais il s'agit d'une situation tout à fait différente.

— En effet. C'est vrai. Mon ex a disparu… donc, il ne t'embête pas. Avec Magda, c'est le contraire. Elle t'a quitté, mais elle reste omniprésente.

— C'est peut-être vrai, mais elle fait partie de ma vie. Elle en fera toujours partie parce qu'elle est la mère de mon enfant, c'est ce que tu dois comprendre. Mes rapports avec Magda doivent être cordiaux, Laura, voire excellents, parce que je ne peux pas me permettre de me la mettre à dos… d'autant que Jessica est encore très jeune.

— Tu es sous sa coupe, fis-je tandis que nous nous mettions au lit.

— Si tu veux, répondit-il d'une voix lasse. Comme des tas de pères séparés. Je ne ferai rien qui puisse me priver de Jessica.

— C'est tout à fait compréhensible, Luke, mais il y a des limites. Donc, si tu as le sentiment que tu ne peux pas rendre ses affaires à Magda, pourrais-tu au moins les ranger ailleurs, pour que je ne tombe pas dessus chaque fois que je viens ?

— Dis, je me suis assez fait agresser pour ce soir.

Nous étions irrités l'un contre l'autre. C'était la fin de la lune de miel, compris-je alors. Il tira la couette sur sa tête.

— Fais-le, toi, déclara-t-il. Si tu y tiens tant que ça.

— D'accord, répliquai-je posément. C'est ce que je vais faire.

Je pris deux cabas en plastique dans la cuisine, où je rangeai soigneusement les vêtements de Magda, ses chaussures et sa lingerie puis, avec un léger mais réel sentiment de triomphe, je les poussai sous le lit. Je retirai ses effets de l'armoire à pharmacie et les casai sous le lavabo.

Pour la première fois, je rangeai quelques-unes des affaires que je voulais laisser chez Luke – un magnifique kimono en soie bleu ciel que Hope m'avait rapporté de Tokyo ; un cardigan en cachemire vert et un jean ; des sous-vêtements, un tee-shirt et une petite trousse de toilette. Je plaçai un pot de crème hydratante, une mousse antifrisottis et quelques articles de maquillage dans l'armoire à pharmacie.

De meilleure humeur, je me glissai dans le lit.

— Ne nous querellons pas, Laura, murmura Luke.

Je sentis son bras se glisser sous ma taille.

— C'est exactement ce que recherche Magda... Elle veut nous séparer.

Je jurai que je ne la laisserais pas faire.

— Je t'aime, Laura, chuchota-t-il. Je suis si heureux de t'avoir retrouvée.

Mon indignation s'évanouit. Je sentis son menton un peu râpeux sur mon épaule.

— Tu as passé une bonne soirée avec Hope ?

Je repensai aux problèmes conjugaux de mes sœurs et aux complications de nos vies amoureuses respectives.

— Oui, une excellente soirée.

Je voulais raconter à Hope que j'avais vu Hugh avec Chantal, mais elle refusait de me parler. Je lui téléphonai trois fois le lendemain matin. Son assistante me répondit chaque fois qu'elle était prise. Je compris, à son ton faussement pimpant, que c'était faux. Hope, qui est la cadette, s'est toujours attendue à ce qu'on se plie à ses quatre volontés, et quand ce n'est pas le cas, elle boude. Mais j'avais du chagrin pour elle : elle m'avait exposé sa vulnérabilité, sans obtenir ce qu'elle souhaitait. Je lui envoyai un SMS amical, avec les numéros de trois détectives privés. Puis je me demandai quoi faire, pour Fliss...

Je pourrais faire comprendre à Hugh que je l'avais surpris avec Chantal, mais cela le pousserait simplement à se montrer plus prudent. Je pourrais aussi téléphoner à Chantal directement... Non. C'était hors de question. Je frémis. Ce serait horrible. Totalement primitif... Je décidai donc de passer voir Fliss. Elle était tellement ouverte – j'ai toujours pensé qu'elle aurait dû s'appeler Candide – que, si elle se doutait de quoi que ce soit, je le saurais très vite. Je l'appelai pour lui dire que je passerais après le boulot avec un cadeau de Pâques pour Olivia.

— Ça... me fait très plaisir, dit-elle.

Elle avait une drôle de voix.

— Oui, oui, c'est... super. Euh, passe vers... oh... je ne sais pas... cinq heures, si tu veux.

— Ça va, Fliss ?

— Eh bien, non. Ça ne va pas. En fait, j'ai un souci.

— Quoi donc ? demandai-je innocemment.

Je l'entendis inspirer profondément. Donc, elle savait, pour Hugh et Chantal.

— Olivia a son premier casting après déjeuner. Pour les porte-bébés Tiddli-Toes. Nous sommes vraiment très, très nerveuses… Croise les doigts pour nous !

Après avoir enregistré l'émission, je demandai au chauffeur de me déposer sur Moorhouse Road. Je gravis les marches du perron et sonnai, pressant contre moi le lapin musical que j'avais acheté pour Olivia, si nerveusement que je déclenchai le mécanisme. Il se mit à jouer une berceuse. La porte s'ouvrit toute grande. Fliss, avec Olivia dans les bras, m'adressa un sourire de démente.

— Nous avons décroché le contrat ! m'annonça-t-elle en me faisant signe d'entrer. L'agent d'Olivia vient d'appeler. C'est génial, non ?

— Euh, oui.

Je contournai la poussette.

— Elle n'a eu qu'à se balancer en souriant à l'objectif, et bingo ! Sept cent cinquante livres ! Le photographe jure que c'est le plus joli bébé fille qu'il ait vu de sa vie. Pas vrai, mon petit bout de chou ?

Olivia applaudit de ses petites mains potelées.

— C'est vrai, mon petit canard en sucre ! Tu peux bien applaudir ! Tu es un petit bébé très intelligent, pas vrai ? couina Fliss en essuyant la bave du menton d'Olivia avec l'ourlet de son tee-shirt. On a un autre casting demain, ajouta-t-elle tandis que nous passions à la cuisine. Pour l'adoucisseur textile bio Couchidou. Elle n'aura qu'à rester posée sur la serviette, l'air adorable – ce qui ne sera pas difficile dans son cas – et si ça marche, on gagnera mille deux cents livres supplémentaires. Ensuite, elle a deux castings télé à la fin de la semaine prochaine. Certains bébés ne quittent pas le berceau pour moins de cinq mille balles. Je suis convaincue qu'Olivia en fera partie.

Elle posa Olivia dans son parc. Derrière ses barreaux, cette dernière avait l'air d'une minuscule prisonnière.

— Laisse-la souffler, Fliss. Elle vient tout juste de commencer.

— Je sais. Mais elle est si belle qu'elle va sûrement devenir un bébé star, pas vrai ? En plus, elle a un vrai charisme, et c'est ça qu'ils recherchent.

Olivia nous adressa un regard vide.

— Certaines des autres mères étaient vraiment casse-pieds, ricana-t-elle en remplissant la bouilloire. Tu aurais dû les entendre radoter sur leurs petits chérubins. Complètement gâteuses.

— Vraiment ?

Je jetai un coup d'œil à l'échographie de treize semaines d'Olivia, affichée dans un cadre.

— Ça a dû t'énerver, repris-je.

— C'est plus fort qu'elles, concéda Fliss avec indulgence. Elles ne s'en rendent même pas compte. C'est purement inconscient.

— Euh, oui.

Olivia était en train d'arracher l'emballage de son cadeau et tentait de se le fourrer dans la bouche.

— Quel joli petit lapin, ma petite lapinette à moi ! Merci, Laura.

En se tournant, Felicity aperçut une grosse tache de riz régurgité sur son épaule.

— Merde.

Elle se tamponna avec une éponge.

— Ça n'arrête pas. Lapsang ou kenyan ?

— Lapsang. Mais je ne peux pas rester longtemps. Euh… où est Hugh ?

Fliss désigna le jardin.

— Dans son maudit atelier. Il y reste jour et nuit en ce moment. Il prétend qu'il a une idée géniale.

— Quoi ?

— Il ne veut pas me le dire. Il trouve que je ne le soutiens pas assez. Mais j'imagine que ce sera aussi utile qu'une lessiveuse dans une colonie de naturistes. Tu sais, Laura, je pense sérieusement que Hugh va finir entretenu par sa fille de six mois !

— Felicity, dis-je en me tortillant. Écoute, Fliss…

— Oui ?

— Euh…

Je la regardai fixement.

— Eh bien…

— Qu'est-ce qu'il y a, Laura ?

Elle me dévisagea.

— Tu en fais, une tête. On dirait que ton chien est mort.

Son sourire s'effaça brusquement.

— Bon sang ! Il s'est passé quelque chose de grave ?

— Non. Je ne crois pas. Du moins, pas encore.

L'eau s'était mise à bouillir.

— Que veux-tu dire par là ? Pas encore ?

La vapeur embuait la fenêtre de la cuisine.

— Qu'y a-t-il, Laura ? Arrête de faire des mystères.

— Eh bien… je crois que tu devrais… consacrer plus de temps à Hugh, c'est tout.

Felicity haussa les épaules.

— Je le vois tous les jours.

— Tu ne sors jamais avec lui. Tu ne fais jamais des trucs agréables avec lui.

— On ne peut pas, dit-elle en sortant la théière. Nous n'avons pas de baby-sitter.

— Tu pourrais facilement en trouver une. Passe par une agence.

Elle parut horrifiée.

— Hors de question ! Je refuse de laisser Olivia avec une inconnue !

— Alors moi, je la garderai. Ça ne m'embête pas. Au contraire, ça me ferait plaisir.

— Tu ferais ça ?

— J'ignore pourquoi tu ne me l'as jamais demandé.

— Eh bien, dit-elle en glissant deux sachets dans la théière, Hugh et moi ne sortons jamais en même temps, donc je n'en ai jamais éprouvé le besoin.

— Exactement. Grave erreur. Maintenant, elle a plus de six mois, et tu devrais le faire. D'ailleurs, je crois que vous devriez peut-être partir un peu ensemble.

— On va voir les parents de Hugh demain, pour Pâques.

— Je veux dire, tous les deux – en tête à tête. Pourquoi vous n'allez pas dans un petit hôtel sympa ? Pour tes quarante ans, par exemple ?

— C'est en juillet. En plus, on est fauchés. Comme tu le sais, Hugh ne gagne pas un radis et mon congé de maternité tire à son terme. On est mûrs pour l'hospice de Notting Hill, ajouta-t-elle prosaïquement. J'espère juste qu'il est confortable. Il paraît que les couvre-lits sont griffés Stella McCartney.

— Écoute, Fliss, un week-end à la campagne, ça ne doit pas être si cher. D'ailleurs, je pourrais te l'offrir comme cadeau d'anniversaire.

— Vraiment ?

Elle sortit deux mugs, ornés l'un et l'autre d'une photo d'Olivia.

— Ce serait génial… et très généreux de ta part. Mais pourquoi y tiens-tu autant ? Je peux savoir ?

— Parce que je… je trouve que ce serait une bonne chose. Une excellente chose, en fait.

Elle ouvrit la boîte de gâteaux.

— Pourquoi ? Où veux-tu en venir, Laura ?

— À… rien.

Je m'attablai.

— Je te connais. Tu me caches quelque chose. Pas vrai ? Il y a quelque chose que tu ne me dis pas.

L'eau bouillonnait furieusement.

— Eh bien… oui, en effet. Je trouve que tu… négliges Hugh. Je te l'ai déjà dit, Fliss. Tu es tellement obsédée par Olivia qu'il n'existe plus pour toi, ce qui pourrait avoir des… conséquences. Peut-être des conséquences graves.

Felicity plissa les yeux.

— Qu'est-ce qui se passe, là ?

Elle versa l'eau bouillante dans la théière.

— Où veux-tu en venir au juste, Laura ?

L'arôme goudronné du lapsang embauma l'air.

— Allez. Dis-moi.

— Je pense… que tu vas avoir des problèmes, c'est tout.

— Quels problèmes ?

Elle me lança un regard de défi.

— Tu parles par énigmes… Pourrais-tu être plus directe, je t'en prie ?

— Bon, d'accord.

J'inspirai profondément, comme si j'allais plonger sous l'eau.

— J'ai vu Hugh. Hier soir. Au Julie's Wine Bar.

Je lui racontai, calmement et posément, la scène dont j'avais été témoin. Il y eut ensuite un silence stupéfait.

— Hugh et Chantal ? répéta Felicity d'une voix morne. Tu me dis que Hugh et Chantal… ?

— Je ne dis rien du tout, coupai-je. Je pense juste que tu devrais être… au courant.

Felicity se laissa retomber sur sa chaise. Olivia la guettait à travers les barreaux en claquant la langue.

— Tu affirmes sérieusement que Hugh… et Chantal… ?

Felicity me dévisagea.

— Eh bien oui, Fliss. En effet. Elle lui faisait un rentre-dedans d'enfer, si tu veux savoir.

Fliss en resta bouche bée. Puis elle secoua la tête, incrédule. Elle semblait si bouleversée que je compris que j'avais commis une erreur terrible. Comme Hope, Fliss ne supportait pas qu'on lui dise la vérité. Son visage s'était empourpré, sa bouche se tordait, et, mon Dieu, la voilà qui pleurait. Elle se pencha en avant, convulsée de chagrin. J'entendis un gémissement aigu, une drôle de petite déglutition, puis elle renversa la tête en arrière.

— Je n'ai jamais rien entendu d'aussi drôle !

Elle émit un énorme gloussement qui effraya Olivia.

— Ce n'est pas drôle du tout.

— Pardon, hoqueta-t-elle. Mais oui, c'est drôle !

— Écoute, je l'ai vue draguer Hugh.

— Impossible, pas Chantal, soutint-elle.

Elle versa deux tasses de thé.

— Comment le sais-tu ?

— Je la connais depuis vingt et un ans. Et je puis t'assurer que ce n'est pas… enfin… son genre.

— Pourquoi prenaient-ils un verre ensemble ?

Elle haussa les épaules.

— Pourquoi pas ? Ils sont amis, eux aussi. En plus, Hugh m'a dit qu'ils avaient rendez-vous.

— Pourquoi l'a-t-il rencontrée en tête à tête ?

— Chantal habite près de chez Julie's… Ce devrait être plus pratique. Hugh voulait qu'elle le conseille.

J'interrogeai Fliss du regard.

— C'est pour cette raison qu'ils se sont vus, d'ailleurs.

— Quelle sorte de conseil ?

— Professionnel. Ce truc sur lequel il bosse, dont il refuse de me parler… C'est pour ça qu'il ne voulait pas que j'assiste au rendez-vous.

— En quoi Chantal peut-elle l'aider ? Elle est avocate. Je pensais qu'elle s'occupait de litiges.

Fliss secoua la tête.

— Elle a changé de spécialité. Elle s'occupe de propriété industrielle. Elle a une formation scientifique, donc c'est dans ses cordes.

— Ah.

Fliss me passa ma tasse. Je repoussai la pompe à lait électrique.

— Hugh voulait discuter de son invention avec elle.

Elle leva les yeux au ciel.

— Je vois. Mais… il la touchait, Fliss. Je l'ai vu. Et elle l'encourageait. Elle lui souriait.

— Écoute, Laura. Hugh est quelqu'un de très tactile. Chantal va faire des recherches de brevets pour lui gratuitement, ce qui, apparemment, va lui faire économiser deux mille livres. Il lui manifestait de la reconnaissance, c'est tout. Si tu veux, je peux lui téléphoner tout de suite pour en avoir le cœur net. (Elle gloussa.) Je sais ce qu'elle répondra !

Elle secoua la tête, hilare.

— Hugh et Chantal… elle est bien bonne, celle-là !
Je me levai.

— Très bien, Fliss. Comme tu veux. J'essaie simplement de te protéger. Je ne veux pas que tu souffres.
Tu es ma sœur, rappelle-toi.

— Je sais que tes intentions sont bonnes, Laura. Et
je te suis très reconnaissante. Vraiment. Mais tu es
complètement à côté de la plaque.

Je ne suis pas à côté de la plaque, me dis-je en rentrant chez moi. Je savais bien ce que j'avais vu. Leur
langage corporel ne prêtait pas à confusion. J'avais vu
Hugh toucher Chantal – il lui avait pratiquement
caressé le sein. Si, pour Felicity, il s'agissait d'un
geste innocent, elle était encore plus idiote que je ne
l'aurais cru. Elle ne considérait plus Hugh comme son
mari, elle ne le traitait plus comme son mari, donc,
affamé de respect, de compagnie et de sexe, il s'était
tourné vers Chantal, qui lui offrait manifestement
davantage qu'une aide professionnelle. Mais j'avais
accompli mon devoir de sœur et maintenant, je m'en
lavais les mains. Je n'allais pas non plus me mêler des
problèmes de Hope. De toute façon, j'en avais déjà
assez avec les miens. Rencontrer Jessica, par exemple.
Elle était avec Luke, ce soir, car Magda assistait à un
bal au Savoy avec Steve et l'un de ses principaux
clients. Luke s'était dit que c'était l'occasion de faire
connaissance, Jess et moi. Nous dînerions ensemble et
regarderions le quiz. J'étais très nerveuse, bien plus,
d'ailleurs, que lorsque j'avais été présentée aux parents
de Luke, douze ans auparavant.

À sept heures moins dix, j'entendis un pas léger,
puis un bruit dans la serrure, et la porte s'ouvrit doucement. Jessica apparut, en kilt et en cardigan gris. Elle

portait des lunettes bleues. Elle me dévisagea un instant, puis m'adressa un sourire prudent. Je m'effondrai presque de soulagement. Elle ne m'avait pas claqué la porte au nez, ni éclaté en sanglots. Luke apparut dans le couloir derrière elle, et me souffla un baiser.

— Salut, Jessica, dis-je.

Mon cœur battait à tout rompre et je sentais que je transpirais malgré le froid.

— Jess, je te présente Laura, dit Luke.

Elle pencha un peu la tête vers l'épaule, comme un naturaliste tombant pour la première fois sur une espèce curieuse.

— Tu ne la fais pas entrer ?

Elle s'effaça et s'aplatit contre le mur. Le sommet de sa tête était illuminé d'un halo par les spots.

— Je t'ai vue, zézaya-t-elle.

— C'est vrai ?

Elle hocha la tête. Son regard, derrière ses lunettes, me déconcertait.

— À la télé.

Elle retroussa une chaussette. Ses jambes étaient aussi fines et pâles que des pousses de poireaux.

— Eh bien, Jess, dit Luke, Laura passe encore à la télé ce soir. On regarde son émission ?

Elle hocha de nouveau la tête. Luke m'adressa un clin d'œil.

— Tu vas peut-être avoir une surprise.

— Une surprise ? fit-elle en m'interrogeant du regard. Tu as une surprise pour moi ?

— Au fait, oui. Tiens.

Je lui tendis le sac que j'avais à la main. Elle regarda son père.

— Tu peux, ma chérie. Ouvre-le.

Elle en sortit un gros œuf de Pâques enrubanné, posé sur un mug « La Petite Sirène ». Ses yeux s'écarquillèrent.

— Tu en as, de la chance. Qu'est-ce qu'on dit ?

— Merci, fit-elle, émerveillée.

C'était comme si elle s'était attendue à voir Cruella, et que Blanche-Neige fût apparue à sa place.

— C'est pour dimanche, précisai-je tandis que Luke prenait mon manteau. Mais tu peux l'ouvrir tout de suite si tu veux. Si ton papa est d'accord. J'aime bien tes lunettes, ajoutai-je.

— Elles sont nouvelles, dit-elle fièrement. Le « pétitien » a dit qu'il m'en fallait.

— Opticien, ma chérie, la corrigea Luke. Opticien. Tu peux le dire ?

— Pétitien.

Il sourit largement.

— Très bien.

Je commençais à me détendre. La soirée était bien partie. Nous passâmes à la cuisine. Il y avait un sac de provisions sur la table. Tandis que nous le vidions, Jessica me raconta qu'elle était en congé. Puis elle me montra un collage qu'elle avait réalisé à l'école.

— C'est très joli. C'est ton papa ? lui demandai-je en désignant un grand bonhomme près d'un étang en papier alu.

— Oui, fit-elle en jouant distraitement avec une dent de lait.

— Et là, c'est toi ? Avec ton manteau bleu ?

— Oui. Et ça... (Elle pointa vers des boules de papier de soie jaune.)... ce sont des canards.

— C'est très joli.

— Où est le poulet ? marmonna Luke en fouillant dans le sac.

223

Il en renversa le contenu sur la table.

— J'ai dû l'oublier au magasin. Merde !

Jessica lui lança un regard désapprobateur.

— Ne dis pas merde, papa.

— Non, tu as raison, ma chérie. C'est un gros mot.

— Je vais aller le chercher, dis-je.

— C'est bon. Reste avec Jessica, j'y vais. Tu es d'accord, Jess ? Laura va rester avec toi. J'en ai pour cinq minutes.

Elle hésita un instant, puis hocha la tête. J'étais tellement soulagée qu'elle n'ait pas refusé net, ou téléphoné à la société de protection de l'enfance afin de dénoncer Luke pour mauvais traitement, que je lui adressai un petit sourire pathétique de reconnaissance. Ce faisant, j'examinai ses traits. Elle ressemblait à Luke… Elle avait sa bouche, son nez allait devenir aquilin, comme le sien, mais ses yeux étaient d'un bleu clair et pur, avec d'immenses iris lumineux. Elle était ravissante. Tandis que la porte d'entrée se refermait derrière Luke, elle alla chercher une boîte de gâteaux en fer-blanc doré. Elle repoussa son livre de contes de fées.

— Tu veux voir des photos de moi ?

Elle retira le couvercle.

— Avec grand plaisir. Tu les as prises toi-même ?

Elle hocha la tête, puis fouilla son cartable rose pour en tirer un appareil photo rouge.

— Ma maman me l'a offert pour mon anniversaire. Ce n'est pas un jouet, m'expliqua-t-elle en me le passant.

— C'est formidable. Il prend de bonnes photos ?

— Oui, très bonnes.

Elle tira une pochette d'instantanés de la boîte en fer-blanc. Elle contenait plusieurs photos floues des chèvres, sur lesquelles je m'extasiai. Elles n'avaient pas l'air miniatures, mais d'une taille normale, avec de petites pattes courtaudes. Comme la version caprine d'un teckel.

— Tu en as une préférée ?

— Oh non.

Manifestement, elle trouvait cette question déplacée.

— Je les aime toutes pareil.

Elle me désigna un bouc noir avec une touffe blanche sur la tête.

— Ça c'est Yogi. Il se bat parfois, me confia-t-elle.

— C'est vrai ?

— Alors maman le met dans le coin des méchants.

— Vraiment ?

Elle hocha la tête en gloussant. Puis elle me glissa une autre photo. En la voyant, ma bonne humeur s'effondra, comme si j'avais été une marionnette dont on venait de couper les fils... Luke passait le bras sur les épaules de Magda, qui lui souriait affectueusement en le regardant droit dans les yeux. Prise de nausée, comme si j'avais le mal de mer, je scrutai la photo pour repérer sa date. Je la trouvai au revers, en minuscules lettres grises – 20-03-05. Dimanche dernier. Puis Jessica me tendit une autre photo prise de travers, toujours de Luke et Magda, prise le dimanche précédent. Ils étaient attablés, souriant à l'objectif, littéralement en tête à tête. Les cheveux de Magda dégringolaient sur l'épaule de Luke. Ce fut comme si j'avais été poignardée dans le ventre.

— Hum, m'entendis-je dire. Et celle-ci est jolie aussi. Où a-t-elle été prise ?

— À la maison de Nagyi.

— De qui ?

— Nagyi, grand-maman… ma grand-mère hongroise. Elle vit à Amersham.

— Ah.

— Ma grand-mère anglaise et mon grand-père vivent dans le Kent.

— Je sais.

Je me rappelais si bien la maison. Jessica me tendit un autre cliché, d'elle, Magda et Luke, dans le jardin de ses parents, près du saule pleureur. Jessica se tenait entre eux et les agrippait par la main, presque résolument, comme si elle craignait qu'ils ne s'enfuient. Elle m'en montra encore une dizaine, toutes de Luke et Magda, ensemble, enlacés ou bras dessus, bras dessous. C'était comme si on m'avait évidée à la truelle.

— Merci de me les avoir montrées, parvins-je à articuler.

Les larmes me montaient à la gorge.

— Ma maman est très jolie, affirma Jessica.

Elle l'avait dit sans malice, simplement comme une constatation.

— Oui, fis-je en réussissant à maîtriser ma voix tremblante. Toi aussi.

— Elle était modèle, avant.

— Vraiment ? fis-je faiblement.

— C'est comme ça qu'elle a rencontré mon papa. Il l'a beaucoup dessinée.

— Ah. Je… vois.

Nous nous sommes rencontrés dans un cours de dessin…

— Elle était tellement jolie qu'il est tombé amoureux d'elle.

Jessica se plaqua la main sur la bouche pour étouffer un gloussement scandalisé.

— Elle ne portait pas d'habits !

— Vraiment ? articulai-je.

— Non, répondit-elle d'un ton outré. Elle était toute nue.

Mon esprit fut soudain envahi d'images consternantes, de Luke brandissant un bout de charbon, le regard lascif, détaillant Magda alanguie sur une méridienne, comme le nu de la *Toilette de Vénus*. Je l'imaginai tracer les courbes de ses seins et de ses hanches. Je me rappelais maintenant ses mots. Il m'avait dit qu'il avait été « très attiré » par Magda. Peut-être qu'en dépit de tout il l'était encore.

— Elle était très jolie, répéta joyeusement Jessica. Si jolie qu'il est tombé amoureux d'elle… et elle est tombée amoureuse de lui, et ils se sont mariés… et… et…

Les mots « ils vécurent heureux et eurent beaucoup d'enfants » restèrent suspendus en l'air, comme un mirage. J'entendis un petit soupir frustré.

— … et puis ils t'ont eue. Et ils ont été très heureux.

Il y eut un silence. J'entendais le réfrigérateur bourdonner. Jessica se mit à farfouiller dans les photos, puis elle les étala sur la table, pour les scruter comme une diseuse de bonne aventure devant un jeu de cartes. À l'étage, l'horloge sonna sept heures.

— Ma maman dit…, fit-elle d'une petite voix.

Elle se tut.

— Oui ?

Elle rosit, puis appuya les coudes sur la table et posa le visage dans ses mains.

— Ma maman dit…

Elle se frotta le mollet d'un pied.

— Que dit ta maman, Jessica ?

— Euh…

Elle inspira profondément, puis se gratta le nez.

— Elle dit que tu dois être une très méchante femme.

C'était comme si j'avais reçu un coup de poing dans le sternum.

— Pourquoi dit-elle ça ? demandai-je doucement.

— Parce que… ton mari t'a quittée et il n'est jamais revenu.

Elle glissa quelques mèches folles, aussi blondes et fines que des soies de blé, derrière son oreille.

— Eh bien… mon mari m'a quittée, c'est vrai. Et il est vrai aussi qu'il n'est jamais revenu. Mais ce n'est pas vrai que je sois une méchante femme, Jessica. Je ne crois pas que ce soit l'avis de ton papa.

Elle secoua la tête.

— Non. Lui, il dit que tu es gentille.

— Tu peux te faire ton propre avis. Si tu prends le temps de me connaître un peu mieux. Tu peux décider toi-même, Jessica. D'accord ?

Nous entendîmes la clé tourner dans la porte, puis le parquet craqua. Jessica me lança un regard en biais et hocha la tête.

— D'accord.

Luke prépara rapidement le dîner, des escalopes de poulet panées, ce qui était apparemment le plat préféré de Jessica. Nous passâmes à table.

— J'ai eu une conversation intéressante avec Jessica, dis-je tandis qu'elle aspergeait son poulet de ketchup. Elle m'a raconté comment Magda et toi vous vous étiez connus. Il semble qu'elle ait été ton modèle.

Il s'empourpra.

— C'est exact. Nous nous sommes rencontrés dans un cours de dessin… je te l'avais dit.

— Hum. Plus ou moins. Jessica m'a montré des photos récentes, repris-je d'une voix affable.

Elles étaient toujours étalées sur la table.

— Il y en a des très belles de Magda et toi.

Les larmes me picotaient les yeux.

— Celle-ci, par exemple.

Je la pris et la lui tendis. Luke et Magda trinquaient en riant : c'était l'image même du bonheur conjugal. Il ne cilla pas.

— C'est vrai. Jessica adore prendre des photos de son papa et de sa maman, pas vrai, ma chérie ?

Elle hocha gaiement la tête en prenant des petits pois.

— Elle nous demande toujours de poser pour elle, pas vrai, Jess ?

Elle hocha de nouveau la tête.

— Elle aime bien prendre des photos de famille pour son album, et ça ne nous gêne pas du tout. Elle peut en prendre autant qu'elle veut.

Il m'adressa un sourire entendu. Je me sentis soudain mesquine et honteuse. Luke et Magda feignaient l'harmonie pour leur fillette de six ans, qui ne rêvait que de les voir réunis.

— Fini ! annonça Jessica.

— Place ton couteau et ta fourchette ensemble, ma chérie. Voilà. Et maintenant, qui veut une glace ?

Elle secoua la tête.

— Je veux prendre une photo.

— D'accord. Mais tu dois mettre le flash.

Jessica recula de quelques pas et braqua l'objectif sur Luke. Au moment où je reculais ma chaise sortir du champ, le flash se déclencha.

— Celle-ci ne sera pas très bonne, dit-il. Essaie encore.

Il regarda l'objectif en souriant. Puis j'en pris une d'eux à mon tour... la tête de Jessica sur l'épaule de Luke, ses bras autour du cou de son papa.

— Garde-les jusqu'au week-end, dit Luke, et on les apportera ensemble au labo mardi.

Il jeta un coup d'œil à l'horloge.

— Hé, l'émission de Laura commence, vite !

Nous nous précipitâmes à l'étage et Luke alluma la télé juste à temps pour le générique de *Vous savez quoi ?*. Jessica sauta sur le canapé à côté de Luke. Il l'entoura d'un bras, tandis qu'elle l'encerclait des siens. Comme dans mon rêve, songeai-je. Ils sont là, exactement comme je les avais imaginés. Et moi aussi.

— Et voici la présentatrice de *Vous savez quoi ?*... Laura Quick !

Jessica m'adressa un regard approbateur.

— Maintenant, les quatre candidats de ce soir...

— Je suis Christine Schofield...

— Je suis Doug Dale...

— Salut, je m'appelle Jim Friend...

— Je m'appelle Luke North. Je suis marchand d'art et je vis dans l'ouest de Londres.

Jessica se redressa d'un coup. Elle pointa vers l'écran, bouche en « O ». Puis elle se retourna vers son père, bouche bée, avant de se tourner de nouveau vers l'écran.

— La voilà, ta surprise, Jess ! déclara Luke avec un large sourire.

Elle applaudit, muette d'étonnement.

— Pour moi aussi, c'était une surprise, fis-je ironiquement. De taille.

— Monrovia... *Tching !*... Genièvre... *Tching !*... Les Minoens... L'Argentine... *Woup !*... Caprin... Jaune... *Woup !* Aigle... Michel-Ange... *CRASH !*

— Tu as gagné, papa ! Tu as gagné !

Jessica irradiait d'excitation, bondissait sur le canapé, couinait de rire.

— Tu es un papa très, très intelligent !

Luke et moi étions convenus que je partirais après la fin de l'émission. J'allai prendre mon manteau dans le hall d'entrée.

— Maman va être tellement surprise ! entendis-je Jessica s'exclamer. Elle va être tellement, tellement surprise quand je vais lui raconter ça, non ?

— Oui, ma chérie, dit Luke tandis que je prenais mon sac. Mais tu sais, Jess, ajouta-t-il doucement, je crois qu'il vaut mieux que tu ne racontes pas à maman que tu as rencontré Laura ce soir. D'accord ?

J'éprouvai une fois de plus une sensation familière d'abattement, comme si l'on m'agrippait aux chevilles pour m'entraîner vers le fond. Je revins au salon.

— Tu es d'accord, Jess ? Tu ne raconteras pas que tu as rencontré Laura, n'est-ce pas ?

Elle hocha la tête. Son euphorie était retombée, elle rentrait un peu les épaules et penchait la tête vers la poitrine.

— Bon, dit Luke au bout d'un moment, fini les surprises pour ce soir… Au lit, jeune fille.

— Je rentre, fis-je. Au revoir, Jessica. J'ai été ravie de faire ta connaissance.

Elle se tenait sur une jambe, comme un bébé héron, aussi timide que lors de mon arrivée.

— Au revoir, fit-elle d'une petite voix.

— J'espère te revoir.

Elle m'adressa un demi-sourire.

— Monte, maintenant, ma chérie, dit Luke. Je te rejoins dans une minute pour te lire une histoire.

— Pourquoi l'empêches-tu de dire à Magda qu'elle m'a rencontrée ? chuchotai-je tandis que Jessica gravissait l'escalier quatre à quatre. Magda est avec Steve et tu es avec moi maintenant… C'est comme ça.

— Je sais, mais elle me fait des menaces horribles. Elle m'a dit l'autre jour que, si je te laissais approcher Jessica, elle réduirait mon temps de garde.

— Elle n'en a pas le droit… Vous étiez mariés, tu as automatiquement un droit de garde, non ?

— Oui. Il n'en reste pas moins que Magda peut faire exactement ce qui lui plaît. Si elle veut foutre la merde, elle peut simplement refuser de me laisser voir Jessica, ce qui m'obligerait à saisir un juge. Ce serait long, ça me coûterait cher et, oui, j'obtiendrais une ordonnance, mais elle passerait outre. C'est arrivé à l'un de mes amis. Son ex-femme se moque des ordonnances. Résultat, il ne voit pratiquement jamais ses deux enfants. Je n'ai pas l'intention d'en arriver là. Je dois donc rester très prudent et prendre les menaces de Magda au sérieux.

— Les gens profèrent souvent des menaces qu'ils n'entendent pas mettre à exécution.

— Peut-être, mais je ne veux pas la contrarier.

Je passai mon écharpe.

— Ça ne te gêne pas de me contrarier, moi. En plus, j'ai pitié de Jessica, obligée de garder des secrets comme ça. Ce n'est pas bien, Luke.

— Elle y est déjà habituée, hélas. Les enfants de parents séparés apprennent à être discrets… Elle ne parle jamais de Steve. Comme tu passes à la télé, j'ai pensé qu'elle risquait de le raconter… et, à ce stade, mieux vaut que Magda n'en sache rien.

— Je vois, dis-je.

J'ouvris la porte. Une bouffée d'air glacial me fouetta les joues. Je regardai Luke.

— J'ai horreur de te voir faire des courbettes devant elle, comme si elle était une foutue… déesse.

— C'est parce que tu ne comprends pas à quel point je vis une situation difficile.

— Mais si.

Il faisait si froid que mon haleine formait de petites bouffées, comme de la fumée de cigarette.

Il secoua la tête.

— Non, tu ne comprends pas. Jusqu'à ce que tu aies des enfants, tu ne peux vraiment comprendre la nature d'un lien comme celui-là…

— C'est sans doute vrai, fis-je d'une voix mate.

— C'est dévorant.

Il plaqua la main gauche sur sa poitrine.

— On est liés, là, au cœur. Quand on est séparés, on souffre le martyre. Tous les jours, je vis dans la terreur chronique de voir Jessica moins souvent, ou que sa mère réussisse à la pousser à me détester, ou qu'elle l'emmène à l'étranger.

Je relevai le col de mon manteau.

— Elle en a le droit ?

— Dans certaines circonstances, oui. Elle répète constamment que Steve veut partir vivre en France, et que s'il lui demande de le suivre, elle le fera. Elle dit aussi que si ça ne marche pas avec lui, elle aimerait rentrer en Hongrie. Pour éviter ça, je suis sur la corde raide avec Magda. Ça me donne le vertige, mais j'y suis contraint, pour être avec Jessica autant que possible – pas seulement pour moi, mais pour elle. Les enfants ont besoin de leur père, Laura.

— Oui, bien sûr, mais…

— Quand Jessica est ici, je dors à peine. Tu sais pourquoi ? Parce qu'après l'avoir mise au lit et bordée, et lui avoir lu une histoire, je reste auprès d'elle sur une chaise, pendant des heures, à la regarder dormir, parce que même ça, je ne veux pas le rater. Je ne veux pas rater une seule seconde du temps que je passe avec elle.

Ses yeux brillaient de larmes.

— Quand Magda m'a quitté, elle n'a pas fait que me quitter… Elle m'a pris mon enfant, elle m'a pris ma famille. Je t'en supplie, ne me critique pas, Laura… Essaie de comprendre. Et si tu n'en es pas capable, peut-être qu'il vaut mieux que nous ne soyons pas ensemble.

Je me sentis paniquer.

— Je comprends. Je t'assure… (Ma voix était aiguë et cassante.) Peut-être plus que tu ne le crois. Mais comprendre, ce n'est pas ressentir.

Luke cligna des yeux pour chasser ses larmes.

— Je sais. Je sais, et j'en suis désolé, Laura.

Il me prit la main.

— Je suis désolé que ma vie ne soit pas aussi agréable et simple qu'à l'époque où nous nous sommes connus… Rien que toi et moi, sans personne d'autre… Mais je n'en changerais pour rien au monde, à cause de Jess. Je t'en supplie, sois patiente avec moi.

Il m'attira vers lui et m'enlaça.

— Je t'aime, Laura, murmura-t-il. Je ne veux pas te perdre, et je te promets que ça ne durera pas éternellement. Je te promets que tout va changer. Avec le temps.

8

Le lendemain, la plupart des tabloïds affichaient les photos du triomphe de Luke à l'émission, avec des légendes débiles du genre LUKE-RATIF ! ou L'AMANT DE QUICK GAGNE AU QUIZ ! Le *News* avait appris la tentative de Luke pour « renverser les rôles ». *Nous aussi, on aimerait renverser les rôles. Notre question à Laura : pourquoi votre mari a-t-il disparu ?* J'en étais malade. *La star du caritatif, Nick Little, a disparu il y a trois ans, mais Laura est consolée dans sa tragédie par un ancien amoureux, le marchand d'art contemporain Luke North. Mais North est marié depuis neuf ans à l'interprète hongroise Magda de Lazlo... Voir pages 7, 8 et 9.*

— C'est affreux, dis-je à Tom en relisant l'article.

Nous nous trouvions dans la minuscule salle de montage au fond de l'immeuble. Tom montait l'émission de la veille. C'était sa profession auparavant, et il préférait réaliser lui-même les premières coupes. Sara l'assistait en général, mais elle était partie plus tôt pour le week-end de Pâques. Je me regardai sautiller sur l'écran, dans une série d'arrêts sur image. J'avais tantôt une voix de basse, tantôt celle de la fiancée de Mickey.

— Je ne suis pas « consolée » par Luke. Je sors avec lui. Et comment osent-ils prétendre qu'il est toujours marié à Magda ? Elle l'a quitté depuis près d'un an.

— C'est parce que tu as refusé de leur parler, fit Tom.

Il jeta un coup d'œil au moniteur adjacent, puis tapa sur son clavier.

— Ils n'ont pas obtenu ta « confession », et maintenant ils veulent te faire passer pour une briseuse de ménage.

— Pour se venger ?

— Non, juste pour avoir un autre angle – quelque biscornu qu'il paraisse. Ils veulent écrire des trucs sur toi, et ton refus de te laisser interviewer ne les arrêtera pas.

— Pourquoi s'intéressent-ils à moi ?

Tom haussa les épaules.

— À cause du mystère de ton passé, avec Nick… et parce que c'est ce qu'ils font. Curieusement, certaines célébrités sont totalement négligées par les journaux, quel que soit leur comportement, alors que d'autres se font quotidiennement épingler. En plus, le *News* et le *Post* sont rivaux, et ils se battent comme des chiens pour le même os. En ce moment, l'os, c'est toi.

— Nerys avait raison, fis-je d'un ton sinistre. Elle m'a conseillé d'accorder une interview pour qu'ils me foutent la paix.

— Nerys est souvent très agaçante, mais parfois, elle voit juste. Ton refus de leur parler les a aiguillonnés.

Je relus une fois de plus l'article, avec l'impression de me voir dans un miroir déformant. La bile me monta à la gorge. J'avais eu tort de penser que, si je refusais de parler, ils n'auraient rien à raconter.

— Je ne peux pas leur intenter un procès ? Ou les obliger à publier un démenti ?

— Non. Il est toujours marié, n'est-ce pas ?

— En théorie.

— Il ne s'agit donc pas de diffamation. Désolé, Laura. Je sais que c'est dur.

— En tout cas, ça nous fait de la pub, ironisai-je. Ils doivent être ravis, à Channel Four.

— Ils ne l'avouent pas ouvertement... mais oui. Bien entendu. Ils auraient déboursé une fortune pour obtenir une telle pub.

— J'imagine que toi aussi, tu trouves ça formidable ?

Tom prit l'air offusqué.

— Sincèrement, pas du tout.

— Avoue, insistai-je. Tu es ravi.

— Non.

— C'est toi qui as conçu le quiz. Tu dois être content qu'on en parle autant dans les médias.

— Pas à tes dépens. J'ai horreur de te voir traînée dans la boue. Je sais ce que c'est.

Il pensait à Tara.

— Mais enfin, tu as..., reprit-il.

— ... accepté de courir ce risque, conclus-je amèrement.

— En fait, oui. Nous en avons discuté à l'époque, et tu as décidé que l'occasion était trop belle pour la laisser passer.

— Elle l'était.

— Oui. Maintenant tu en paies le prix. Je me demande si Nick est au courant, ajouta-t-il en intégrant la coupure publicitaire.

Je regardai de nouveau le journal et l'absurde appel à témoin affiché en bas de page.

Et vous, savez-vous où se trouve le mari de Laura ? Si c'est le cas, appelez le numéro vert du Daily Post, au 0800 677745. Il y avait une photo de Nick, légendée *Recherché !* comme s'il s'agissait d'un voleur de bétail du Far West.

— J'y pense parfois. S'il est toujours dans ce pays, c'est possible ; il a peut-être même regardé le quiz. Mais pour autant que je sache, il est en Tasmanie.

Je repensai au slogan de SudanEase : *Avec peu, on peut aller très loin.* Nick l'avait peut-être pris au pied de la lettre, lorsqu'il avait planifié… quoi ? Son évasion du monde réel ? Il s'était défait de son ancienne vie comme un serpent qui mue.

— Il est peut-être au Soudan ? suggéra Tom.

— C'est improbable. D'abord parce qu'il n'a pas pris son passeport, ensuite parce que, s'il était arrivé jusque-là, d'autres membres d'ONG l'auraient repéré et que cela se serait su.

Un ange passa. Tom désigna du menton la photo de Luke.

— Maintenant, tu vas de l'avant.

— Oui. C'est drôle… Quand tu m'as dit qu'il était temps que je recommence à vivre, j'ai revu Luke le jour même. Tu m'as dit *carpe diem*, cueille le jour… et je l'ai fait. Il n'y a que six semaines, mais on dirait six mois.

— Alors, à part ces conneries, fit-il en tapotant le journal, tout se passe bien ?

Je repensai aux photos de Magda avec Luke.

— Très bien.

Je la vis en train de lui servir son goulasch tous les dimanches.

— C'est génial.

Question suivante... Qu-es-tion suivante. Question-suivantequestion s-u-i-v-a-n-t-e...

— Et c'est comment, l'amour au deuxième tour ?

Je restai saisie. Tom et moi n'avons pas l'habitude de parler de nos vies privées.

— C'est mieux que la première fois ?

— C'est... différent, parce que la situation est plus complexe. Sa petite fille est charmante. Je l'ai rencontrée hier soir.

— On s'attache beaucoup aux enfants.

Tom ne détachait pas ses yeux de l'écran. Il y eut un petit silence.

— *De quelle nationalité était le joaillier Fabergé ?*

— *Dequellenationalité... était... ééééééé... tait.*

— D'ailleurs, je me trouve dans une situation assez semblable.

Je me tournai vers lui.

— Ah bon ?

— *Russe... R-u-s-s-e... C'estexact... e-x-a-c-t...*

— Ma copine a un petit garçon.

— Vraiment ? Il a quel âge ?

— Trois ans et demi.

Exactement l'âge que devait avoir le propre fils de Tom.

— C'est un petit bonhomme formidable. Je ne sors avec Gina que depuis janvier...

— Gina ? Je croyais que...

Je me retins juste à temps. Il me dévisagea, curieux.

— Quoi ?

— Que...

Qu'elle s'appelait Samantha...

— Que tu étais seul. Enfin, tu n'as jamais parlé d'elle.

— C'est assez récent. J'ai rencontré Gina au jour de l'an, et Sam est son petit garçon.

Ah.

— C'est un gamin adorable. D'ailleurs, je m'y suis beaucoup attaché.

Je revis la carte de Saint-Valentin. C'était donc le petit Sam qui l'avait rédigée… Comme c'était mignon. Comme c'était bizarre, aussi, que Tom se soit entiché de l'enfant d'une autre, alors qu'il avait abandonné le sien.

— Comment as-tu rencontré Gina ?

— À Ravenscourt Park. J'étais allé déjeuner avec des amis, et sur le chemin du retour, j'ai vu ce petit bonhomme s'avancer vers moi en courant. Sa mère était derrière lui avec la poussette. Il fonçait en riant, une guirlande à la main, et tout d'un coup il est tombé, juste à mes pieds. Il m'a fait de la peine, il pleurait, alors je l'ai relevé. Sa mère nous a rejoints, elle m'a remercié, on a bavardé…

Il sourit.

— … et elle m'a donné sa carte.

— Comme c'est romantique. Et tu passes beaucoup de temps avec Sam ?

— Pas mal, oui.

Il noua les mains derrière sa nuque.

— Gina a repris ses études à temps partiel, et elle doit réviser le samedi matin. C'est moi qui emmène Sam jouer dans le parc. Puis je lui lis des histoires, ou bien on regarde des dessins animés. J'adore passer du temps avec lui ; c'est le meilleur moment de ma semaine.

— Eh bien, fis-je, embarrassée. C'est formidable.

Je ne sus quoi ajouter car, comme je l'ai déjà dit, Tom et moi n'avons jamais de conversations intimes.

Même lorsqu'il m'avait soutenue, après le départ de Nick, il ne m'avait jamais posé de questions gênantes. Il s'était toujours montré compatissant, mais avait su rester discret... Il s'était contenté de m'épauler.

— Et l'ex de Luke ? me demanda-t-il d'un ton détaché. Ça se passe bien, de ce côté-là ?

Mon estomac se noua en songeant à Magda.

— Pardonne-moi mon indiscrétion... mais je ne peux pas m'empêcher de m'interroger là-dessus.

— Ah. Enfin... Avec Magda... Ça va. Elle...

Je fus tentée de lui avouer la vérité, mais je ne voulais pas être déloyale envers Luke.

— Elle... est très bien.

— Tu as de la chance.

Il y eut un drôle de petit silence.

— Ce genre de situation, ça peut devenir infernal, ajouta-t-il.

— Hum. Exactement.

Tom leva les yeux vers moi.

— Pour certaines personnes, ajoutai-je précipitamment. Et toi, ça va ?

— Pareil. C'est... tu sais... Son ex-mari débarque de temps en temps, mais... ça va.

Il haussa les épaules.

— *Alasemaineprochaine... au-r-e-voir... aurevoiraurevoiraurevoir. Au revoir.*

Tom rembobina.

— Bon. C'est bouclé.

Il me dévisagea intensément et, l'espace d'une seconde, je crus qu'il était sur le point de me poser l'une de ses fameuses questions « très sérieuses ». Il se contenta d'éjecter le DVD pour l'étiqueter.

— Bien... passe un bon week-end de Pâques, Laura.

Je pris mon sac.

— Toi aussi. Passe un bon week-end…

— Tu as des trucs prévus ?

— Euh… oui… évidemment… Je ne sais pas quoi au juste… Je dois en parler avec Luke… Mais enfin…

Je me relevai.

— On se voit mardi, Tom.

Il sourit.

— On se voit mardi.

Ainsi, Tom sortait avec une femme qui avait un enfant et un ex. Cela me réjouit vaguement, qu'on soit dans la même galère, lui et moi. Tout en remontant Westbourne Park Road pour me rendre à la galerie de Luke, je me dis qu'il était quand même curieux qu'il m'ait parlé si ouvertement de son affection pour ce petit garçon, alors qu'il savait forcément que j'étais au courant de sa conduite passée. De ce « coup de foudre », comme disait sa sœur, qui l'avait éloigné de son enfant. Tout en traversant Powis Square, je décidai qu'en sortant avec Gina, il expiait. Soudain, mon téléphone portable sonna.

— Laura ?

C'était Hope. Elle semblait tendue.

— Où es-tu ?

— À la maison. Je suis en train de faire ma valise pour Séville. À vrai dire, je panique totalement.

— Mais tu ne pars que demain matin.

— Ce n'est pas pour ça ! C'est parce que…

Elle étouffa un sanglot.

— Je viens de faire une découverte. Une preuve concrète.

— Mon Dieu… quoi ?

— Un reçu. De chez Tiffany's. Il était dans la veste que Mike portait hier soir.

Mon cœur se serra. Ainsi, il avait laissé traîné un indice.

— C'était pour quoi ?

Elle s'étrangla.

— Un bracelet en argent avec un fermoir en or, en forme de cœur. C'est pour elle. J'en suis sûre…

— Et si c'était pour toi ? Il compte peut-être te l'offrir… pour ton anniversaire ?

— Mais mon anniversaire, c'est dans plusieurs mois.

— C'est peut-être tout bêtement… un cadeau. Il t'a déjà offert des bijoux de chez Tiffany's. Il a sans doute l'intention de te l'offrir ce week-end.

— Non.

— Un cadeau pour sa mère, alors. Ou pour sa sœur.

— Non. J'en suis sûre, c'est pour… cette femme, parce que…

Sa voix se brisa.

— … le reçu comporte des frais supplémentaires pour « gravure » – avec des détails. Elle s'appelle…

Petit sanglot.

— … Clare.

— Clare ?

Je fouillai ma mémoire. Sans résultat.

— Je ne connais personne du nom de Clare. Il n'a jamais parlé d'une Clare. Et dire… qu'il est avec elle en ce moment même !

Évidemment. Jeudi. Il « travaillait tard ».

— Il est sans doute en train de le lui offrir, fit-elle amèrement. Ce doit être une collègue de travail. C'est là que démarrent la plupart des liaisons adultères, pas vrai ? À côté de la machine à café. Il y a plein de belles nanas chez Kleinworth Perella… et lui est très séduisant.

243

— Oui, mais c'est toi qu'il aime, Hope…

— Je n'en suis plus certaine. Mon Dieu, Laura…

Elle sanglotait maintenant.

— Je dois partir pour Séville avec lui demain matin, et faire comme si tout allait bien entre nous, alors que, franchement, tout va mal.

— Ne pleure pas, Hope. Je t'en supplie.

— C'est plus fort que moi. Toi aussi, tu pleurerais, si ça t'arrivait.

— Si tu crois que c'est la preuve que tu recherchais, tu devrais lui en parler. Quand il rentrera, dis-lui calmement que tu as découvert ce reçu, et demande-lui de s'expliquer.

— Non ! hurla-t-elle.

— Ce sera peut-être nécessaire, Hope.

— Je ne veux pas l'affronter ce soir.

— Pourquoi pas ?

— Parce qu'il risque de rompre avec elle.

— Mais… c'est ce que tu veux, non ?

— Non ! Du moins, pas tout de suite. Je veux qu'il la voie mardi, comme d'habitude.

— Pourquoi ? demandai-je en tournant sur Ledbury Road.

— Pour que tu le prennes en filature.

Je gémis.

— Je t'en supplie, ne me dis pas non, Laura. Tu as refusé parce que tu ne voulais pas m'annoncer la mauvaise nouvelle… À présent, ça y est, je sais.

C'était juste.

— Maintenant, je sais que Mike a une maîtresse, mais je ne sais pas où ils se retrouvent, ni à quoi elle ressemble.

— Pourquoi tiens-tu à tout savoir ?

L'image de Luke avec Jennifer me traversa l'esprit dans un flash. Je me rappellerais toujours ce choc quasiment physique.

— Je ne veux pas tout savoir, je veux des preuves. Pour entamer la procédure.

— Écoute, tu es trop expéditive. Même si Mike déconne, cela ne signifie pas pour autant que c'est la fin. Les choses peuvent parfois s'arranger. En consultant un psy, en essayant de…

— Laura, je me connais très bien. Si Mike m'a trompée, je ne pourrai jamais le lui pardonner.

— Tu n'en sais rien, Hope.

— Je le sais. Donc, mardi soir, quand il sortira du bureau, je veux que tu le suives.

— Mon Dieu…

— Je t'en supplie. Je t'en supplie, Laura, fais-le pour moi. Je suis désespérée. Je dois savoir où il va. S'il te plaît.

— Euh… euh… bon, d'accord. Je ne veux pas le faire mais je le ferai…

— Qu'est-ce que tu ne veux pas faire ? me demanda Luke à mon arrivée à la galerie.

Il m'embrassa.

— Je t'ai entendue, ajouta-t-il.

— Rien. Je parlais à Hope.

— Je viens de relire la liste des invités pour l'expo Craig Davies mardi soir. Il va y avoir du monde. Tu viendras, non ?

Je me rendis compte à ce moment-là que, grâce à Hope, je n'y serais pas. Et si je lui demandais de jouer les détectives jeudi, plutôt que mardi ? Non, ce serait mesquin. Maintenant, j'étais doublement contrariée. Je ne voulais pas espionner Mike… ni rater l'expo de Luke.

— Tu viendras, n'est-ce pas ? répéta Luke en prenant sa veste.

Je ne pouvais lui expliquer pourquoi je n'y serais sans doute pas.

— Bien entendu.

Luke activa le système d'alarme et verrouilla la porte à double tour, puis nous rentrâmes tranquillement chez lui dans le soleil de fin d'après-midi. Devant les maisons, les jardinets débordaient de touffes de forsythias dorés, de jonquilles penchées ; les camélias s'épanouissaient déjà en grappes luisantes. Nous prenions un apéritif sur sa minuscule terrasse, sous un cerisier chargé de pétales roses qui s'envolaient dans la brise légère et retombaient sur nous en flottant comme des confettis, lorsque le téléphone sonna.

— Ah. Qui cela peut-il bien être ? fis-je.

Magda, bien entendu. Ce n'était jamais « pas Magda ». Luke lui parla patiemment et, me semblat-il, très longuement, tandis que je l'attendais en me tournant les pouces. Pour une fois, étonnamment, elle ne l'appelait pas pour l'enguirlander, mais pour qu'il compatisse avec elle. Il semblait que le bal de charité ait viré à l'aigre. Steve se montrait distant. Elle s'angoissait. Comment Luke voyait-il cela ? Croyait-il que Steve se refroidissait à son égard ? Je fus amusée de voir Luke – une fois n'est pas coutume – dans le rôle de confident plutôt que de souffre-douleur.

— Je ne crois pas que c'est moi, gémissait-elle dans le haut-parleur. DESCENDS, YOGI ! DESCENDS, DESCENDS, DESCENDS

Luke grimaça.

— Non, Magda. Je suis certain que ce n'est pas toi... Tu es une femme charmante, Magda... Oui...

Bien sûr que si. Tu es une femme charmante… Je vois. Tu as eu un petit différend avec l'un de ses clients, c'est ça… ? Oui, évidemment, tu as droit à tes opinions… Oui, Steve devrait se montrer plus compréhensif… Hum… Moi aussi, je le trouve intolérant. Oui, Magda, il a beaucoup de chance de t'avoir…

— D'autant plus qu'il trimbale des casseroles, gémitelle. Il a une ex-femme ignoble… Elle est dégueulasse avec lui.

— Vraiment ?

Je levai les yeux au ciel.

— Totalement immonde. Parce qu'elle est jalouse de moi, évidemment.

— C'est sûrement ça, dit Luke. Tu es sans doute plus belle qu'elle.

— Oui, je le suis. J'ai vu des photos et elle… louche. NON, HEIDI ! DESCENDS DE LA CHEMINÉE ! TOUT DE SUITE, JEUNE FILLE ! Méchante chèvre. Méchaaaante ! Elle passe son temps à le harceler pour sa pension alimentaire, ou à se plaindre de son nouveau mari… Il vient de perdre son boulot… Pas le mari qu'elle a épousé après avoir quitté Steve – ça, c'était Pete – non, Jake, celui qu'elle a épousé après Pete, avec qui elle n'est pas restée longtemps.

— Je vois, fit Luke, perplexe.

— Elle est furieuse, parce qu'il gagnait une fortune à la City – Jake, je veux dire, pas Pete – Pete est enseignant – et ils ont des problèmes terribles avec leur fils ado, Patrick – c'est le fils de Steve, tu sais. Il s'est fait pincer avec du cannabis – Patrick, pas Steve – et il a été viré de son lycée. Ils vont faire appel pour qu'il puisse passer son bac en mai – il a de bonnes notes. Enfin, tout ça préoccupe Steve, et puis sa mère l'inquiète parce qu'elle se remarie le mois prochain avec son homme-objet – il n'a que soixante-deux ans et elle, soixante-treize. C'est peut-être pour ça que Steve est à côté de ses pompes en ce moment...

En réalité, en sortant avec Luke, je sortais aussi avec Magda, le fiancé de Magda, l'ex-femme du fiancé de Magda, la mère du fiancé de Magda, les ex-maris de la mère et des progénitures assorties. Tous ces gens, que je n'avais jamais rencontrés, que je ne rencontrerais sans doute jamais... Sauf peut-être, songeai-je, soudain morbide, dans plusieurs années, aux obsèques de Magda (à moins que je ne l'aie déjà trucidée moi-même, auquel cas ma présence ne serait pas souhaitable)... Tous ces inconnus – sans compter cinq chèvres alpinistes – se trouvaient désormais dans mon orbite et tourbillonnaient dans tous les sens. J'en eus le vertige.

— Steve n'a pas l'air... heureux, disait Magda. Il est vrai que je suis assez tendue moi aussi, avec ce tintouin dans les médias sur toi et, et, et...

— Laura.

— Donc en fait, Luke, c'est à toi que je reproche nos problèmes, parce que, si tu ne voyais pas cette, cette, cette... Laura... tout irait bien avec Steve.

— Allons, Magda, ne sois pas injuste, dit Luke gentiment, tout en se tapotant la tempe de l'index.

— D'ailleurs, j'allais justement t'informer qu'un journaliste m'a téléphoné aujourd'hui, après l'article qui est sorti sur toi et... elle, dans les journaux. Il m'a demandé ce que j'en pensais, et quand nous allions divorcer. J'ai répondu que je ne savais pas. Mais j'étais malheureuse à cause de Steve, et j'avais peut-être un peu trop bu au bal parce que j'avais une migraine terrible, alors j'ai dit : « Écoutez, je ne me sens pas très bien en ce moment. Sans commentaire. »

Donc, je ne leur ai pas donné de grain à moudre, contrairement à toi.

LAURA QUICK M'A VOLÉ MON MARI ! proclamait le *Daily Post* dès le lendemain matin. EXCLUSIVITÉ ! L'ÉPOUSE ABANDONNÉE PARLE À CŒUR OUVERT ! Il y avait une énorme photo de Magda, en peignoir, en train d'arroser ses tulipes, légendée *Les larmes de l'épouse trahie*. Manifestement, il s'agissait d'une photo de paparazzi.

L'épouse de Luke North, concurrent de quiz et amant de Laura Quick, nous a raconté devant son modeste pavillon de Chiswick, sa souffrance depuis que son mari l'a quittée pour la présentatrice tourmentée de Vous savez quoi ?. « *Non, nous ne sommes pas divorcés… », nous a confirmé Mme North, visiblement émue. Que pense-t-elle des amours de son mari ? « Je ne me sens pas très bien en ce moment », a-t-elle répondu, courageuse et digne. Lorsqu'on lui a demandé son avis sur sa rivale, Mme North a retenu ses larmes et, toujours digne et discrète, a simplement répondu : « Sans commentaire. » Ces deux mots en disent long…*

Une photo hideuse de moi, prise la veille pendant que je parlais à Hope au téléphone, était légendée : *Sous pression – Laura fixe rendez-vous à son amant clandestin*. Une autre montrait Luke en train de m'embrasser à l'entrée de la galerie ; il y en avait encore une, plus petite, de Sweetie et Yogi, légendée : *Des chevreaux désespérés*.

Sous le choc, je faillis quitter le kiosque à journaux sans payer. Je me précipitai chez moi pour tout lire, muette de rage.

— Je viens de voir, déclara Luke qui m'appelait de sa voiture. À la station-service.

Il se rendait chez Majestic, pour prendre le vin du vernissage.

— Je n'ai volé le mari de personne, tonnai-je. Je vais leur intenter un procès, à ces salopards... et je ferais bien un procès à Magda, aussi. Mais ce serait toi qui en payerais la note.

J'entendais le tic-tac de son clignotant.

— Tu perdrais ton temps – même si tu disposais du demi-million de frais d'avocat – parce que ce sont bien les paroles de Magda. La citation est exacte, bien qu'ils l'aient placée dans un contexte totalement différent pour en changer le sens.

Je l'entendis ralentir.

— Elle doit être furieuse elle aussi, je suppose.

— Non, elle est ravie.

— Quoi ? Elle passe pour une victime.

— Curieusement, ça ne l'embête pas. Elle aime bien s'imaginer qu'elle a été « abandonnée » par moi, même si c'est elle qui est partie. Je lui ai demandé si elle leur avait fait parvenir une lettre d'avocat, pour qu'ils publient un démenti. Elle m'a affirmé qu'elle n'avait aucune intention de démentir.

— Tu crois qu'elle l'a fait exprès ?

— Non. Elle n'est pas aussi subtile que cela.

— D'accord. Bon, voilà ma journée gâchée. Je fête aujourd'hui officiellement le vendredi « mal-saint ». Et toi, qu'est-ce que tu vas faire aujourd'hui ?

— Je rapporte le vin à la galerie. Ensuite, je dois passer prendre les catalogues chez l'imprimeur avant deux heures. À trois heures, on dépose Jessica, je l'ai ce soir...

— Ah. Tu ne me l'avais pas dit. Je croyais qu'on allait se voir.

— Désolé, Magda sort ce soir, j'ai dit que je prendrais Jess.

— Et demain ? On se voit ?

— Euh, ça va être compliqué, parce que j'emmène Jessica chez mes parents.

— Vraiment ? Et demain soir ?

— Jessica passe la nuit chez moi comme d'habitude, et dimanche on sera chez Magda.

— Je m'en réjouis pour toi, lâchai-je amèrement.

— On va faire la chasse aux œufs de Pâques et Jessica a dit qu'elle voulait être avec nous deux… Ce qui est parfaitement compréhensible pour un dimanche de Pâques. Je t'en prie, Laura, ne m'en veux pas, je ne le supporte pas.

— Alors dimanche soir ?

— J'essaierai…

— Ou lundi ?

Il y eut une pause.

— Eh bien… lundi, en fait, on va chez la mère de Magda.

— Tiens donc ! C'est merveilleux ! Tu me laisses tomber ! Tout le week-end ! C'est vraiment génial !

— Enfin… c'est difficile, quand on a des enfants. Je suis vraiment désolé, Laura. Je te promets que je me rattraperai.

— Tu ne pourrais pas au moins m'emmener chez tes parents ? J'adorerais les revoir, et ça leur ferait peut-être plaisir, à eux aussi.

— Bien sûr que si… Ils me l'ont demandé, ils t'ont toujours aimée. Mais Magda va péter un plomb si elle apprend que je t'ai emmenée chez eux avec Jess. Je ne peux pas courir ce risque.

— Péter un plomb ? Elle est déjà folle ! De toute façon, tu aurais pu dire : « Désolé, Magda, mais en

251

tant que célibataire, j'ai le droit d'inclure ma petite amie dans mes projets du week-end si je le souhaite. »

— Oui, j'aurais pu, et je sais que j'aurais dû. Et à l'avenir, promis, je le ferai. Mais pas tout de suite...

— Pourquoi pas ?

— Parce que j'emmène Jessica à Venise en mai, pour le pont.

— Ah. Tu ne me l'avais pas dit.

— Je viens de me décider. L'un de mes artistes se marie là-bas. Je suis invité et j'ai pensé que ce serait génial d'emmener Jess. Magda a donné son accord de principe, ce qui m'a stupéfié, et je ne veux pas faire de vagues. Je marche sur des œufs, Laura.

— Oui, fis-je, contrariée. Et tu les casses.

J'étais furieuse contre Luke, et aussi contre moi-même, de ne pas avoir discuté de nos projets de week-end à l'avance avec lui. Je n'avais pas imaginé qu'il serait pris, et je n'avais pas d'autres projets. Hope et Felicity étaient toutes deux parties, mes parents étaient débordés par l'ouverture de la saison touristique et, de toute façon, tous leurs lits étaient occupés. J'allais devoir me trouver des distractions. Nager. Lire. Ranger l'appartement... Je n'avais pas souvent fait le ménage depuis que j'avais revu Luke. Donc, samedi, je passai deux heures à Holmes Place, à faire des longueurs dans la piscine. Je me rendis au marché pour acheter plein de plantes pour mon jardinet. J'étais à ma baie vitrée, en train de disposer des géraniums roses et rouges dans les jardinières, lorsque j'aperçus une dame avec un grand danois noir et blanc gravir les marches du perron pour sonner chez Cynthia. Une demi-heure plus tard, alors que je sortais les ordures, ils réapparurent, suivis de Cynthia, toujours aussi élégante et souriante.

— Donnez-moi des nouvelles, leur lança-t-elle depuis le seuil. Nous assurons un suivi si nécessaire.

— Je crois que ça ira, fit la femme avec un grand sourire, merci, Cynthia. Je me sens beaucoup mieux maintenant. Viens, Dinky.

Cynthia les salua de la main.

— Encore une cliente satisfaite ? demandai-je.

— Oui. Elle est venue de Goldaming. Elle tenait à me consulter de toute urgence.

Je respirai l'arôme capiteux du *Magie noire* de Cynthia.

— J'ai pu demander un supplément, puisque c'est le dimanche de Pâques.

— C'est très aimable à vous de la laisser venir avec son chien.

Cynthia parut perplexe.

— Mais non… le client, c'est le chien.

— Vraiment ?

— Je me diversifie, comme vous pouvez le constater.

— Dans quel domaine ?

— Guérison médiumnique des animaux. J'ai compris que je n'exploitais pas pleinement ma capacité d'entrer en contact psychique avec les bêtes ; donc j'ai fait un stage de deux jours en « Communications inter-espèces ». Vous ne vous figurez pas à quel point cela m'a été profitable.

— Non, en effet.

— J'ai affiché la nouvelle offre sur mon site Web lundi et, à mon grand étonnement, j'ai déjà quatre rendez-vous… dont deux, aujourd'hui même. Ma séance avec Dinky a été très fructueuse. J'ai pu me brancher sur ses ondes cérébrales et repérer son problème.

— Qui était ?

— Enfin… je ne devrais pas vous en parler. Secret professionnel, vous comprenez…

— Ah. Bien entendu.

— Mais…

Elle baissa le ton.

— Elle est taraudée par son horloge biologique – c'est compréhensible, elle a près de cinq ans. Sa propriétaire ne captait pas, donc Dinky était malheureuse. Elle m'a dit qu'elle ne supportait pas de voir des chiots. J'espère qu'on lui trouvera un gentil fiancé, pour qu'elle puisse enfin être maman. Car ce serait tellement dommage… Pour vous aussi, Laura, ajouta-t-elle. Vous devriez avoir un bébé.

Elle me dévisagea.

— Vous ne trouvez pas ?

Quel culot infernal ! J'étais sur le point de répliquer à Cynthia de se mêler de ses affaires lorsque je vis Mme Singh sortir de chez elle. Elle se pencha au-dessus du muret, puis posa la main sur mon bras. Son visage affichait une compassion sincère, bien qu'un peu exaspérante.

— Hélas, j'ai vu l'article sur vous dans la presse hier, Laura.

Mon cœur se serra.

— Mais…

Elle pencha la tête sur l'épaule.

— Je voulais simplement vous dire que je n'en ai pas cru un mot. Pas un mot.

— J'en suis ravie, parce que tout est faux.

— Je sais que vous n'iriez jamais jusqu'à voler un mari à son épouse.

— Merci, madame Singh.

— Je sais donc que je n'ai rien à craindre, pour Arjun.

— Non, en effet.

— Je ne crois jamais ce que je lis dans les journaux, intervint Cynthia. Parce que je connais les journalistes. Ils sont malhonnêtes, sans honneur, faux-jetons, menteurs… de vraies ordures !

— Surtout, les journalistes des tabloïds, acquiesçai-je.

— Non. Tous ! Ils sont tous pareils ! Croyez-moi. Tous salauds, fallacieux, trompeurs, moralement ineptes, du premier au dernier !

Sa fureur faisait ressortir les tendons de son cou comme des arcs-boutants.

— Enfin…

Elle inspira profondément par le nez.

— Je reçois un cochon d'Inde perturbé dans une demi-heure. Il faut que je me calme.

Je suivis Cynthia dans l'immeuble en me demandant pourquoi elle en voulait tellement aux journalistes – elle avait peut-être eu de mauvaises critiques, à l'époque où elle était actrice. Mais cela remontait à plusieurs années. Tandis qu'elle claquait sa porte, je décidai d'oublier son accès de colère. Cynthia était une excentrique, tout simplement. Je repris mon grand ménage du printemps.

Après m'être occupée du jardin, je me consacrai à l'appartement. J'avais rangé les affaires de Nick en février mais je n'avais pas touché aux miennes. J'ouvris la penderie, décidée à faire don à Oxfam de tous les vêtements que je n'avais pas portés depuis son départ. Perchée sur un tabouret pour sortir des affaires de l'étagère du haut, je remarquai une boîte en carton tout au fond de la penderie, contre le mur. Je l'attirai vers moi et la descendis. Elle n'était pas lourde, car elle ne contenait qu'une seule chose : un élégant cabas rayé bleu et blanc. Mon cœur chavira. J'avais oublié son existence. À l'intérieur se trouvaient deux objets dont je ne pouvais plus supporter la vue : un exemplaire un peu usé de *Vous attendez bébé : soyez bien renseignée !* et, emballé dans du papier de soie, une grenouillère blanche, imprimée de petits oursons, à laquelle je n'avais pu résister – et que je n'avais pas eu le cœur de jeter.

Vous devriez avoir un bébé, Laura...

Oui, songeai-je amèrement, je devrais avoir un bébé... Ou plutôt, j'aurais dû en avoir un.

Pour une fois, Cynthia avait raison.

Dimanche après-midi, je grimpais aux murs. J'avais lu tous les journaux de fond en comble – heureusement, aucun ne parlait de moi –, suivi une régate d'un œil distrait à la télé, fait une longue balade dans Holland Park, traîné dans le jardin de tulipes... Au point où j'en étais, autant travailler. Dans le silence et la solitude, je pourrais compiler les questions de la deuxième saison – Dylan et moi, nous étions en retard. J'avais la clé. Je m'y rendis et m'installai à mon bureau pour me concentrer. C'était une diversion parfaite.

Quelle mer est située à quatre cents mètres au-dessous du niveau de la mer ? (La mer Morte). De quoi est composée la bouillabaisse ? (De poisson). À quel stade de développement peut-on percevoir les battements de cœur d'un embryon ? (Cinq semaines). Comment exprime-t-on le zéro en chiffres romains ? (On ne peut pas.) Pourquoi Luke m'a-t-il abandonnée pendant tout un week-end de congé ? (Parce qu'il a peur de Magda.) Quelle est la règle d'or, quand on sort avec quelqu'un qui a des enfants ? (Ne jamais oublier que l'on passe en dernier.)

À mon grand étonnement, j'entendis la porte d'entrée s'ouvrir.

— Tiens, salut ! fit Tom, surpris. Qu'est-ce que tu fabriques ici ?

Je me sentis rougir, comme si j'avais été pincée en train de dévaliser l'armoire à fournitures.

— C'est dimanche, reprit-il. Je croyais que tu avais… des projets.

— Eh bien…

Je haussai les épaules.

— Ce n'était pas confirmé… et puis Dylan et moi, on doit préparer des questions pour la deuxième saison, donc j'ai pensé prendre un peu d'avance.

Il hocha la tête, sceptique, en retirant sa veste.

— Et toi ? lui demandai-je.

— Euh… j'ai plein de trucs à faire. Je dois revoir les comptes, puis il faut que je réécrive le synopsis sur Lénine pour la BBC 4, et, en plus, je dois réfléchir à Cannes… Le MIPCOM a lieu dans quinze jours.

— Tu y vas, c'est sûr ?

— Tu plaisantes ? Je veux vendre les droits étrangers du quiz.

— On s'y intéresse ?

— Oui. États-Unis, France, Allemagne… Mais je veux conclure les accords moi-même.

Je tripotai mon stylo. Il portait le slogan de Sudan-Ease : *Avec peu, on peut aller très loin.*

— Enfin, reprit Tom, j'ai plein de trucs à faire, et aujourd'hui, c'est le moment idéal.

— Ouais. Idéal.

— En plus, je n'étais pas très occupé… en fin de compte.

Je levai les yeux vers lui.

— Bon, alors…

Il eut un sourire embarrassé.

— Je te… laisse travailler.

Il gravit l'escalier vers son bureau, au dernier étage. Je me replongeai dans mes bouquins.

Quelle race de chiens porte le nom du plus grand État du Mexique ? (Chihuahua.) Quelle position occupe la lettre delta, dans l'alphabet grec ? (La quatrième.) Que signifie, en russe, le mot *datcha ?* (Maison de campagne.) Où est mon mari ? (Je l'ignore totalement.)

Je me rendis compte que mon téléphone portable sonnait. Sept heures et demie. C'était Luke.

— Tu rentres ?

— Non, c'est pour ça que je t'appelle. Je suis vraiment désolé, je voulais te voir, mais je ne peux pas partir tout de suite.

— Pourquoi ? Tu y es depuis l'heure du déjeuner. C'est à moi, maintenant, Luke.

— Mais Phoebe ne va pas bien…

Il baissa la voix.

— Magda est folle d'inquiétude, elle veut que je reste un peu pour la soutenir, au cas où il faudrait appeler le véto.

— Je vois, lâchai-je d'une voix neutre.

— Je suis vraiment désolé.

— Laisse tomber, dis-je, faussement dégagée. Je commence à m'habituer aux déceptions.

— Je suis désolé, c'est temporaire… Je t'aime, Laura… D'ACCORD, MAGDA ! Je t'appelle plus tard.

Au moment où il raccrochait, j'entendis l'escalier grincer.

— Toujours là ? demanda doucement Tom.

— Non. Je suis partie depuis une heure.

Il cilla.

— Pardon, marmonnai-je. C'est grossier, ce que je viens de dire. Je suis juste un peu… fatiguée. Enfin, soupirai-je, tu as bouclé tes dossiers ?

— Non, mais j'ai fait le plus gros. Alors… bon, je vais devoir y aller…

— Bien. Bon… moi, je suis en plein dedans. Autant continuer.

Pas question d'avouer qu'on venait de me poser un lapin à cause d'une chèvre.

— À moins que… Je peux te poser une question très sérieuse, Laura ?

Je relevai la tête.

— Hum ?

— Tu veux prendre un verre ? Si tu n'as pas d'autres projets ?

— Non. Rien de prévu, fis-je amèrement. Un verre, pourquoi pas ? S'il y a un troquet ouvert.

— Chez Smitty's, c'est toujours ouvert.

— C'est vrai. Smitty's est même ouvert le jour de Noël.

— Et le sera sans doute le jour du Jugement dernier.

— Va pour Smitty's.

Je pris mon sac.

— Je m'imaginais que tu allais partir pour un week-end en amoureux, me dit Tom tandis que nous nous attablions chez Smitty's, sur Ail Saints Roads, quelques minutes plus tard.

Je sirotai ma bière.

— Hélas non.

— Tu ne vois plus Luke ?

Je me tortillai sur ma chaise.

— C'était un peu compliqué ce week-end, à cause de Pâques. Il avait…

— Je sais. Des obligations familiales.

Je hochai la tête.

— C'est pour ça que je suis énervée, en fait.

— J'avais deviné. Pas facile, hein ?

— Enfin… c'est parfois un peu délicat.

Je tripotai la nappe.

— Délicat, c'est le moins qu'on puisse dire.

— Oui. Tu as raison. Pour parler franchement, ce week-end a été un fiasco.

Tom eut un petit sourire ironique.

— À qui le dis-tu !

— Toi aussi ?

Il hocha la tête.

— Ça fait partie des frustrations de sortir avec quelqu'un qui a des enfants.

— Il faut être compréhensif, n'est-ce pas ?

— Pas compréhensif, Laura. Il faut être un saint.

Il commanda deux autres bières.

— Je suis candidat à la béatification, tant je supporte d'emmerdements.

Je cassai en deux un chip à la banane.

— Quoi… par exemple ? Tu n'es pas obligé de me le dire.

— Non, ça ne me gêne pas, au contraire, j'ai envie d'en parler. Ça ne t'embête pas ?

— Non, bien sûr que non. Nous sommes amis.

— C'est vrai. Et je crois que tu peux comprendre…

Il me raconta que, lorsqu'il avait connu Gina, elle était seule avec son fils car son mari l'avait quittée six mois auparavant pour une autre femme. Maintenant, il essayait de se rabibocher avec elle.

— Gina n'avait plus aucune nouvelle de lui. Puis il a appris que j'étais dans les parages – en plus, son aventure avait tourné court –, du coup, il joue les pères exemplaires, comme si je n'étais qu'un intrus.

260

Cela me rappelait quelque chose.

— Que fait-il, par exemple ?

— Il téléphone constamment, surtout tard le soir ou aux aurores, pour voir si je suis là. Il tente de débarquer sans prévenir. Je dois dormir chez Gina, évidemment, à cause de Sam, et je refuse de me cacher, parce que je ne fais rien de mal.

— Gina le laisse entrer ?

— Non, elle lui parle sur le pas de la porte.

— Quelles sont ses relations avec Sam ?

— Voilà le problème. Gina le laisse voir Sam tous les dimanches, mais pas chez lui, parce qu'elle ne le juge pas assez responsable. Autrement dit, il voit Sam chez elle.

— Donc tu ne peux pas y être.

— Exactement.

— Ce qui signifie qu'ils passent du temps ensemble.

— Précisément.

— Ce qui ne te plaît pas.

— Normal. Elle était seule quand je l'ai rencontrée. Maintenant, ils passent plein de moments en famille, et cela, je ne supporte pas.

— En effet, c'est dur, dis-je.

Ma mâchoire s'était crispée.

— Ils sont allés voir les parents de Gina, aujourd'hui. C'est pour ça que je suis venu au bureau, parce que j'étais furieux et que j'avais besoin de me changer les idées.

Je souris amèrement.

— Gina dit que Sam se sent plus en sécurité quand il voit ses parents en bons termes, même si en fait, ils ne sont pas ensemble.

— Je peux te poser une question très sérieuse, moi aussi, Tom ?

— Oui.

— Pourquoi es-tu avec Gina ?

— En effet, c'est une question sérieuse. Eh bien… je… l'aime beaucoup. Elle est gentille, intelligente… et elle m'aime bien. Et puis… je ne sais pas…

Il joua avec son sous-verre.

— Je me suis beaucoup attaché à Sam. Il me manquera beaucoup, ce gamin, si jamais ça ne marche pas…

— Gina aussi, j'imagine ?

Il me dévisagea.

— Enfin, oui… Bien entendu. Mais ça m'ennuie, que son ex soit toujours fourré chez elle. Évidemment, c'est naturel, puisqu'il est le père de Sam…

Il haussa les épaules.

— … et pas moi.

Mais tu es le père d'un autre petit garçon, me retins-je de dire. Et lui ? Il ne te manque pas ? Tu dois sûrement regretter ce que tu as fait ? N'est-ce pas pour cela, en réalité, que tu sors avec Gina ?

Tom reprit une gorgée de bière.

— C'est… compliqué. Et l'ex de Luke ? J'ai vu un article sur elle hier. Encore des affabulations, j'imagine.

Je hochai la tête tristement.

— De première « ordure ». Elle avait quitté Luke depuis dix mois avant même que je ne l'aie revu.

— Tu l'as déjà rencontrée ?

— Non.

Tout en buvant ma bière, je songeai qu'il était curieux qu'une femme que je n'avais jamais vue puisse exercer une telle influence sur ma vie. Elle était comme Dieu – invisible, omniprésente et apparemment toute-puissante.

— Tu crois que tu la rencontreras un jour ? fit Tom.

Je grimaçai.

— Pas si je peux l'éviter.

Il eut l'air perplexe.

— L'autre jour, tu m'as dit qu'elle était très bien.

— J'ai menti. À vrai dire, c'est tout le contraire. Elle a quitté Luke, mais elle ne veut pas que je sois avec lui. Elle m'interdit le moindre contact avec Jessica… Elle ignore absolument que je l'ai déjà rencontrée. Elle occupe exprès tous ses temps libres. Aujourd'hui, par exemple, pour prouver que Luke lui « appartient » toujours. Elle le tient par les couilles parce qu'elle est la mère de son enfant. Magda est un vrai problème.

— Ce n'est pas elle, le problème. C'est Luke. Il devrait fixer des limites.

— Il le sait et il aimerait être plus ferme avec elle, mais il a peur de ne plus voir Jessica aussi souvent.

— S'il ne le fait pas, c'est toi qu'il verra moins souvent. Il devrait se soucier de ça aussi, Laura… Moi, je m'inquiéterais à sa place.

Je le dévisageai.

— C'est lui qui t'a relancée, non ? Il s'est inscrit au quiz. Il t'a invitée à dîner. On en est tous témoins. Donc, quelque délicate que soit sa situation, il faut qu'il trouve un équilibre.

— Comment trouver un équilibre avec une personne déséquilibrée ? Magda est un peu… détraquée. Mais, d'une certaine manière, je ne peux pas critiquer Luke, ce serait comme si je lui reprochais d'être trop dévoué à sa fille. Je le préfère comme ça, plutôt que s'il ne passait pas assez de temps avec elle. Enfin, quand on pense à tous ces hommes qui abandonnent femme et enfant, qui les laissent tomber dès l'instant où ça se complique, qui ne voient jamais leurs gamins, je…

Une tache rouge s'étalait sur la gorge de Tom.

— Comme… le mari de Gina. Voilà ce que je veux dire. Mais… c'est dur pour Luke. Très dur.

Tom hocha la tête.

— Je comprends. Enfin…

Il prit le menu.

— Je meurs de faim et mon frigo est vide. Je dois manger. Tu m'accompagnes ?

— D'accord. Pourquoi pas ? Je n'ai rien mangé depuis ce matin.

— Tu as envie de quoi ?

J'hésitai entre la soupe au potiron, la fricassée d'ignames, le poulet boucané ou le riz aux petits pois.

— Et la friture de poissons ? fit Tom. Ou le rouget ? Ça a l'air bon. Alors, tu prends quoi ?

Il héla Smitty.

— Tu as décidé ?

— Oui. Je crois que je vais prendre le curry de chevreau.

9

Dimanche soir, Hope me téléphona de Séville. Mike et elle venaient de dîner dans un petit restaurant à deux pas de la cathédrale.

— Je donne le change, souffla-t-elle. Mike ne se doute pas une seconde que je suis au courant.

— Comment se comporte-t-il ?

— Normalement... un peu tendu, peut-être. Pendant un moment, ce soir, j'ai cru qu'il allait tout avouer, mais c'était comme s'il souffrait trop d'en parler...

Elle se tut et renifla discrètement.

— C'est horrible de penser qu'il s'agit peut-être de notre dernier week-end ensemble.

— Tu es sûre de vouloir faire ça, Hope ?

— Oui, dit-elle posément. Je le suis. Je pourrais plonger la tête dans le sable, garder ma vie telle qu'elle est... Mais qui me dit qu'il ne me quittera pas de toute façon ? Je dois savoir, Laura, afin de prévoir.

— Tu veux toujours que je le file mardi ?

— Oui.

— Et tu es prête à en assumer les conséquences ?

Soupir.

— Oui.

— Et tu me jures de ne jamais me le reprocher, quoi que je découvre, ou de m'en vouloir de quelque manière que ce soit ?

— Je te le jure.

— Même si c'est dur à avaler ?

— Même si c'est dur à avaler.

— Bon, d'accord. Quelle est l'adresse de son bureau ?

— La tour 42 – l'ancienne tour Nat West – sur 25 Old Broad Street. Tu ne peux pas la rater.

— À quelle heure sort-il habituellement ?

— Vers six heures et demie. Il y a un café au rez-de-chaussée où tu peux te planquer.

— Il ne me repérera pas ?

— Non, c'est tout au fond, derrière l'Escalator… Mais toi, tu l'apercevras quand il passera. Comme tous les murs sont vitrés, tu pourras voir où il va.

Mardi soir, je pris donc le métro jusqu'à Liverpool Street, puis marchai jusqu'à Old Broad Street, dans le sens inverse du flot des travailleurs de la City qui rentraient chez eux. Comme il faisait chaud pour la saison, mes lunettes de soleil ne semblaient pas trop déplacées. La tour 42 se dressait dans le ciel, baignée de reflets bronze et or dans le soleil d'après-midi.

J'entrai et traversai le hall pour m'installer au Café Ritazza, d'où je pouvais observer discrètement les deux portes pivotantes. Je sirotai mon café en songeant que j'aurais préféré être n'importe où, sauf là – de préférence au vernissage de Luke. Vers cinq heures et demie, je lui avais téléphoné pour lui dire que j'étais retenue, mais que je tenterais d'arriver plus tard. Je ne pouvais lui avouer la vérité, mais je ne voulais pas lui mentir.

D'après le dépliant que j'avais pris à l'entrée, la tour 42 était ainsi dénommée parce qu'elle comptait quarante-deux étages : Kleinworth Perella occupait les quatre étages supérieurs. J'étais arrivée avec vingt minutes d'avance. Je réglai mon téléphone portable sur la fonction vibreur – inutile de me faire remarquer – et, tout en buvant mon café au lait, je tuai le temps, comme souvent, en imaginant des questions de quiz. Quel est le plus haut immeuble du monde ? (La tour Sears à Chicago.) Comment s'appelle l'architecte danois de l'opéra de Sydney ? (Jørn Utzon.) Combien de temps dure normalement une grossesse humaine ? (Quarante semaines.)

Je consultai ma montre. Il était six heures et quart. Devant moi, les employés défilaient sur l'Escalator aux parois de verre. Certains prenaient à droite vers Liverpool Street, d'autres hélaient des taxis. De mon poste d'observation, j'avais une vue imprenable. Je les observais, avec leurs costumes anthracite ou leurs foulards Hermès… Soudain, mon cœur s'arrêta de battre. Mike ! Il était au bas de l'Escalator. J'avais déjà bondi, le pouls emballé, quand je compris que j'avais fait erreur. Je me rassis, nerveuse comme un sprinter après un faux départ. Je regardai autour de moi, en espérant que personne ne m'avait remarquée, mais le café était pratiquement désert. Je me calmai en respirant profondément.

Hope avait raison. Il y avait beaucoup de jolies femmes qui travaillaient ici. Dans la vingtaine ou la trentaine pour la plupart. Toutes minces, soignées, impeccables. Tentantes. Je me demandai si Mike avait déjà eu des aventures. J'étais furieuse contre lui, d'avoir trahi Hope… et contre elle, de m'avoir entraînée dans cette affaire.

Six heures vingt-cinq. Mike était sans doute en train de ranger son bureau, de passer sa veste puis de prendre son attaché-case, qui contenait… Quoi ? Un petit frou-frou La Perla ? Des boucles d'oreilles Tiffany's assorties au bracelet ? Je l'imaginai se dirigeant vers l'ascenseur. La foule d'employés était de plus en plus dense. Je scrutai les hommes. Non. Pas lui. Ni lui. Lui non plus. Non… non… non. Sûrement pas… Non. Je guettais les deux portes, mes yeux allant de l'une à l'autre ; puis je regardai de nouveau l'Escalator, où descendait une foule compacte. Non… non… non… non… Oui !

Je repoussai bruyamment ma chaise. C'était bien lui. Pas d'erreur. Je le vis descendre de l'Escalator, marcher d'un pas vif vers le tambour, puis, à travers les parois vitrées, prendre à gauche en sortant de l'immeuble. Je sortis derrière lui, les sens tellement en alerte que j'avais l'impression d'être radioactive. L'adrénaline me brûlait dans les veines. Je le poursuivis sur Old Broad Street, presque en courant, à dix mètres derrière lui. Un bus arriva devant moi et je le perdis de vue un instant. Prise de panique, je m'élançai sur le passage pour piétons sans regarder. Un taxi noir klaxonna et un cycliste en tenue de Lycra fit une embardée pour m'éviter.

— Connasse ! hurla-t-il.

Sur l'autre trottoir, je distinguais tout juste la tête brune de Mike, qui traversa Threadneedle Street pour se diriger vers l'immeuble de la Bourse. Je tentais d'afficher une expression neutre, en dépit de ma tension. Il prit le métro à Bank. Tout en le poursuivant dans le couloir à carreaux noirs et blancs, slalomant entre les voyageurs, je me fis l'impression d'être un tueur à gages.

— Pardon ! fit une femme que je bousculai par mégarde.

Je bredouillai une excuse. Pourquoi Mike prenait-il la Central Line à la station Bank, alors que celle de Liverpool Street était plus proche de son immeuble ? Non, il se dirigeait vers la ligne Waterloo and City. Je bifurquai et l'aperçus sur l'Escalator descendant vers le quai – un long tunnel qui me permit de l'observer jusqu'en bas. Je le suivis, à quelque dix mètres de distance, consciente de ma respiration haletante. Pourquoi se dirigeait-il vers Waterloo ? Allait-il prendre un train de banlieue ? Quel âge pouvait bien avoir cette Clare ? À quoi ressemblait-elle ? Je l'imaginais en rouquine de vingt-cinq ans, délurée, sans inhibitions… Tout le contraire de Hope.

J'étais parvenue au bas de l'escalier. Mike marcha jusqu'au bout du quai. Ses pas résonnaient sur le sol en marbre. S'il se retournait maintenant, il m'apercevrait. Je me cachai derrière un grand et gros homme en trench beige. Il y eut un grondement lointain, une bouffée d'air chaud et le train s'arrêta. Les passagers sortirent, et nous nous engouffrâmes dans la rame.

— *Attention à la marche*, clamait la voix préenregistrée. *Attention à la marche.*

Du coin de l'œil, je vis Mike monter dans le wagon suivant. Il n'avait l'air ni heureux ni ému. Plutôt triste. Il avait sans doute honte… Ou alors, sa liaison tirait à sa fin.

Nous parvînmes à la gare de Waterloo. Mon estomac se noua. J'aurais du mal à ne pas le perdre de vue dans la foule de l'heure de pointe. Les portillons s'ouvrirent, j'aperçus le panneau indiquant la sortie vers la droite, et attendis quelques secondes de plus dans le wagon pour permettre à Mike de passer sur le quai devant moi. Il ne se rendit pas compte de ma présence, à quelques mètres de lui. Je le suivis le long du quai, puis dans l'escalier. Il n'était qu'à cinq mètres de moi environ. Je passai devant les panneaux de British Railway, puis gravis l'escalier. Je le vis s'arrêter au portillon automatique et fouiller pour trouver son ticket. Il prit l'Escalator. La verrière de la gare laissait passer la lumière du jour. La bouffée d'air frais me fit du bien.

— *Veuillez conserver vos bagages avec vous en tous temps…*

Tout en poursuivant Mike à travers le hall de gare, j'aperçus du coin de l'œil l'accès à l'Eurostar à ma gauche, puis les quais de British Railway à ma droite. Je n'avais pas de billet de train… et puis, j'ignorais la destination de Mike. De toute façon, il ne se dirigeait pas vers les quais, mais vers l'entrée principale de la gare. Zigzaguant entre les voyageurs, je franchis derrière lui la grande voûte en pierre de l'entrée. J'aperçus l'enseigne du National Theatre. C'était peut-être là qu'il avait donné rendez-vous à Clare.

Face à moi se dressait l'immense rotonde de l'Imax Londres, puis, à gauche, Festival Hall. Les taxis s'alignaient devant nous, aussi noirs et luisants que des hannetons, mais Mike continua vers York Road, en direction du Shell Centre. Le trottoir était large et je le distinguais sans peine, à une douzaine de mètres devant moi. D'après sa démarche assurée, ce n'était pas la première fois qu'il parcourait cet itinéraire. À droite, j'aperçus le London Eye dont les cabines en verre étincelaient dans le soleil couchant. Je songeai à Nick avec un pincement au cœur.

Mike s'était arrêté au feu rouge. En attendant qu'il traverse, je rôdai autour d'un arrêt de bus, pour rester à bonne distance. Lorsque le petit bonhomme vert s'afficha, je me lançai de nouveau à ses trousses. Il pressa le pas. J'avais un point entre les côtes et le souffle rauque. À droite, j'aperçus Country Hall, puis Big Ben et le palais de Westminster, avec ses tourelles dorées à la feuille qui luisaient au soleil. Nous étions maintenant parvenus à Westminster Bridge. Les bus vrombissaient au-dessus de la Tamise large et brune. Le vent m'ébouriffait les cheveux.

Mike traversa, mais, pendant que j'attendais de le faire à mon tour, heureuse de pouvoir reprendre mon souffle, je remarquai qu'il n'avait pas pris à droite, pour traverser le fleuve, comme je l'avais supposé. Il allait tout droit. Il franchissait les grilles de l'hôpital St. Thomas. Étonnée, je le vis se diriger vers l'entrée principale, franchir les portes coulissantes et contourner un patient avec un pied dans le plâtre.

Qu'est-ce qu'il pouvait bien fabriquer ici ? Ce n'était pas le lieu d'un rendez-vous amoureux, à moins que la maîtresse de Mike ne soit médecin ou infirmière, et qu'il ne soit passé la prendre à la fin de son service. Ou alors, il rendait visite à un ami ? Ou… oui… il suivait peut-être un traitement ? Voilà ce que c'était, décidai-je en arrivant devant la boutique du fleuriste. Une vague de soulagement me submergea. Il était malade et il voulait protéger Hope. Sauf que c'était un drôle d'horaire pour un traitement médical, et puis il y avait ce bracelet en argent avec le fermoir en forme de cœur, gravé du nom de Clare… À moins que ce ne soit Clare, la malade… Mike se dirigeait vers l'aile nord. Ainsi, Clare était une patiente. Voilà pourquoi il paraissait aussi triste. Elle était hospitalisée depuis deux mois. Ce devait être grave. J'imaginai ses joues creuses, les larmes de Mike…

Il s'était arrêté devant les ascenseurs. Je me rabattis vers le café pour ne pas me trouver dans son champ visuel. J'avais réussi à le filer jusqu'ici et je ne tenais

pas à ce qu'il me repère. Que dirais-je s'il me voyait ?
Au moins, ici, je pourrais trouver une excuse plausible.
Je feindrais la stupéfaction d'être « tombée » sur lui
par hasard, en prétendant rendre visite à un ami. Mais
Mike ne risquait pas de me voir. Il semblait n'avoir
aucune conscience des gens qui l'entouraient. Il fixait
le sol, totalement absorbé. Il y eut un « ping », les gens
reculèrent pour laisser passer la cargaison humaine de
l'ascenseur, puis ils montèrent et les portes se refermè-
rent. Mike avait disparu.

Je m'élançai vers l'ascenseur suivant. Il arriva
quelques secondes plus tard. J'appuyai sur tous les
boutons. Il y avait tellement de monde dans l'ascenseur de Mike qu'il s'arrêterait sans doute à tous les
étages, et je voulais que le mien s'y arrête aussi. Ainsi,
je pourrais peut-être l'apercevoir dans le couloir quand
les portes s'ouvriraient.

— *Premier étage. Ouverture des portes*, fit la voix
automatique.

Je jetai un coup d'œil au hall. Pas de Mike.

— *Deuxième étage. Ouverture des portes.*

Toujours pas de Mike, mais quatre personnes entrè-
rent. Je ne voulais pas reculer pour ne pas perdre mon
poste d'observation. Une femme en chaise roulante
m'adressa un regard courroucé.

*Troisième étage. Ouverture des portes... Quatrième
étage. Ouverture des portes. Cinquième étage...*

À chaque étage, je regardais dans le couloir, sans
voir Mike. Je l'avais perdu...

Septième étage. Ouverture des portes.

Il était là, à cinq mètres vers la gauche. Il attendait
d'entrer dans l'un des services, je ne voyais pas lequel,
il se tenait devant le panneau. Au moment où je sortais, il appuya sur un bouton rouge. Je me faufilai vers

un mur d'angle, le cœur battant d'être aussi près du but. Je feignis de lire une affiche sur la vaccination et le regardai à la dérobée. Il appuya de nouveau sur le bouton en poussant un soupir exaspéré. Puis il frappa à la cloison vitrée et fit un signe de la main. Une infirmière en blouse verte vint lui ouvrir.

— Bonsoir, Mike, dit-elle. Comment allez-vous ?

— Très bien, Julie. Comment va-t-elle aujourd'hui ? ajouta-t-il anxieusement tandis qu'elle s'effaçait pour le laisser passer.

— Son état est stationnaire. Mais elle ira mieux quand elle vous verra.

Le panneau indiquait *Unité postnatale. Accès interdit aux personnes non autorisées.*

J'attendis quelques minutes, en feignant d'étudier des affiches sur l'allaitement maternel, sans en comprendre un traître mot. Puis je m'approchai de la porte. Je n'avais aucune idée de ce que j'allais faire, mais je devais en savoir plus. On ne me laisserait entrer que si je me faisais passer pour une visiteuse. Je me demandais comment contourner cet obstacle, quand l'ascenseur s'ouvrit derrière moi. Un homme et un petit garçon en sortirent. L'homme tenait un gros bouquet de tulipes blanches. Le petit garçon serrait contre lui un ourson avec un ruban bleu autour du cou. L'homme appuya sur le bouton rouge. À travers la cloison vitrée, je vis l'infirmière s'avancer vers nous. La porte s'ouvrit.

— Je viens voir ma femme, Sandra King, dit-il.

L'infirmière nous fit signe d'entrer, croyant que nous étions ensemble. Je poussai un soupir de soulagement. J'étais passée. Je longeai le couloir, consciente de l'odeur d'antiseptique mélangée à celui de la cire du parquet. Mon pouls s'affolait de nouveau. J'entendais vagir des nourrissons. Ce son me déchira le cœur… Pas seulement pour les raisons habituelles, mais aussi parce que l'un de ces enfants était celui de Mike.

Je tentai de calculer les dates. Hope disait qu'il avait un comportement bizarre depuis fin janvier. S'il venait ici deux fois par semaine depuis cette époque, le bébé devait être prématuré. En passant devant deux couveuses vides, je compris la raison de l'agressivité de Mike. Il était consumé, non seulement par la honte, mais aussi par l'angoisse. Je songeai au corps minuscule du bébé, à ses membres délicats, plus fins que mes doigts, reliés à des tubes. Il n'y avait pas de pire épreuve qu'un baptême pour un homme dans la situation de Mike.

En m'approchant du poste des infirmières, je tentai d'imaginer les subterfuges qu'il avait dû mettre en place pour dissimuler tout cela à Hope. Non seulement au cours des deux derniers mois, mais bien longtemps auparavant, durant toute la grossesse de Clare. Je me demandai depuis combien de temps ils étaient ensemble. Un an au moins, peut-être deux ou trois. Une infirmière me sourit quand je passai devant le guichet. Je répondis à son sourire en espérant qu'elle ne me demanderait pas qui je venais voir. À ma droite, par les portes entrouvertes des salles, je voyais les visiteurs se presser autour de chaque lit entouré d'un rideau, et, parfois, une maman allongée, ou un bébé emmailloté dans un berceau transparent. Je pris à gauche et tombai sur un nouveau couloir d'une longueur vertigineuse. Une femme en peignoir nid d'abeille jaune déambulait lentement devant moi, en se tenant prudemment le ventre – elle avait dû accoucher tout récemment. Et là, tout au bout, inconscient de ma présence, c'était Mike…

Il tenait un bébé dans ses bras. Son bébé. Il avait retiré sa veste et remonté ses manches. Par-dessus son épaule gauche, je voyais le minuscule visage de l'enfant, cramoisi de détresse. Mike lui tapotait le dos en faisant les cent pas, s'arrêtant pour le bercer. Le bébé portait une grenouillère blanche et un bonnet. Il pleurait comme le font tous les nouveau-nés, sur un ton inexorable et rythmique.

— Araaah... araaah... araaah... araaah...

Lorsqu'il s'arrêta pour reprendre son souffle, j'entendis Mike le réconforter.

— Chut, chut, mon trésor. Tout va bien. Tout va bien, mon petit bébé... tu vas voir... tout ira bien. Chut, mon trésor... Chut, mon bébé...

— Araaah... araaah... araaah... araaah...

Je reculai un peu et m'assis sur une chaise, pour l'observer un moment se promenant avec son bébé dans les bras. J'étais tellement abasourdie que je m'entendais respirer. Comment allais-je pouvoir apprendre cela à Hope...

Oui, Hope, j'ai bien suivi Mike et, oui, j'ai vu où il allait – non, je ne l'ai pas perdu de vue – mais j'ai bien peur d'avoir une mauvaise nouvelle à t'annoncer parce que... oui... en effet... oui, il semble avoir quelqu'un dans sa vie et apparemment, c'est encore pire que ce qu'on imaginait, parce que... enfin... tu comprends... il y a un bébé, Hope, et... oui... un bébé... oui... Je ne sais pas... Je ne sais pas... Je ne sais pas si c'est un garçon ou une fille... oui... c'est ça... voilà... c'est son bébé... Je suis désolée, Hope... je l'ai vu... je l'ai vu de mes propres yeux... à l'hôpital... St. Thomas... je t'en prie, ne pleure pas, Hope... ne pleure pas... oui, c'est vrai... c'est vrai... Oui, c'était Mike, il n'y aucun doute possible... Je l'ai vu dans le couloir avec le bébé dans les bras. Il le réconfortait, le bébé pleurait beaucoup, il semble qu'il soit né prématurément, il n'est plus en couveuse mais il a encore besoin d'un suivi médical. Je crois que c'est là qu'il va depuis deux mois. Il va à l'hôpital, rendre visite à son bébé… c'est pour ça qu'il est aussi bizarre… et si… comment dire ? Émotif. Voilà. C'est pour ça. Tu vas devoir lui en parler, parce que tu sais la vérité maintenant, tu sais la vérité, donc… Je suis désolée, Hope. J'aurais préféré que tu te trompes, mais tu ne t'es pas trompée… pas du tout… Je suis désolée, Hope… Vraiment désolée…

— Je peux vous aider ?

— Hum ?

La femme qui s'adressait à moi portait un badge la désignant comme sage-femme en chef.

— Je peux vous aider ? répéta-t-elle. Qui venez-vous voir ?

— Je suis venue voir…

Je me tournai vers Mike, la gorge serrée.

— Vous allez bien ? dit-elle. Vous avez l'air bouleversée.

— C'est… un peu délicat. Je pourrais vous parler ?

Je sortis de l'hôpital vingt minutes plus tard, tourmentée. Comment Hope et Mike pourraient-ils rester ensemble, désormais ? C'était impossible. Je n'avais pas parlé à Mike – je n'y tenais pas – mais j'avais découvert tout ce que je voulais savoir et j'allais devoir l'annoncer à Hope. Je l'imaginai chez elle, attendant désespérément mon appel. Je n'allais pas téléphoner. Pas tout de suite. Je réglai mon téléphone portable sur la fonction boîte vocale, puis marchai jusqu'à Westminster Bridge dans le crépuscule. Sur Parliament

Square, je hélai un taxi. Je ne pouvais pas révéler la vérité à Hope au téléphone. Donc, plutôt que de rentrer chez moi où elle pouvait me joindre, je décidai d'aller retrouver Luke… d'autant que, me rappelai-je soudain, j'avais promis d'assister à son vernissage. Neuf heures moins le quart… il y serait encore.

Je demandai au chauffeur de m'emmener à Chepstow Road. Lorsqu'il me déposa devant la galerie, je vis qu'il y avait encore une quinzaine de personnes agrippant des verres vides, riant et bavardant. En franchissant la porte, je tombai sur Hugh. Il ne manquait plus que ça.

— Hugh ! Quelle bonne surprise !

— Salut, Laura !

Il me fit la bise comme s'il était parfaitement normal que je le rencontre à un vernissage avec une autre femme que ma sœur.

— Bonsoir, Chantal, dis-je poliment. Comme c'est drôle de vous voir tous les deux ici.

— J'aime bien suivre la vie culturelle du quartier, dit Hugh. On a pris un verre avec Chantal et elle a décidé de m'accompagner.

— Voilà, dit-elle en rosissant.

— Nous étions sur le point de partir, précisa Hugh.

— Embrasse Fliss pour moi, répondis-je gaiement.

— D'accord, répliqua-t-il avec désinvolture.

Quel culot !

— Laura ! s'exclama Luke.

Il vint m'embrasser.

— Pardon d'arriver aussi tard. J'ai été retenue et…

— Ne t'en fais pas, dit-il chaleureusement. Je suis ravi de te voir ici.

— C'était mon beau-frère, expliquai-je en désignant Hugh à travers la vitrine. Le mari de Felicity.

— Je sais. Je l'ai déjà croisé avec toi, il y a des années. Il s'est présenté. Qui c'est, la blonde ?

— L'une des amies de Felicity, Chantal Vane. Je trouve ça un peu… louche, à vrai dire.

— Pourquoi ? Ah. Je vois. Tu crois qu'ils…

— Je l'ignore. J'espère que non.

Les maris de mes sœurs me causaient déjà assez d'ennuis.

— Enfin, comment ça s'est passé ?

Luke sourit largement.

— Formidable. On a eu cent cinquante personnes et on a vendu dix tableaux. Craig est déjà parti, précisa-t-il, mais je vais te montrer.

Tout en faisant le tour de la galerie, je pris soin de m'extasier sur les œuvres, même si elles ne me touchaient pas – des couleurs primaires appliquées à la truelle sur la toile, de façon apparemment arbitraire. Je tentai de suivre les explications de Luke sur l'art abstrait et sa dimension philosophique, mais j'avais du mal à comprendre, comme s'il me parlait de l'autre extrémité d'un long tunnel noir. Puis il me présenta des amis à lui, Grant et Imogen, dont le bébé de neuf mois était sa filleule.

— Elle est ravissante, disait Luke. Jessica l'adore.

— C'est votre première ? demandai-je poliment à Imogen.

— Ma première à moi, répondit-elle. Grant a deux adorables garçons de douze et neuf ans. Ils sont fous d'Amélie, pas vrai, chéri ? Elle a beaucoup de chance.

Il acquiesça en souriant.

Nous échangeâmes quelques propos aimables. Ils prirent congé et les derniers traînards s'éclipsèrent, nous permettant, à Luke et à moi, de partir tandis que son assistante, Kirsty, rangeait les verres et fermait la boutique.

— Ça a beaucoup plu, me dit-il, ravi. J'avais peur que, tout de suite après les congés de Pâques, il n'y ait pas grand monde, mais personne n'a manqué à l'appel et il y a des échos formidables. Ça va ? dit-il soudain. Je te trouve un peu… éteinte.

— J'ai… la migraine, répondis-je sans mentir.

— Ma pauvre. Je vais te faire passer ça.

— J'ignore si tu en seras capable.

Je repensai à Hope qui attendait toujours, sans pouvoir me joindre. Je n'aurais pu l'appeler maintenant, même si je l'avais souhaité, car Mike devait être rentré. Je décidai de lui téléphoner à la première heure le lendemain matin. Mais comment lui communiquer des nouvelles aussi graves au bout du fil ? Ce n'était pas possible. Il fallait lui parler en personne. Soudain, je sus comment m'y prendre.

— On va passer une soirée tranquille, dit Luke en me prenant par la main. On pourrait regarder un bon vieux film de Hammer Horror pour se détendre, ou *La Vengeance de la momie*.

Nous remontions Lonsdale Road et nous étions parvenus à la hauteur de la maison, quand un objet me frappa. Un jean gisait sur les dalles de son jardin.

— Pour l'amour du ciel, qu'est-ce que ça fout ici ?

Quand il le ramassa, j'eus un coup au cœur.

— Et ça…

Il tenait un slip blanc et un tee-shirt rose, étalés sur le pas de la porte.

— Que diable… ?

— C'est à moi, fis-je posément.

— À toi ?

— Oui, dis-je, le ventre noué.

— Ah. Mon Dieu…

Il ouvrit la porte, désactiva le système d'alarme et nous montâmes au premier. Il alluma dans la chambre.

— Mon Dieu, souffla-t-il de nouveau.

Ce que nous vîmes en premier, ce fut le kimono en soie. Il était méconnaissable, car il avait été déchiqueté en une vingtaine de pièces de tailles différentes, éparpillées sur le lit, le parquet, la commode, le tabouret, la table de chevet… Un morceau s'était posé sur Wilkie et lui couvrait la tête, comme s'il se protégeait du soleil.

— Mon Dieu, fit encore Luke. Je suis désolé, Laura.

Il ramassa un bout de soie bleue.

— Je ne sais pas quoi dire. J'ai… honte. Je t'en offrirai un autre.

— Non… je t'en prie… ce n'est pas la peine, soufflai-je, trop choquée pour exprimer mon indignation. Je t'assure…

Il se laissa choir sur le bord du lit.

— Je suis tellement désolé, Laura…

Il secoua la tête.

— Elle est vraiment… cinglée.

Je passai à la salle de bains. Le couvercle des WC était rabattu. Une manche de mon cardigan en cachemire vert pendait hors de la cuvette, comme s'il avait tenté de s'évader. En soulevant la lunette, je fus tout au moins reconnaissante à Magda de l'avoir plongé dans une eau apparemment propre. Elle avait griffonné « Salope ! » en grosses lettres sur le miroir avec mon rouge à lèvres, puis écrasé le reste du rouge à lèvres dans le lavabo. Elle avait vidé ma bonbonne de mousse coiffante sur les murs et renversé mon maquillage dans le bidet, puis tartiné le tout de dentifrice. Mon sèche-cheveux gisait, mutilé, dans la corbeille.

J'imaginai la frénésie destructrice de Magda, semblable à celle d'un renard dans un poulailler, galvanisée par... quoi ? Puis, je compris.

— C'est parce que j'ai déplacé ses affaires.

J'ouvris la penderie. Comme prévu, son chemisier Liberty, ses deux robes, sa veste en velours et ses chaussures avaient retrouvé leur place.

— Putain ! grogna Luke, toujours assis au bord du lit, un bout de kimono entre les mains.

— Ce qu'il faut savoir, c'est... comment elle a pu entrer.

Il leva les yeux.

— Comment est-elle entrée, Luke ?

— Eh bien...

— Elle n'est pas entrée par effraction, c'est évident.

— Non...

— Elle a une clé ? Ne me dis pas qu'elle a une clé, Luke.

— Non, fit-il d'une voix lasse. Elle sait où je cache la clé de rechange. Mais je ne crois pas qu'elle ait fait ça uniquement parce que tu as déplacé ses affaires.

— Alors pourquoi ?

— Parce qu'elle a découvert que tu avais rencontré Jess.

— Vraiment ?

Il soupira et hocha la tête.

— Comment ? Elle a vu l'œuf de Pâques que je lui ai offert ?

— Non. Elle a fait développer les photos de Jessica ce matin et elle t'a vue sur l'une d'entre elles.

— Ah...

Je me souvins que le flash était parti alors que je m'écartais.

— Elle m'a téléphoné, folle de rage. J'étais totalement débordé par l'accrochage et je l'ai envoyée promener. Je n'aurais jamais cru qu'elle ferait... ça.

— Tu veux dire qu'elle est venue exprès de Chiswick pour lacérer mes affaires ?

— Non, elle était dans le quartier parce que Jess avait un goûter d'enfants à Notting Hill, et pendant qu'elle l'attendait, elle a dû entrer, fouiner, découvrir que tu avais changé ses affaires de place et... perdu la tête. C'en était trop pour elle.

Je m'assis à côté de Luke, encore sous le choc. Inutile de nous repasser *La Vengeance de la momie*. On la vivait en direct.

— Je vais lui parler..., dit-il. Je vais me racheter auprès de toi, je ne sais pas comment, ni ce que je peux faire...

Il enfouit sa tête dans ses mains.

— C'est l'enfer, Laura. Tu n'imagines pas. Je vis sur le cratère d'un volcan.

— Magma, fis-je posément. Elle devrait s'appeler Magma.

Je posai la main derrière moi et sentis un objet dur sous la couette. Je la rabattis. Au milieu de l'oreiller, de mon côté du lit, était posée une grosse paire de ciseaux de couture, dont Magda s'était sûrement servie pour découper mon kimono. Les lames étaient ouvertes. Je me relevai.

— Je ne crois pas que je vais rester ici ce soir. (Je pris mon sac.) Je te demande pardon, Luke. C'est... trop. Et j'ai déjà eu une journée très éprouvante.

Je repensai à Mike et au bébé.

— On se parle demain, ajoutai-je.

Je n'avais pas la force de me mettre en colère, trop anéantie par ce que je venais de subir. Tout en remontant vers Bonchurch Road, je songeai qu'il était stupéfiant que Magda ait pu déployer une énergie aussi destructrice, tout en se contrôlant suffisamment pour refermer soigneusement la fenêtre par laquelle elle avait lancé mes affaires, puis réactiver le système d'alarme et refermer la porte à clé.

L'horloge sonnait onze heures. Je consultai mon téléphone portable. J'avais huit appels perdus… Tous de Hope. En rentrant, je constatai qu'elle avait laissé cinq messages, de plus en plus désespérés, sur mon répondeur. Je lui envoyai un SMS pour lui dire que je ne pouvais pas lui parler ce soir, mais que je la rappellerais à la première heure. Je n'étais pas encore réveillée lorsque le téléphone sonna le lendemain matin.

— Pourquoi tu ne m'as pas téléphoné ?

Je jetai un regard ensommeillé vers le réveil. Sept heures moins dix. J'avais à peine fermé l'œil.

— Je deviens folle ! gémit-elle. Pourquoi ne m'as-tu pas appelée ?

— D'abord, fis-je d'une voix rauque, parce que c'était impossible. Et ensuite, parce qu'à l'heure où j'aurais pu le faire, Mike était sans doute rentré.

— Donc…

Elle retint son souffle.

— Qu'as-tu découvert ?

Je me tus.

— Qu'as-tu découvert ? répéta-t-elle. Où est-il allé ? À quoi ressemble cette Clare ? Elle est plus jeune que moi ? Elle est plus belle ? Tu as une photo d'elle ? Veux-tu, s'il te plaît, me dire ce que tu as vu ? Je t'en prie, Laura. C'est insupportable. C'est insupportable !

Je dois savoir. Dis-moi, vas-y, Laura ! Dis-moi ! S'il te plaît, s'il te plaît, s'il te plaît, dis-moi…

J'inspirai profondément.

— Non.

Elle s'étrangla.

— Quoi, non ? Il faut que tu me dises. C'est pour ça que tu l'as suivi. Tu joues à quoi ?

— Je ne joue pas. Mais je ne veux pas te dire ce que j'ai vu.

Il y eut un silence choqué.

— Pourquoi pas ?

— Parce que je veux te le montrer… Voilà pourquoi. Demain soir, tu vas venir avec moi, et je te montrerai ce que j'ai vu. Tu dois te contrôler jusque-là, ne pas me harceler, ni m'engueuler, ni propager des calomnies sur ma loyauté ou mes motivations, ni te lamenter sur tes malheurs, parce qu'en fait, Hope, moi aussi j'ai des ennuis…

Ma gorge me faisait mal.

— Et, que tu le croies ou pas, je fais tout mon possible pour t'aider.

— Ce sont de mauvaises nouvelles, alors ? C'est pour ça que tu refuses de me dire quoi que ce soit. Parce que ce sont de très mauvaises nouvelles. Les pires…

— Eh bien…

— Mike est amoureux de cette… Clare, c'est ça ?

— Oui. Je crois.

— Lui et moi, c'est fini.

— Peut-être… Tu dois me faire confiance. Ne dis rien à Mike, ce soir. Ne cherche pas à lui extorquer des aveux, quoi qu'il t'en coûte.

— Même si je le voulais, je ne le pourrais pas. Il vient de partir pour Bruxelles et ne rentrera pas avant demain midi... Il a pris le train aux aurores. Elle est peut-être du voyage, ajouta-t-elle piteusement.

— J'en doute, dis-je. En tout cas, je te rejoins... où donc ? Devant la station de métro Westminster à... sept heures, demain soir.

— Où allons-nous, Laura ?

— Tu verras.

10

L'émission fut enregistrée le lendemain après-midi – la gagnante atteignit un score très élevé – puis, comble de la honte pour moi, décida de renverser les rôles. Elle me posa une question parfaitement raisonnable : « En mythologie grecque, quel est l'effet produit lorsqu'on boit les eaux du Léthé ? » Incapable de me concentrer, je répondis « le sommeil », alors que la réponse était « l'oubli »... – Je le savais mais, ironie du sort, je l'avais oublié. Le public ricana, ce qui m'énerva, et la somme remportée par la gagnante passa à trente-deux mille livres. Notre budget en prenait un sale coup. Puis, juste au moment où nous achevions la dernière prise, il y eut une panne de courant. Les lumières s'éteignirent d'un coup, à cause d'un problème de réseau sur l'ouest de Londres, comme nous l'apprîmes plus tard, et nous dûmes rester plongés dans l'obscurité totale pendant une demi-heure tandis qu'on tentait de trouver une torche électrique. Mis à part la perte de temps, je déteste l'obscurité et je fus ravie lorsque le courant revint. J'étais dans le taxi quand Luke m'appela.

— Je viens de parler à Magda, dit-il. Elle s'en veut de ce qui s'est passé.

— Ce qui s'est passé ?

Je fermai la cloison vitrée pour que le chauffeur n'entende pas notre conversation.

— Dis plutôt ce qu'elle a fait.

— Elle regrette beaucoup, Laura. Elle se sent… vraiment…

— Déchirée ? suggérai-je.

— Mal. Elle admet qu'elle s'est emportée.

— Non, Luke, elle ne s'est pas « emportée ». Elle est devenue dingue.

— Ça n'a pas été facile pour elle ces derniers temps, Laura.

— Pauvre chou. Enfin, rien de tel qu'un peu de saccage récréatif pour se requinquer quand on a passé une mauvaise journée, n'est-ce pas ?

Nous nous étions arrêtés à un feu rouge.

— Elle est inquiète, parce que ça ne va pas avec Steve. Elle…

— Laisse-moi deviner… Elle s'est fait larguer ?

— … n'est pas rassurée. Elle craint qu'il ne la quitte. En plus, ça l'a énervée que tu déplaces ses affaires.

— Moi, j'étais énervée de les voir là !

— Parfois, Magda se laisse parfois un peu… déborder, reprit-il comme si je n'avais rien dit. Mais elle est beaucoup plus calme maintenant. Normale. Enfin, presque.

Le feu était vert.

— Écoute, Luke, je ne veux pas te blesser… Je sais que Magda est la mère de ton enfant et qu'elle doit par conséquent être une sainte, ou du moins, ne jamais être critiquée, mais il n'en reste pas moins qu'elle est folle. Hier, elle a saccagé la maison avec des ciseaux de couturière. Et si c'était avec une scie sauteuse, la prochaine fois ? Si elle décidait de découper mes vêtements pendant que je suis dedans ?

— Écoute, Laura, elle te tend un rameau d'olivier…
J'espère vraiment que tu vas l'accepter. Elle dit qu'elle
aimerait faire ta connaissance.

Je m'étranglai.

— Pas question !

— Je t'en prie, Laura.

— Pas après ce qui vient de se produire ! Non !
Comment le pourrais-je ? À quoi cela servirait-il ?

Luke soupira.

— Cela servirait à ce que je conserve des rapports
corrects avec elle. Donc, toi aussi. Parce qu'on va être
ensemble, Laura. N'est-ce pas ce que tu veux ?

— Oui…

— Donc, Magda va faire partie de ta vie.

— Je… je ne vois pas vraiment pourquoi. Ce pays
compte un million de familles recomposées, Luke, et
je suppose que, dans la majorité des cas, la première
et la deuxième femme n'ont aucun contact. Les
enfants sont déposés chez le père et la mère repart. Si
ça se passe comme ça avec Magda, cela m'ira très
bien.

— Mais moi, ça ne m'ira pas ! Écoute, Laura, je sais
qu'elle peut être un peu… compliquée…

— Le mot est faible.

— … mais si tu veux t'entendre avec Jessica, comme
je le crois…

Je jetai un coup d'œil dehors. Nous étions à
Chiswick.

— Bien sûr que oui.

— Donc, même si tu détestes cette idée, tu dois
avoir des rapports civilisés avec Magda.

— Cela m'irait tout à fait si Magda était un être civilisé, mais, d'après ce que j'ai vu hier soir, ce n'est pas le cas.

— Je t'en prie, Laura. Elle peut être parfaitement… rationnelle… Parfois.

— Tu veux que je la calme, dis-je, furieuse. Elle est odieuse, elle détruit mes affaires… et tu veux que je lui fasse des courbettes comme toi. Eh bien tu te trompes !

— Tu n'est pas obligée d'aller jusque-là. Je te demande simplement d'être gentille. Je veux que tu m'aides à réaliser mon but : offrir un environnement heureux et harmonieux à Jessica.

— Désolée, je ne crois pas que ce soit possible.

— Mais si. Tu sais, les amis que je t'ai présentés hier soir à la galerie ? Grant et Imogen ? Avec le bébé ?

— Oui.

— Grant et Rosie se sont séparés il y a cinq ans et, un an plus tard, Grant a rencontré Imogen. Ils ont eu le bébé l'an dernier. Maintenant, ils s'entendent tous à merveille. Rosie apprécie Imogen, elle amène les garçons presque tous les dimanches et ils déjeunent ensemble ; elle adore Amélie, et il lui arrive de la garder quand Grant et Imogen ont une soirée. Parfois, ils partent tous ensemble voir les parents de Grant. Ils sont amis, Laura. Les enfants sont heureux, ils se sentent en sécurité grâce à ça… C'est ainsi que j'aimerais que nous vivions.

— Tout cela est bien joli, répliquai-je. Quoi de plus civilisé ? C'est presque utopique… Le fait est, Luke, que d'abord, ce doit être assez inhabituel et qu'ensuite, dans le cas de tes amis, la première femme est de toute évidence une personne gentille, normale, raisonnable…

contrairement à Magda. Désolée d'être aussi peu coopérative, Luke, mais elle a réduit mon kimono en charpie. Et maintenant, tu me demandes de prendre le thé avec elle comme si nous étions dans une comédie d'Oscar Wilde !

— Eh bien… oui. Si tu veux. Elle passe chez moi demain après-midi. Si tu pouvais te joindre à nous, ce serait formidable. Cela m'aiderait, parce que je ne veux pas que Magda change d'avis pour le voyage à Venise. Il faut qu'elle se sente en sécurité, qu'elle soit calme. Je t'en prie, Laura. Je sais que c'est beaucoup te demander, mais j'espère que tu le feras pour moi.

Pourquoi me demande-t-on de faire des choses que je n'ai aucune envie de faire ? songeai-je, contrariée. Pourquoi suis-je constamment cajolée et contrainte ? Mais autant par curiosité de voir Magda que par désir d'aider Luke, je m'entendis répondre :

— Ooooh… Et puis merde. D'accord. À quelle heure ?

Après la trêve du week-end de Pâques, les plumitifs des tabloïds s'acharnèrent à nouveau sur moi. LAURA QUICK PERD-ELLE LES PÉDALES ? hurlait la une du *Daily News* ce matin-là. Sur la photo, j'avais un visage préoccupé. Le titre renvoyait à un article de leur journaliste télé, affirmant que mes « *amis* » craignaient que « *le stress de présenter le quiz* », le « *traumatisme* » d'ignorer où se trouvait mon mari, combiné aux « *tourments* » d'avoir un « *amant marié* », commençaient à me miner. Une photo floue, sans doute prise par l'un des membres du public avec un téléphone portable, me montrait en train de laisser tomber mes fiches. Légende : « *Laura gagnée par le stress.* » Un « *confident* » anonyme prétendait que la « *culpabilité* » que j'éprouvais d'avoir « *volé le mari de Magda* » me « *rongeait* », tandis qu'une autre « *source fiable* » affirmait que je ne mangeais rien, que j'étais « *au bord de l'anorexie* ».

— Vous devriez faire connaître votre version des faits ! me lança Nerys quand j'arrivai au bureau.

Elle tapota ses cheveux raides de laque, qui, cette semaine, étaient couleur framboise.

— D'après moi, reprit-elle, vous avez tort de les laisser vous traîner dans la boue. C'est immonde.

— En effet, Nerys. J'en suis absolument écœurée.

— Alors vous devriez accorder une interview, suggéra-t-elle en ajustant son casque à écouteurs. C'est mon avis. Bonjour, Trident Tiiiiiii-viiiiiiiiii.

— Nerys n'a pas tort, intervint Tom. Ça a assez duré. Il est peut-être temps que tu joues le jeu des médias, Laura – en tout cas, c'est l'avis de Channel Four.

— Je croyais qu'ils étaient ravis de l'audience qui grimpe... On en est à quatre millions, non ?

— Oui, mais ils s'inquiètent pour toi. Ils trouvent que tu devrais réagir.

Donc, quand, un peu plus tard dans la journée, Nerys reçut l'appel d'un journal respectable, je pris la communication.

— Mademoiselle Quick ? Darren Sillitoe, du *Sunday Semaphore*.

— Oui ?

— Tout d'abord, permettez-moi de vous dire que j'aime beaucoup ce que vous faites. Je trouve l'émission formidable.

— Ah. Merci.

— J'ai lu un article sur vous dans le *Daily News* ce matin. Les tabloïds ne sont pas tendres avec vous.

Je sentis mon visage s'empourprer.

— C'est le moins qu'on puisse dire.

— Il semble évident que la plupart des citations ont été bidonnées par le *News*.

— En effet.

— Je sais que, jusqu'ici, vous avez refusé de parler aux journalistes, mais je me demande si maintenant, vous n'avez pas le sentiment qu'il est enfin temps de vous exprimer… dans un journal respectable.

— Eh bien… en fait, c'est vrai. Je me pose la question.

— Ah… donc, mon appel tombe à pic.

— Peut-être. Quel serait l'angle de votre article ?

— Ce serait un portrait de vous… positif… Mais nous voulons aussi aborder le domaine personnel, ce qui signifie, hélas, que vous devrez parler de la disparition de votre mari.

Mon cœur se serra.

— C'est indispensable ?

— Hélas, oui. Sinon, l'article n'a aucun intérêt. Nous vous interviewerons avec tact. Vos propos seront soigneusement reproduits. D'ailleurs, puisque je vous tiens, puis-je simplement vous demander, pour préparer l'entretien, ce qui vous a le plus perturbée dans ce qu'on a publié sur vous ces derniers temps ?

— Tout, répliquai-je. Mais essentiellement qu'on prétende que je suis responsable de la rupture de Luke North avec sa femme, alors qu'elle l'avait quitté dix mois auparavant. Et que l'on affirme que je suis difficile, exigeante… C'est faux.

— Ça a dû être difficile à supporter. Au moins, le *Sunday Semaphore* est un journal respectable et, pour une fois, vous pourrez vous adresser au public avec vos propres mots.

Il y eut une pause.

— Je vais vous donner le numéro de ma ligne directe. Appelez-moi si vous décidez de le faire.

— Me laisserez-vous lire le texte avant parution ?

Il hésita.

— Normalement, cela ne fait pas partie de nos principes.

— Et moi, normalement, cela ne fait pas partie de mes principes d'accorder des interviews. Je l'envisagerai donc uniquement si je puis lire le texte avant.

Ma fermeté me surprit moi-même.

— Eh bien !… je peux peut-être me débrouiller… étant donné votre situation délicate.

— Votre journal pourrait-il verser un cachet à l'association d'aide aux personnes disparues ?

— C'est sûrement envisageable.

— Pas moins de cinq cents livres ?

Il rit doucement.

— Vous êtes dure en affaires.

— Si vous voulez que je vous parle, c'est à prendre ou à laisser.

— Nous voulons vous parler – en exclusivité, bien entendu.

— Bien entendu. Mais j'aimerais prendre le temps de réfléchir.

Après tous les mensonges publiés sur moi, j'étais très tentée d'accepter, mais je ne voulais pas me décider tout de suite. J'avais trop d'autres soucis – notamment mon rendez-vous avec Hope. Je le redoutais terriblement.

J'arrivai à la station de métro de Westminster avec dix minutes d'avance, mais Hope était déjà là. Elle se tenait devant le plan de quartier, aussi pâle qu'un parchemin. Bien qu'elle m'en voulût de ne pas savoir où je l'emmenais, elle était à peu près calme. Mais l'ambiance restait tendue entre nous ; pour lui changer les idées, je lui demandai son avis sur la proposition du *Semaphore*.

— Eh bien ! je crois qu'au moins, puisqu'il s'agit d'un journal sérieux, ils n'imprimeront pas des mensonges éhontés sur toi, contrairement aux tabloïds, dit-elle.

— Ils m'ont promis de me laisser lire le texte avant publication.

— Ils te laissent approuver les épreuves ?

— Officieusement, oui.

— Dans ce cas, il n'y a pas de problèmes. Fonce !

— J'y songe. Mais j'ai trop de soucis en ce moment pour prendre une décision maintenant. Notamment... ceci.

— Alors... où va-t-on, Laura ? Je t'en prie, dis-le-moi. Je souffre le martyre. Où allons-nous ? s'obstina-t-elle, les cheveux fouettés par le vent de la Tamise.

— Tu verras.

Elle poussa un soupir de frustration.

— C'est loin ?

— Pas trop.

Je regardai à ma gauche, vers le London Eye, avec l'Oxo Tower juste derrière, et les grands mâts blancs élégants de Hungerford Bridge. Des hirondelles de mer plongeaient vers l'eau. Un bateau de plaisance passa sous le pont, répandant un éventail de risées dans son sillage.

— Mike sera là, c'est ça ? demanda-t-elle. Je vais le voir ?

— Oui.

— Je n'arrive pas à croire ce que je suis en train de faire. Je te laisse m'entraîner comme ça, sans avoir la moindre idée de notre destination.

— Tu le fais parce que tu m'as demandé de suivre Mike. Maintenant, je vais te montrer ce que j'ai découvert.

Nous poursuivîmes en silence.

— C'est encore loin ? me demanda-t-elle au pied du pont.

— Non.

Je m'étais arrêtée devant St. Thomas.

— D'ailleurs, nous y sommes.

— Ici ? C'est un hôpital.

— Exactement.

— On va à l'hôpital ?

— Oui. Viens.

Nous nous dirigeâmes vers à l'entrée principale.

— Pourquoi ? me demanda Hope.

Je ne répondis rien.

— Pourquoi ? s'entêta-t-elle tandis que nous franchissions les portes coulissantes.

— Parce que c'est ici qu'on va retrouver Mike.

Nous passâmes devant la boutique du fleuriste et le marchand de journaux. Une douzaine de personnes attendaient devant les ascenseurs.

— C'est ici qu'il vient.

— Je ne comprends pas, chuchota-t-elle. Il n'est pas malade, au moins ? Je t'en supplie, ne me dis pas qu'il est malade, Laura.

— Il n'est pas malade.

— Alors qu'est-ce qu'il fabrique ici ?

Les portes de l'ascenseur s'ouvrirent. Nous montâmes.

— Il vient voir quelqu'un ?

J'appuyai sur le sept.

— Oui. Il vient voir quelqu'un.

L'ascenseur s'arrêta au troisième. Les autres passagers descendirent et personne ne monta. Nous étions seules.

— Clare ? Il vient voir Clare ?

— C'est ça.

— Oh ! Oh mon Dieu ! Elle est malade...

Je me tus.

— C'est ça ? Il vient la voir parce qu'elle est malade ? De quoi souffre-t-elle ? Ce doit être sérieux, s'il vient la voir depuis deux mois. Pourquoi ne me dis-tu rien, Laura ? Dis quelque chose !

— Je veux que tu voies.

— Je ne comprends pas, gémit-elle. Pourquoi tous ces mystères ? Si elle est malade, ça m'étonnerait qu'elle soit ravie de voir la femme de son amant surgir à son chevet !

Septième étage. Ouverture des portes.

Quand nous sortîmes, Hope vit le panneau sur le mur, puis s'immobilisa. Elle était blême.

— C'est ici ?

— Oui.

Elle porta la main à sa bouche.

— Tu en es sûre ?

— Certaine.

— Alors...

Hope retint son souffle.

— Mon Dieu... il y a un bébé ?

— Il y a un bébé, oui.

— Oh mon Dieu ! répéta-t-elle. Un bébé. Il y a un bébé...

Elle secouait la tête.

— Mon Dieu !... je ne peux pas entrer, Laura.

— Je crois que tu devrais.

— Je ne peux pas. J'en suis incapable.

Ses yeux s'étaient emplis de larmes. Elle me dévisageait d'un air accusateur.

— Fais-moi confiance.

— Te faire confiance ? Pourquoi ? Tu es dégueulasse. Dégueulasse… (Ses lèvres se tordaient de détresse.) Sadique et dégueulasse. De m'amener ici.

— Tu le crois peut-être, mais en fait, non.

— Alors pourquoi m'as-tu amenée ici ? Pour me faire la leçon ? Pour me voir souffrir ? Je ne comprends pas.

Elle fouilla dans son sac pour trouver un mouchoir.

— Je n'aurais jamais dû te demander ton aide, sanglota-t-elle.

— Eh bien ! tu l'as fait, chuchotai-je en appuyant sur le bouton rouge.

Une infirmière vint ouvrir.

— Bonsoir, dit-elle. Vous êtes venue avant-hier, je crois.

— En effet. Voici ma sœur.

Hope réussit à sourire.

— Tout droit. Vous connaissez le chemin.

Hope gémissait, maintenant.

— Espèce de… salope, grinça-t-elle tandis que nous nous lavions les mains dans les toilettes des visiteurs. À quoi penses-tu ? Me forcer à venir ici, pour que je voie que non seulement mon mari a une maîtresse, mais aussi un bébé. Pourquoi tu me fais ça ? (Elle arracha une serviette en papier.) Quel plaisir pervers éprouves-tu à me voir… souffrir comme ça ?

Hope pressa brutalement la pédale de la corbeille pour jeter sa serviette. Je ne répondis rien.

— C'est un truc de quand on était petites ? Tu veux me punir vingt ans plus tard ?

Nous descendîmes le long du couloir, sans parler maintenant, nous contentant d'écouter les pleurs des nourrissons et les murmures respectueux des visiteurs. Nos chaussures couinaient sur le lino.

— Pourquoi tu me fais ça ? répéta Hope à mi-voix. Qu'est-ce que j'ai bien pu te faire pour mériter tant de cruauté, Laura, tant de cruauté délibérée, manipulatrice, immonde ? Enfin pourquoi me fais-tu ça, pour l'amour du ciel ? C'est tellement méchant, je ne comprends pas… Je… Oh !

Au loin, ignorant notre présence, Mike marchait de long en large, manches relevées, avec le bébé dans les bras. Son visage était plein de compassion et de tendresse.

— Chut… mon trésor. Chut… ne pleure pas. S'il te plaît, ne pleure pas, ma petite fille… allez… voilà… chut… tout va bien… chut… chut… Ne pleure pas… ne pleure pas…

Hope resta figée sur place.

— C'est insupportable. (Elle secoua la tête.) Je ne peux pas… je ne… peux pas.

— Chut, ne pleure pas, va… ne pleure pas.

— C'est ici qu'il vient ?

— Oui.

— Depuis deux mois ?

— Il ne faut pas pleurer…

— Depuis deux mois.

— C'est trop pour moi, gémit-elle. Je vais me trouver mal… Mon Dieu… Oh mon Dieu… un bébé. Un bébé. Et où est cette… Clare ? murmura-t-elle. Où est-elle ? Je veux la voir, puisque j'y suis. Je veux voir la femme qui a eu l'enfant de mon mari. La femme qui a détruit mon couple, et mon avenir, et toute… ma vie.

Où est-elle ? Où est-elle ? Où est Clare ? Pourquoi ne le dis-tu pas, Laura ?

— Il la tient dans ses bras, dis-je doucement.

— Qu'est-ce que tu veux dire ?

— Il la tient dans ses bras.

Elle cligna des yeux.

— Mais… je ne comprends pas.

— Clare, c'est le bébé.

— C'est le bébé ? Ah. Alors… qui est la mère ?

Je haussai les épaules.

— Je ne sais pas. Mike non plus. Il ne l'a jamais rencontrée… et ne la rencontrera jamais.

Hope me regarda comme si je lui parlais chinois.

— Alors… quoi… ?

— La mère de Clare est accro à l'héroïne, donc Clare l'est aussi, de naissance. Les enfants de mères toxicomanes souffrent de symptômes de sevrage. Ils ont besoin de quelqu'un pour les tenir, les cajoler, marcher avec eux, parce qu'ils sont très nerveux et qu'ils pleurent beaucoup. Leurs muscles sont très tendus et ils ont du mal à s'endormir, donc ils ont encore plus besoin d'être tenus et réconfortés que les autres bébés. Les infirmières n'en ont pas toujours le temps. C'est pourquoi Mike, avec d'autres bénévoles, vient ici depuis deux mois. Il ignore que je suis au courant, ou que j'ai parlé à l'infirmière responsable du programme.

— Ah, fit Hope.

Elle regardait Mike fixement. Ses lèvres tremblèrent. Une larme glissa sur sa joue.

— Chut, mon petit bébé, disait-il. Chut…

— Ah, murmura-t-elle. Je vois…

— Chut, mon trésor… chut, tout va bien… tout va bien, ma petite fille… tu vas aller mieux… tu vas aller mieux… ne pleure pas… je t'en prie, ne pleure pas…

— Alors… il n'a pas de maîtresse ?

— Non.

— Il fait ça juste…

Elle cligna des yeux, perplexe.

— Par bonté, Hope.

— Mais… pourquoi ne m'en a-t-il rien dit ? Pourquoi le cacher, Laura ?

Mike choisit cet instant pour relever la tête. Il nous fixa, stupéfait.

— Tu vas devoir lui poser la question.

Le lendemain, en arrivant au bureau, je trouvai un e-mail de Hope.

J'ai pris la journée. Tu veux déjeuner ?

— C'est moi qui t'invite, dit-elle d'une voix mate quand je la rejoignis chez Zucca. C'est le moins que je puisse faire.

Elle était toujours blême – mais moins tendue que ces derniers temps, comme si l'on avait cessé de lui labourer la poitrine avec un tournevis.

— Je te demande pardon, dit-elle en chipotant sa salade. Pardon de toutes les choses horribles que je t'ai dites hier soir.

— Ça va. Moi, je te demande pardon de tous ces mystères. Je savais que ce serait très éprouvant, mais je ne voulais rien te dire avant.

— Tu avais raison, dit-elle. Il fallait que je constate par moi-même. J'avais besoin d'être choquée… et je l'ai été.

— Que s'est-il passé ? Après mon départ ?

— Mike était… abasourdi de me voir. Il m'a demandé de rentrer. Puis, quand il est rentré à son tour, nous avons discuté jusqu'à deux heures du matin. C'est pour ça que j'ai pris une journée d'arrêt maladie. La fatigue, plus le stress… Mais… je ne savais pas, dit-elle, perplexe. Je n'avais pas compris…

— À quel point il en souffrait ?

— Je ne m'en doutais absolument pas.

Elle secoua la tête.

— Jusqu'à ce que je le voie, hier soir. Nous n'en avions jamais discuté. C'était un sujet tabou.

— Pourquoi n'a-t-il jamais avoué ?

Hope était au bord des larmes.

— Parce qu'il savait que je ne changerais jamais d'avis.

— Je vois…

— Il m'a dit à quel point il m'aimait, qu'il ne voulait pas me perdre. Donc, quand il a entendu parler de ce programme à l'hôpital…

— Comment, au fait ?

— Par l'une de ses collègues. Elle était bénévole et elle lui en a glissé un mot juste avant Noël. Il s'est porté candidat – on les trie sur le volet – et il a été accepté. Il ne voulait pas m'en parler parce qu'il savait que cela susciterait une conversation très pénible, mais il avait tellement envie de tenir un bébé dans ses bras… Et ce petit bébé, Clare, est dans le service depuis plus longtemps que les autres parce qu'elle a des problèmes particuliers – alors Mike promenait toujours Clare. Il a appris qu'elle rentrait chez elle à la fin de la semaine. Il voulait qu'elle conserve un souvenir de lui.

— D'où le bracelet en argent.

Elle hocha la tête.

— Il sait qu'il ne la reverra jamais. Il ne connaîtra jamais son nom de famille, l'identité de ses parents, l'endroit où elle vit, ou quoi que ce soit sur elle. Tout ce qu'il sait, c'est qu'elle a besoin d'être tenue dans les bras.

Elle cligna des yeux pour ravaler ses larmes.

— Il s'est... beaucoup attaché à elle. Il a pleuré, quand il m'a dit qu'il ne la reverrait pas.

— Donc, il était bien tombé amoureux de Clare.

— Oui, dit-elle en tirant un mouchoir de son sac.

— Alors... vous avez parlé la moitié de la nuit. Vous êtes... parvenus à des conclusions ?

Il y eut une pause.

— Non. Mais je suis heureuse de comprendre, au moins. J'ai enfin compris à quel point Mike se sentait privé.

— Tu n'avais pas deviné ?

— Non. Non seulement il n'en parlait pas, mais il se comportait comme s'il n'éprouvait aucun intérêt pour les bébés. Maintenant, je sais qu'il s'agissait d'une façade. Il dit que, lorsque nous nous sommes mariés, il a cru que cela lui serait égal, mais que ça a commencé à le ronger depuis que nos amis ont eu des enfants. Il dit que, chaque fois qu'il doit assister à un baptême, il en revient amer et déprimé.

— Voilà pourquoi il était aussi bizarre au baptême d'Olivia.

— Oui. Et c'est pour ça qu'il ne passe jamais voir Hugh et Fliss. Felicity le déprime, avec ses radotages sur Olivia.

— Je sais ce que c'est, dis-je.

— Hier soir, Mike a fait le tour de notre joli salon crème, en disant qu'il rêvait que des enfants le saccagent, gribouillent sur les murs, renversent des trucs sur la moquette, sèment du désordre, fassent du bruit... tout ce dont je n'ai jamais voulu.

— Alors ?

302

— Alors…

Elle haussa les épaules.

— Je ne sais pas. Je suis simplement heureuse que ça n'ait pas été ce que je croyais. Mike n'a pas de maîtresse, il disait bien la vérité. Mais comment puis-je rester avec lui, désormais ? Comment, Laura ?

Ses yeux étaient de nouveau humides.

— Ce ne serait pas juste. Il m'aime, mais il veut des enfants. Et c'est incompatible.

Mon cœur se serra.

— Ne crois-tu pas pouvoir… changer d'avis ?

Elle soupira.

— Je n'ai jamais voulu d'enfant. Tu le sais. Je n'ai jamais voulu subir une grossesse, endurer les nuits de veille, le bruit, le stress. Je n'ai jamais voulu de cette responsabilité, de cette angoisse que vivent tous les parents.

Elle jouait avec son couteau.

— Tout le monde ne désire pas d'enfant, Laura. On peut vivre très bien sans, pas vrai ?

Je ne répondis rien.

— Je n'y peux rien, c'est comme ça.

— Tu ne pourrais pas… ?

Elle me dévisagea.

— Me laisser convaincre ?

Elle secoua la tête.

— Non… je ne crois pas, soupira-t-elle. Tu penses à quoi ?

— Il y a deux ans, Felicity a demandé à Mike s'il regrettait de ne pas fonder une famille.

— Vraiment ? murmura-t-elle.

— Il s'est contenté de répondre… que c'était une question d'amour.

— Ah. C'est… une jolie réponse.

— C'est ce que je me suis dit.

— Et c'est ce que tu m'as répondu, Laura, quand je t'ai demandé comment tu pouvais supporter la situation de Luke.

— C'est vrai ? Ah oui, je m'en souviens…

Nous nous tûmes, puis Hope demanda l'addition.

— Merci de ton aide, Laura.

Elle prit son sac.

— Je sais que tu ne voulais pas le faire.

— J'aurais préféré ne pas y avoir été contrainte.

Nous repoussâmes nos chaises.

— Alors… tu retournes au bureau ?

— Non, Tom a dit que je pouvais prendre l'après-midi, parce que je suis venue bosser dimanche.

— Tu vas où ?

— Prendre le thé avec Luke.

J'ouvris la porte.

— … et Magda, ajoutai-je.

— Magda ? Tu vas voir Magda ?

— Oui.

— Si c'est un poisson d'avril, Laura, il n'est pas très drôle.

— Ce n'est pas un poisson d'avril, protestai-je.

Cependant, le 1er avril était bien choisi pour rencontrer Magda, me dis-je quelques minutes plus tard, en poussant la grille de la maison de Luke. Je levai les yeux vers la chambre, et m'imaginai soudain mon jean et mon tee-shirt projetés par la fenêtre. Peut-être qu'ils avaient sauté tous seuls pour tenter de se sauver… Je me rendis compte que je transpirais en dépit de la brise. Je portai la main à la sonnette, cœur battant.

— Te voilà ! s'exclama Luke.

Il souriait largement, mais nerveusement.

— Magda et Jessica sont déjà arrivées.

— Très bien, fis-je faiblement.

Magda surgit soudain. Tout en s'avançant vers l'entrée, elle m'adressa un sourire chaleureux, comme si elle accueillait une amie très chère.

— Laura ! Comme je suis ravie que nous nous rencontrions enfin. Jessica, ma chérie, prends le manteau de Laura.

Jessica, obéit, l'air perplexe. Magda me tendit une main fraîche et sèche, qui me rappela à quel point la mienne était moite. J'avais l'impression d'être Alice au pays des merveilles, sauf que je trempais dans une piscine, non de larmes, mais de sueur. Je lui rendis sa poignée de main en espérant qu'elle ne sentirait pas l'odeur de ma peur.

— Entrez, asseyez-vous, dit-elle.

En pénétrant dans le salon, j'éprouvai à la fois du ressentiment d'être accueillie d'aussi bonne grâce chez mon propre amoureux par son ex-femme, et une jalousie fulgurante.

Magda était belle.

Ses photos ne lui rendaient pas justice. Son teint était pâle, d'une transparence blanche et bleutée d'albâtre ; ses cheveux, exceptionnellement longs, étaient aussi lourds et luisants que de la soie ; ses yeux étaient grands, très écartés, avec les mêmes énormes iris bleus que Jessica et les mêmes paupières élégamment découpées ; ses mains et ses pieds étaient minuscules, tout comme sa taille. Elle était… d'une beauté classique. Comme une ravissante poupée en porcelaine.

J'aurais voulu la haïr, moi qui avais une drôle de tête, les cheveux en broussaille et de grands pieds ; mais je n'arrivais même pas à la trouver antipathique, avec son accent adorable et son numéro de charme.

Luke rôdait derrière nous. Sa bouche, comme la mienne, était crispée dans un rictus angoissé et ses yeux étaient un peu trop écarquillés.

La Hongrie nous avait donné Edward Teller, l'inventeur de la bombe atomique, et Estée Lauder, me dis-je. La terreur et la beauté. Tout le portrait de Magda.

Elle me parla du quiz.

— Nous adorons le regarder, pas vrai, ma Jessica chérie ?

Jessica acquiesça.

— Vous êtes tellement intelligente, dit-elle en lissant la jupe de sa robe en soie fleurie. Luke m'a dit que vous étiez brillante, à l'époque de vos études ensemble.

— C'est vrai, renchérit-il. Top niveau.

Top niveau ? Luke n'usait jamais d'expressions comme « top niveau ».

— Qui veut du thé ? reprit-il.

Encore un peu, il sortait les raquettes de tennis.

— Du daarjeeling pour moi, dit-elle. Tu veux bien le préparer, Luke ? Et vous, Laura ? Qu'est-ce qui vous ferait plaisir ?

— Une infusion, marmonnai-je.

Un truc calmant, songeai-je. Voilà ce qu'il me fallait.

— Euh… une camomille, ce serait sympa. Si tu en as, ajoutai-je, comme si j'ignorais que Luke en avait deux boîtes.

Je ne voulais pas exaspérer Magda en lui rappelant que les garde-manger de la maison m'étaient familiers.

— Okay, d'accord, fit Luke en tapant dans ses mains.

Je ne l'avais jamais entendu prononcer « okay d'accord » de sa vie. Tu pourrais glisser un truc pharmaceutique dans le mien, Luke, avais-je envie d'ajouter tandis qu'il descendait à la cuisine. Du Valium, de préférence. Ou une demi-bouteille de whisky. Ou un anesthésique général. N'importe quoi, pour atténuer la tension de cette étrange rencontre. Oh, et pendant que tu y es, tu ne pourrais pas me rapporter le Narta ? J'ai une tache d'humidité de la taille du Bangladesh sous le bras gauche.

Magda papotait, comme si elle était la reine d'Angleterre tâchant de mettre à l'aise le représentant d'un pays mineur du Commonwealth ou plutôt, oui, voilà, comme si elle était la mère de Luke, à laquelle on présentait une nouvelle petite amie pour la première fois, qui s'efforçait de paraître gentille et accueillante, réservant son jugement sur le teint blafard de la pauvre fille, ses chevilles épaisses, sa gaucherie et son inadéquation évidente. Je brûlais d'avouer à Magda combien il était étrange, très étrange pour moi de bavarder ainsi de choses et d'autres avec elle, alors qu'elle venait de saccager mes affaires quarante-huit heures auparavant. Tandis qu'elle me matraquait de son charisme, je tentai d'imaginer son orgie destructrice, sans y parvenir. Je revis le peignoir démembré qui gisait encore à cette heure dans un sac-poubelle, devant la maison, tel un cadavre dépecé. Je mourais d'envie de lui demander quelles émotions s'étaient emparées d'elle pendant qu'elle le découpait et lacérait… mais la question aurait pu paraître déplacée.

Luke revint avec le thé. Il se tenait à trois mètres mais je distinguais la sueur qui perlait à son front. Exactement comme une petite amie nerveuse qui veut à tout prix faire bonne impression, j'interrogeai Magda sur ses chèvres. Bien joué. Son visage s'illumina. Elle se lança dans une conférence sur les chèvres pygmées. Il faudrait que j'essaie d'incorporer quelques questions à ce sujet dans le quiz.

— Quelles qualités doit-on rechercher lorsqu'on choisit la chèvre pygmée comme animal de compagnie ? m'enquis-je poliment.

— Les plus populaires sont les boucs châtrés, expliqua-t-elle. Je les préfère châtrés...

Je regardai Luke à la dérobée.

— ... quand ils ne sont plus obsédés par le sexe, leur intelligence se développe et... je ne sais pas...

Elle eut un élégant petit haussement d'épaules.

— ... leur personnalité.

— Leur « caprinalité », plaisanta Luke.

— Personnalité, le corrigea-t-elle en souriant. Vous voyez, la carence en testostérone les pousse à rechercher des rapports sociaux avec les humains, plutôt qu'avec leurs compagnons à quatre pattes.

— Vraiment ? m'étonnai-je.

— Oh oui. Nos chèvres nous suivent partout comme des chiens, pas vrai, Jessica ?

Jessica hocha la tête.

— Surtout Sweetie.

— Elles bêlent quand elles nous entendent. Elles aiment se coucher sur nos genoux.

— Comme c'est adorable.

— Mais nous ne les laissons pas monter sur le canapé ou sur les lits. N'est-ce pas, ma chérie ?

— Non, acquiesça sérieusement Jessica. Ni sur la table.

— Cela me semble... raisonnable. Et que mangent-elles ?

Magda sourit.

— Cela varie. Nous surnommons Heidi « Porcinette », parce que c'est une vraie petite « goinfresse », pas vrai, Jess ?

— Elle mangerait n'importe quoi, acquiesça Jessica.

— Mais les autres sont assez difficiles. Enfin, toutes les chèvres pygmées doivent manger du foin.

— Du foin de luzerne, m'écriai-je, en me rappelant soudain un propos de Luke, soulagée de pouvoir contribuer à la conversation.

— Oui, c'est ça, du foin de luzerne !

Le sourire ravi de Magda dévoila ses dents parfaites.

— … mais le problème du foin de luzerne…

— Oui ?

— … c'est qu'il contient beaucoup de sucre.

— Ah bon ?

— Ce qui peut engendrer un surpoids, voire l'obésité, et le risque de calculs rénaux.

J'affichai une mine inquiète.

— … et puis elles doivent avoir un bloc de sels minéraux à lécher. Très important.

Jessica acquiesça d'un air avisé.

— C'est pour ça que Phoebe a été malade l'autre jour ? m'enquis-je avec sollicitude.

— Oui. C'était une carence en sels minéraux. Elle avait une méchante fièvre, mais elle va beaucoup mieux, maintenant.

— Où dorment-elles ? Je me suis souvent posé la question.

— Elles ont un abri, bien entendu. À Chiswick, nous avons deux grandes niches en forme d'igloo. Elles peuvent se percher dessus et jouer à « je suis le seigneur du château ». C'est leur jeu préféré.

— Et elles peuvent dormir dedans, ajouta joyeusement Jessica.

— Ou s'y retirer pendant la journée pour être tranquilles, dit Magda. Elles aiment se coucher tôt.

— Avec un bon bouquin ? plaisantai-je.

La perplexité déforma un instant les traits ravissants de Magda.

— Non, Laura. Les chèvres ne savent pas lire. Je veux dire que les chèvres ont leurs habitudes. Elles se couchent au crépuscule et se lèvent à l'aube.

— Et elles n'aiment pas la pluie, précisa Jessica.

— Ah non ! pas vrai, ma chérie ? On croirait qu'elles sont en sucre !

Nous nous esclaffâmes.

— Mais on peut les promener en laisse, vous savez ?

— Vous le faites ?

— Oui, parce que je les fais participer à des concours. Cela fait partie de leur dressage.

— Vous avez gagné des prix ?

— Oh oui ! Laura. Plein !

Elle se lança dans la liste des rosettes remportées par Sweetie et Yogi à la foire de Surrey et au Royal Show, à Windsor.

— Phoebe a failli décrocher la médaille d'or au concours du sud de l'Angleterre, ajouta-t-elle. Elle était manifestement la meilleure de sa catégorie. Malheureusement, elle n'a remporté que le bronze.

— Vraiment ?

J'avais éprouvé l'ombre d'une déception sincère.

— Mais, entre nous… le concours était truqué.

— Truqué ?

Madga et Jessica hochèrent lentement la tête.

— Hélas, le monde des chèvres pygmées est très corrompu, reprit Magda en pinçant ses lèvres ravissantes. Mais les miennes ont beaucoup de succès. Yogi est en ce moment « Chèvre du mois » sur le site Web des chèvres pygmées.

— Vous devez en être très fière.

— Oh oui ! Ce sont des animaux adorables… et tellement intelligents.

— Je n'en suis pas si sûr, dit Luke. Ne nous voilons pas la face, Magda, les chèvres ont un QI de trente-cinq.

En voilà, une question pour le quiz ! Quel est le quotient intellectuel moyen d'une chèvre pygmée ? Trente-cinq.

— Non ! Elles sont très intelligentes, insista Magda.

Elle consulta sa montre.

— Bon sang, je dois y aller ! Je dois nourrir les petites chéries, puis Steve passe me prendre pour un dîner… Enfin, j'ai été ravie de vous rencontrer, Laura.

Elle m'étreignit chaleureusement. J'espérais qu'elle ne remarquerait pas l'odeur fétide de mes aisselles.

— Au revoir, ma Jessica chérie.

Elle l'embrassa.

— Sois gentille avec papa, mon petit ange. Au revoir, Luke.

Il l'accompagna à la porte, puis revint dans le salon, sourit et tapa dans ses mains.

— Bien, dit-il. C'était sympa, non ?

11

— Comme c'est bizarre, déclara Felicity, quelques jours plus tard, lorsque je lui racontai ma rencontre avec Magda.

Elle donnait le sein à Olivia et pressait le lait de l'autre sein à l'aide d'une pompe électrique. Je visualisai soudain une coupe transversale d'un sein allaitant, avec son réseau de canaux de lactations, ses alvéoles et ses tubercules de Montgomery.

— … donc, elle déchiquette tes vêtements et ensuite, elle est charmante avec toi. Comme c'est…

— Capricieux ? lançai-je.

La pompe électrique bourdonnait comme une fraise de dentiste. Avec sa valve en silicone qui se soulevait et s'abaissait régulièrement, on aurait dit que le gadget respirait.

— J'allais dire « étrange ». Elle est peut-être bipolaire. Il paraît que ça engendre des sautes d'humeur incroyables.

— Elle était vraiment charmante, fis-je, perplexe.

La bouteille de lait était déjà aux deux tiers pleine. Fliss mangeait-elle de l'herbe, pour en produire autant qu'une vache ?

— Mais elle est complètement folle, ça saute aux yeux, précisai-je.

— Luke a dû être soulagé qu'elle soit correcte avec toi.

— En effet.

— S'est-elle excusée de ce qu'elle a fait subir à tes vêtements ?

— Non, au contraire. On aurait cru que c'était elle qui me pardonnait, elle qui avait décidé, dans sa magnanimité, d'oublier ma conduite innommable.

— Madame est « magdanime ».

— Je crois que sa politesse était sa façon à elle de s'excuser.

— Pourquoi ce revirement ?

Fliss éteignit la pompe et me fit signe d'ajuster le capuchon jaune sur la bouteille pleine. En la prenant, je sentis sa tiédeur.

— D'après Luke, Magda est sincèrement contrite – elle a compris qu'elle était allée trop loin, même pour elle. Il pense aussi que ça se passe bien avec son mec. Ils ont traversé une période difficile quand elle s'est empoignée avec l'un de ses principaux clients. Apparemment, ils se sont rabibochés.

— Qu'est-ce qu'il lui trouve ? questionna-t-elle en fourrant son sein gauche dans son bonnet de soutien-gorge.

— La même chose que Luke, je suppose.

— C'est-à-dire ?

J'imaginai la main de Luke, légèrement tremblante tandis qu'il la dessinait nue pour la première fois.

— Elle est belle à tomber.

— Vraiment.

— Elle est vraiment… belle. On ne peut s'empêcher de la regarder.

— C'est embêtant, dit Fliss.

Je fus touchée par sa loyauté.

— C'est mesquin de ma part, mais j'aurais préféré qu'elle soit plus ordinaire. Hélas, elle ressemble à une jeune Catherine Deneuve.

— Mais Luke n'était pas heureux avec elle, n'est-ce pas, Laura ?

— C'est vrai. Son comportement était tellement bizarre qu'il a cessé de l'aimer.

— Et c'est toi qu'il veut.

— C'est ce qu'il ne cesse de me répéter. Il veut qu'on soit ensemble.

— Très bien. Alors il a des projets d'avenir. Et les enfants ? demanda-t-elle en redressant Olivia pour lui faire faire son rot. Il en veut d'autres ?

Elle essuya un peu de lait régurgité sur son chemisier avec un Kleenex en boule.

— Nous n'en avons pas discuté, mais j'en suis sûre.

— Ce serait merveilleux, dit-elle en posant Olivia sur mes genoux.

Elle ouvrit le congélateur pour y placer la bouteille de lait. Il y en avait plusieurs, alignées comme des quilles.

— C'est un tel bonheur, d'être enceinte, Laura.

— Je sais, dis-je.

Elle me dévisagea.

— Enfin, c'est ce que tu me répètes sans arrêt.

Et je pensai, *mais je ne t'ai jamais dit, je n'ai jamais dit à personne, sauf à Nick, que j'ai déjà été enceinte*.

— Ce serait génial que tu en fasses un bientôt… et tu adorerais ça, hein, mon poussin adoré ? dit-elle en caressant le nez d'Olivia de l'index. Un petit cousin pour jouer avec toi, ce serait génial, non ?

— Kosaaltagazagoyagoya, répondit Olivia.

— Quel dommage que Hope ne veuille pas que la cigogne passe chez elle, ajouta Felicity.

— Oui, en effet, c'est dommage.

Je ne lui avais rien dit des problèmes de Hope.

— Ça n'a pas l'air de gêner Mike, en tout cas.

— Hum.

— Tu sais d'où ça vient, cette histoire de cigogne ? demanda-t-elle.

— Non.

— C'est une légende nordique : les âmes des enfants à naître vivent dans des zones humides, comme les lacs ou les marécages. Comme les cigognes fréquentent ces zones, on s'est imaginé qu'elles ramassaient les âmes des bébés et les livraient à leurs parents. C'est joli, non ? soupira-t-elle.

— Oui, très joli.

Tandis que Felicity reprenait Olivia, je me demandai où l'âme de mon bébé avait vécu – dans une source, ou un ruisseau, ou une rivière. J'imaginai la cigogne la happer, pour me la porter en battant lourdement, lentement des ailes. Puis, soudain, faire demi-tour à mi-chemin.

— Je ne t'ai jamais posé la question, Laura... Nick voulait-il des enfants ?

Une vague d'amertume me submergea.

— Je... ne sais pas... Enfin, peu importe maintenant, non ?

— Toujours pas de nouvelles ? s'enquit-elle.

Je secouai la tête.

— Même avec tout ce tintouin ?

— Non. Le *Daily Post* a demandé à ses lecteurs d'appeler un numéro vert s'ils savaient où il se trouvait.

Le *Daily News* a surenchéri en lançant ses deux meilleurs journalistes d'investigation sur l'affaire.

— Ils pourraient bien le retrouver.

— Je ne crois pas. C'est l'homme invisible.

— Que ferais-tu s'ils y parvenaient ?

Je levai les yeux vers elle.

— Mon Dieu… je ne sais pas. C'est une question effrayante.

— Tu auras peut-être à y répondre… s'ils le retrouvent.

— Ils n'y parviendront pas, insistai-je. Ils ne peuvent pas investir plus de quelques jours sur cette enquête. Il faudrait qu'elle aboutisse bientôt. Au fait, Hugh t'a dit qu'il m'avait vue au vernissage de Luke, l'autre soir ?

— Oui. Il y est passé avec Chantal.

— Elle m'a semblé un peu… gênée, Fliss. Elle a rougi quand elle m'a vue.

— Je sais que tu ne l'as jamais trouvée très sympathique, Laura, mais tu ne devrais pas t'imaginer le pire, à propos d'elle.

— Et toi, tu ne devrais pas t'imaginer le meilleur. Je te le répète, Fliss, elle avait un air… sournois. Elle lui court après.

— Écoute, je connais Chantal. Il n'y a pas de crainte à avoir. Ils étaient ensemble parce qu'ils avaient rendez-vous pour discuter de cette mystérieuse invention de Hugh… il m'a dit ce que c'était.

— Vraiment ?

— Oui. Le brevet vient d'être déposé, donc ils peuvent en parler.

— De quoi s'agit-il ?

— Eh bien !… c'est un truc pour bébés. Tu sais, combien je ne cesse de me plaindre de ne jamais avoir un linge sous la main quand j'en ai besoin ?

Je contemplai son tee-shirt maculé de bave.

— Oui.

— Et quand j'en ai un, comment ce maudit machin n'arrête pas de glisser ?

— Oui.

— C'est ce qui a donné l'idée à Hugh. Il a inventé une bavette à rototos… Ce n'est pas un linge, c'est attaché. Il s'agit d'une pièce de flanelle doublée en PVC. Ça se place devant et derrière, comme ça, de sorte qu'on est complètement protégé. Ça passe là, et puis par là, plus bas…

Elle gesticulait maladroitement vers son épaule gauche.

— En fait, je vais te montrer, ce sera plus simple.

Fliss se pencha vers moi, toucha mon épaule gauche et dessina le tracé de ses doigts, effleurant mon sein.

— C'est plus étroit sous le bras, là… ça se fixe avec du Velcro, puis il y a une agrafe ici…

Elle me toucha le cou.

— … pour que ça reste bien attaché au col.

— Tu viens de me toucher le sein.

— Pardon.

— Non, je ne te le reproche pas. Je viens de piger un truc.

— Quoi ?

— C'est peut-être pour ça que j'ai cru voir Hugh peloter Chantal.

Je me repassai la scène, chez Julie's.

— Chantal et lui devaient discuter de ce machin…

— Exactement… c'est pour ça qu'ils se voyaient. Chantal s'est occupée du brevet, qui nécessite une description technique très détaillée. Il fallait donc qu'elle connaisse parfaitement le fonctionnement de l'article et sa façon de s'ajuster.

— Donc, Hugh était en train de le lui expliquer ?

— Oui.

— Ah.

J'avais peut-être été totalement injuste. Je me repassai de nouveau la scène. Puis encore. Effectivement, j'avais été injuste. J'en éprouvai un pincement de culpabilité. Il y avait donc une explication parfaitement innocente.

— Tout de même, ils avaient l'air un peu trop heureux…, insistai-je.

— Ils l'étaient, répondit Fliss. Tout simplement parce qu'ils croient que le bavoir a de vraies chances de succès. Tu sais, je n'arrête pas de répéter à Hugh d'inventer un truc vraiment utile. Ça y est peut-être. Avec ça, plus besoin de chercher constamment un linge, plus besoin de nettoyer les vomis de bébé. Les bavoirs seront vendus par paquets de cinq. On en passe un le matin, on le remplace au fur et à mesure, et on met ceux qui sont sales à la lessive. Je trouve que c'est une bonne idée.

— C'est vrai… Ce bon vieux Hugh…

— Oui. Ça pourrait même nous rapporter de l'argent. Chantal et lui sont vraiment optimistes. Elle va investir sur le développement. Ça peut durer un bon moment, et nous en sommes à nos dernières économies. Heureusement, reprit-elle, Olivia a décroché la pub Couchidou… Pas vrai, mon petit bébé ? Donc on peut encore tenir un mois. Elle a encore deux castings télé à la fin de la semaine, je compte là-dessus, ça nous fera encore trois mille au moins, à cause des droits de diffusion…

Fliss me parla de tous les castings où elle conduisait Olivia, des autres mères qu'elle avait croisées, de leur esprit de compétition absolument dégoûtant, etc., puis elle se mit à radoter sur le fait qu'Olivia avait déjà dépassé le stade des vidéos « Bébé Einstein », et que maintenant, elle était manifestement capable de « suivre » une histoire destinée à des enfants de deux à quatre ans. Je fus soulagée d'entendre sonner mon téléphone portable. C'était Darren Sillitoe, qui me rappelait pour savoir si j'avais pris une décision, concernant l'interview.

— Je comprends que vous hésitiez, dit-il. Mais je voulais vous faire savoir que mon rédacteur en chef s'est engagé, si vous nous donnez votre accord, non seulement à verser un don à l'association d'aide aux personnes disparues, mais aussi d'en faire notre organisme caritatif officiel lors de notre appel aux dons de Noël.

— Vraiment ?

— Comme nous avons plus de deux millions de lecteurs, cela pourrait leur rapporter beaucoup d'argent... Au moins deux cent mille livres. Peut-être plus.

Je repensai au soutien que m'avait apporté l'organisation lorsque j'étais au tréfonds du désespoir. Je songeai à ma responsable de dossier, Trish, qui m'avait téléphoné trois fois par jour au cours de quatre premiers mois infernaux, quand nous ne savions même pas si Nick était vivant ou mort.

— Songez à tout ce que l'on peut faire avec deux cent mille livres, insistait Darren, d'une voix douce et basse, presque hypnotique.

— Eh bien...

Il aurait été égoïste de ma part de refuser et, en outre, oui, je tenais à faire connaître ma version des faits. Je voulais démentir toutes les calomnies répandues sur mon compte.

— D'accord, dis-je. Je vais le faire. Mais uniquement si vous me confirmez par écrit que je peux relire la copie.

— Oui, bien sûr.

Le lendemain matin je montai voir Tom pour le mettre au courant de l'interview. Il lisait le journal en fumant l'une de ses rares cigarettes.

— Tom ?

Il releva la tête.

— Bon sang ! m'exclamai-je. Que t'est-il arrivé ?

On aurait dit qu'il s'était pris un rocher en ski. L'orbite de son œil droit était prune, auréolé de jaune. Le bleu de son iris était à peine perceptible entre ses paupières tuméfiées.

— Ah.

Il tapota prudemment sa tempe.

— J'ai eu le plaisir d'être présenté à l'ex de Gina en bonne et due forme, hier soir. Un type charmant.

Il écrasa sa cigarette.

— C'est ce que je constate. Qu'est-ce qui s'est passé ?

— Il s'est pointé à minuit, ivre mort. Il voulait voir si j'étais là. Gina n'avait pas mis la chaîne et il a réussi à entrer de force. Je lui ai donc poliment suggéré de partir. Il l'a pris de travers.

— Vous vous êtes battus ?

Tom hocha la tête.

— Il s'est jeté sur moi, m'a balancé un coup de poing dans l'œil et s'est tiré en marmonnant que, la prochaine fois qu'il me trouvait là, il me tuerait.

— Tu as prévenu la police ?

— Non. S'il était condamné, il aurait un casier judiciaire, ce qui ne rendrait pas service à Gina... ou à Sam, le pauvre gamin. Mais il a intérêt à se tenir à carreau. Enfin, c'est gênant. Je dois aller à Cannes la semaine prochaine et je ne veux pas qu'on croie que je me suis bagarré. Je vais devoir porter des lunettes de soleil en permanence.

— Tout le monde en porte là-bas, ne t'en fais pas. En plus, ça se verra moins d'ici là.

— Et alors, ton ex à toi ? demanda-t-il. Enfin, celle de Luke ?

Je lui racontai l'histoire du kimono. Son œil valide s'écarquilla d'horreur.

— Deux jours plus tard, on a pris le thé ensemble et maintenant, paraît-il, on va devenir amies.

— Vraiment ?

— Peut-être, m'esclaffai-je. Je l'ignore. C'est ce que Luke espère.

— C'est un objectif parfaitement honorable.

— Je ne suis pas certaine qu'il soit réalisable. Le problème, c'est que Luke a des amis qui, dans la même situation, se comportent de façon incroyablement civilisée : déjeuners dominicaux en famille, Noëls partagés, tu vois le genre. Autrement dit, le scénario de rêve. Il voudrait qu'on soit comme ça, nous aussi. Il a un fantasme de famille recomposée idéale. Mais d'après moi, la façon dont Magda rêve de m'incorporer à la famille nécessiterait un Magimix géant. Enfin, je voulais que tu saches que je vais parler à la presse. Je viens d'accepter de donner une interview au *Sunday Semaphore* parce que j'en ai assez de la merde que publient les tabloïds.

— Je pense que c'est une bonne décision. À condition que le journaliste soit correct.

— Il a l'air sympathique. Il s'appelle Darren Sillitoe.

Tom secoua la tête.

— Ça ne me dit rien.

— Ni à moi non plus… mais on a eu un bon contact au téléphone.

— Vérifie avec Channel Four.

— Si tu veux, mais je ne suis pas inquiète. J'ai réussi à obtenir un bon pour accord sur l'article. Il vient de me le faire parvenir par email.

— Alors pas de problème… Fonce.

L'interview eut lieu jeudi après-midi. Je croyais que Darren me donnerait rendez-vous dans un café ou un hôtel, mais il me dit que je semblerais plus sympathique si j'étais interviewée chez moi, plutôt que dans un troquet chic. Je fus touchée par son souci de me mettre en valeur. L'attachée de presse de Channel Four m'avait demandé si je préférais qu'elle soit présente. J'avais répondu que je m'en tirerais très bien toute seule.

Le photographe arriva le premier et prit rapidement deux bobines de pellicule.

— Vous ne voulez pas que je sourie ? lui demandai-je tandis qu'il me visait de son objectif.

— Pas vraiment. Le journaliste m'a dit qu'il recherchait une certaine gravité. Voilà. Sérieuse…

Darren se présenta à quatre heures et demie. Au téléphone, on lui aurait donné la quarantaine, mais il semblait âgé d'environ vingt-cinq ans. Ses lunettes et son allure de lycéen gringalet contrastaient vivement avec sa voix assurée et courtoise.

— Vous êtes journaliste depuis longtemps ? lui demandai-je tout en lui préparant un café.

— Environ un an et demi.

— Vous prenez du lait ?

— De la crème, si vous en avez. Et vous n'auriez pas un petit gâteau, par hasard ?

— Bien sûr.

— Je n'ai pas déjeuné.

— Vous voulez plutôt un sandwich ? Je peux vous en préparer un.

Il secoua la tête. Je posai des biscuits au chocolat sur une assiette.

— Vous faisiez quoi, avant ?

— Je travaillais à la City. Puis je me suis lancé dans le capital-risques. Mais j'ai pensé que le journalisme serait plus amusant.

— C'est le cas ?

— Oui, *grosso modo*.

Je lui demandai quelles autres interviews il avait réalisées. Il me répondit qu'il écrivait pour les pages sportives et qu'il s'agissait de son premier grand portrait. Voilà pourquoi son nom ne me disait rien. De plus, je lis rarement le *Semaphore*.

Nous nous installâmes dans le salon. Il me dit qu'il préférait commencer par une brève conversation en « off ». Il n'actionnerait le magnéto qu'au moment où nous serions tous deux prêts à commencer. Il exprima son étonnement de me voir habiter une petite rue aussi ordinaire, étant donné l'immense succès du quiz. Je lui expliquai que je n'avais pas pu déménager.

— Vous préféreriez habiter un quartier plus chic que Ladbroke Grove ?

— Plus chic, je ne sais pas, mais je n'hésiterais pas à partir. Non pas parce que je n'aime pas le quartier – il est merveilleusement cosmopolite – mais parce qu'il a de mauvaises vibrations pour moi, dorénavant, pour des raisons évidentes.

Il hocha la tête, compréhensif.

— Et puis, les voisins m'exaspèrent.

— Pourquoi ?

— À cause des ragots… C'est une petite rue où tout se sait. Ils sont gentils, mais j'aimerais habiter un endroit où je sois un peu plus anonyme.

— Il n'y a pas beaucoup de traces de votre mari ici, dit-il en regardant autour de lui.

— J'ai rangé toutes ses affaires. Je ne supportais plus de les voir.

— Vous vouliez effacer les souvenirs ?

— Non, mais il était temps d'aller de l'avant. Tout ce qui me rappelait concrètement qu'il avait vécu ici me freinait.

— Je comprends. Vous avez dû vous sentir soulagée.

— En effet. Je me suis sentie libérée, mais un peu cruelle en même temps. Pourtant, il fallait que je tente de m'affranchir du passé.

Darren parcourut rapidement sa liste de questions avec moi et me demanda de lui esquisser des réponses. Tout d'abord, il voulait savoir comment on avait eu l'idée du quiz et ce qui faisait qu'un quiz fonctionne. Puis il me demanda mon avis sur les autres présentateurs. Anne Robinson, par exemple. Je lui dis que je n'avais pas l'intention de répondre à cette question car je n'étais pas fan. Je n'avais aucune envie de la critiquer.

— Je suis d'accord, dit-il. *Le Maillon faible* est assez nul, pas vrai ?

— Enfin… les questions ne sont pas d'un très haut niveau. Mais l'émission est très populaire. Donc, elle se débrouille bien.

— Et que pensez-vous de Jeremy Paxman ?

— Il est parfois arrogant et impatient, mais en même temps, il a une sorte d'autorité enjouée que je trouve très attachante. Et, évidemment, il est très futé, alors… non, je ne vois pas d'inconvénient à parler de lui.

— Celui que je ne supporte pas, me confia-t-il soudain, c'est Robert Robinson sur *Brain of Britain*. Il est sinistre, vous ne trouvez pas ?

— Enfin… oui. Il est sinistre, en effet.

— En plus, quand une femme trouve la bonne réponse, il n'arrive pas à dissimuler son étonnement.

— Je sais ! gloussai-je.

— Ah bravo ! madame Smith. C'est la bonne réponse ! Incroyable !

Je levai les yeux au ciel.

— À vrai dire, je ne l'écoute jamais. Il me donne envie de balancer la radio par la fenêtre.

Nous poursuivîmes encore un moment la discussion sur ce ton plaisant. Puis Darren me demanda si j'étais prête à commencer. J'acquiesçai. Il appuya sur le bouton rouge du petit magnétophone et le poussa vers moi.

— Bon, on y va. Première question…

Je n'avais jamais été interviewée auparavant, mais l'attachée de presse de Channel Four m'avait conseillé de donner des réponses courtes. « Quand vous avez le sentiment d'avoir dit ce que vous vouliez dire, motus et bouche cousue, m'avait-elle expliqué. N'essayez pas de dépanner le journaliste en comblant les silences… Vous risquez de vous faire piéger. » Le conseil était judicieux, mais je comprenais aussi que Darren avait besoin d'un matériel vivant pour rédiger un article intéressant. Je décidai de trouver l'équilibre entre la franchise amicale et la circonspection nécessaire.

Il m'interrogea sur Cambridge et mes débuts à la BBC, où j'avais rencontré Tom avant d'aller travailler pour lui. Puis nous parlâmes du quiz, et de la façon dont j'avais été choisie pour le présenter. Il ne me posa aucune question sur les autres présentateurs, à mon grand soulagement. Nous parlâmes de Luke et je pus rétablir la vérité sur sa situation personnelle et le moment où nous nous étions revus. Puis Darren aborda le sujet de Nick. Je lui parlai de son travail avec Sudan-Ease et de notre mariage. Il me demanda pourquoi on ne voyait aucun de ses effets dans l'appartement.

— J'ai décidé de tout ranger, expliquai-je de nouveau. J'ai attendu trois ans pour le faire, et j'avais le sentiment qu'il était enfin temps d'aller de l'avant. Je voulais recommencer à vivre.

— Qui pourrait vous le reprocher ? dit-il. Trois ans, c'est long. Pourriez-vous me parler du jour où Nick a disparu ? Comment cela s'est passé ?

Tandis que Darren hochait la tête avec bienveillance, je racontai tout en détail, jusqu'au mois que j'avais passé à rechercher Nick et aux deux appels raccrochés qui avaient sans doute été mon dernier contact avec lui. À une ou deux reprises, je dus m'arrêter pour me ressaisir, mais j'étais fière d'avoir réussi à ne pas fondre en larmes. Je ne voulais pas que l'on me représente en victime.

— Qu'est-ce qui a été le plus pénible pour vous, Laura ? Mis à part l'absence concrète de Nick ?

— Les fois où quelqu'un a cru l'apercevoir… Au début, c'est arrivé à quelques reprises. Et puis les jalons. Quand je me suis rendu compte que Nick avait disparu depuis mille jours, par exemple… Ça a été très douloureux. Le jour de son anniversaire ou du mien, ou de notre anniversaire de mariage. Notre dixième anniversaire de mariage aura lieu début mai, donc je m'y prépare. Noël est toujours difficile à vivre, évidemment, et le jour de l'An, puisque c'est arrivé ce jour-là.

— Quand vous avez appris par l'association d'aide aux personnes disparues que Nick allait bien, mais qu'il ne souhaitait aucun contact avec vous, qu'avez-vous ressenti ?

— Ça a été un coup très dur. Et cela m'a affreusement blessée.

— Cela vous a étonnée ?

Je le dévisageai.

— Oui, bien sûr. Bien sûr que ça m'a étonnée. Très étonnée.

Darren m'interrogea ensuite sur les articles des tabloïds. Je lui racontai combien cela avait été dur, de lire autant de mensonges sur moi.

— Des mensonges… et des insinuations, ajouta-t-il. Par exemple, que vous étiez… disons… responsable d'une quelconque façon de la disparition de votre mari.

Je ne répondis pas tout de suite.

— En effet.

— Que vous l'aviez provoquée.

— Oui. C'est en effet ce qui a été insinué.

— Comment auriez-vous pu en être responsable ?

— Je ne sais pas… Ils s'imaginent peut-être que… que je me suis mal comportée envers lui… ou que je l'ai blessé… ou que je l'ai poussé à s'enfuir… Voilà ce qu'ils laissent entendre.

— Y a-t-il une part de vérité à cela ?

Je m'empourprai.

— Désolé de vous poser la question, s'empressa-t-il d'ajouter. Je vous le demande uniquement pour que vous puissiez le démentir.

Je le regardai fixement.

— Il n'y a pas la moindre vérité là-dessous, dis-je. Pas la moindre.

— Donc, vous ne vous sentez pas coupable ? insista-t-il d'une voix douce.

— Enfin... si, je me sens coupable. Dans ce genre de situation, n'importe qui se sentirait coupable. C'est naturel quand votre partenaire a disparu sans que l'on sache où il est allé...

— Ou pourquoi il est parti ?

Un ange passa.

— Ou pourquoi il est parti, soupirai-je. On a le sentiment... de l'avoir déçu. Alors, oui, bien sûr, on se sent... coupable.

— Même si ce n'est pas de votre faute ?

Une vague de honte et de chagrin me submergea.

— Oui.

— Vous vous demandez s'il s'agit de quelque chose que vous avez dit, ou fait... ou que vous n'avez pas fait ?

Je me tortillai sur mon fauteuil et soupirai.

— Oui. On se repasse toutes les conversations... jusqu'à l'obsession.

— Si c'était de votre faute, alors...

Je détournai le regard.

— Ce n'est pas de ma faute.

— Si ce l'était, qu'éprouveriez-vous ?

— Ce que j'éprouverais ? Que pourrait-on éprouver dans ces cas-là ? Je serais... malheureuse, bien sûr. Absolument accablée. Mais comme je l'ai déjà dit, ce n'est pas de ma faute.

Motus et bouche cousue.

— C'est curieux, non ? reprit Darren après un moment. Que vous soyez la présentatrice d'un quiz et que vous viviez avec une énorme question sans réponse.

— L'ironie de la situation ne m'a pas échappé.

— La frénésie des médias vous a-t-elle choquée ?

— Totalement. Je savais que les journaux s'intéresseraient à moi dès qu'ils auraient vent de l'histoire, mais je ne m'attendais pas à ce que ce soit à ce point.

— Vous comprenez que les gens soient curieux ?

— Plus ou moins. Si cela ne m'arrivait pas à moi, personnellement, je suppose que je serais curieuse, moi aussi. S'il s'agissait d'une autre présentatrice dont le mari avait disparu depuis trois ans, chaque fois que je la verrais à la télé ou que je lirais un article sur elle, je me demanderais sans doute où il est, comment il vit, ce qu'elle a fait pour tenter de le retrouver… Si elle le reverra un jour…

— Et pourquoi il est parti. Vous vous poseriez la question, n'est-ce pas ?

Il me dévisagea.

— Enfin… je ne sais pas.

— Vous vous demanderiez sûrement pourquoi il l'a fait ? Ce qui s'est vraiment passé ?

— Peut-être, bien que…

— Vous vous demanderiez ce qui s'est produit ?

— Écoutez, c'est très complexe, de toute évidence. Les gens disparaissent pour toutes sortes de raisons. N'est-ce pas ?

— Ils doivent être malheureux, perdus… Nick était-il malheureux, perdu ?

— Je… je ne sais pas. Je crois… enfin… peut-être…

— Autrement, il n'aurait pas fait ce qu'il a fait.

— Sans doute pas.

— Et pourquoi, à votre avis, était-il dans cet état ?

Je regardai fixement Darren.

— Je... ne sais pas. Son père est mort peu de temps avant. Je crois que cela a pu jouer.

— Mais il y a autre chose ?

Motus.

— Non. Rien. Rien du tout. Vous pourriez peut-être passer à une autre question, maintenant.

Il y eut une courte pause, puis Darren me posa encore quelques questions sur le quiz. Je lui parlai de la deuxième saison qui démarrerait en septembre et des émissions que nous étions en train de développer grâce au succès de *Vous savez quoi ?*.

— Ainsi, la société de production est en plein boum.

— Oui. Le concept du quiz vient d'être vendu à huit pays, y compris les États-Unis, ce qui va nous permettre de nous développer. Nous sommes actuellement en train de recruter, les bureaux vont être rénovés. Trident marche très bien, conclus-je avec une bouffée de fierté.

Darren se pencha en avant et éteignit le magnétophone.

— Voilà, je crois qu'on a fait le tour du sujet, Laura. Merci beaucoup. J'ai assez de matériel et je ne veux pas vous retenir.

— Très bien. Vous me montrerez les citations ?

— Oui. Je vous les envoie par fax ou je vous les lis au téléphone.

— Ce sera pour quand, à votre avis ?

Il fouilla dans son attaché-case.

— Pas avant deux semaines, parce que nous avons décidé de passer l'article dimanche 1er mai pour coïncider avec le début du Mois national des Personnes disparues.

— C'est une idée formidable. Ça va aider à la collecte de fonds. Je vais prévenir l'association.

Je l'accompagnai jusqu'au palier. Je posais la main sur la poignée quand la porte d'entrée s'ouvrit de l'extérieur. Cynthia parut, chargée de deux cabas.

— Bonjour, Laura, dit-elle d'une voix lasse.

Sous le soleil pâlissant, elle semblait, tout d'un coup, frêle et épuisée. Puis, en apercevant Darren, elle rougit.

— Cynthia, voici Darren Sillitoe.

Elle cilla. Puis elle lui adressa un petit sourire crispé, visiblement hostile. Darren parut surpris.

— Vous la connaissez ? soufflai-je tandis qu'elle montait l'escalier.

— Non, je ne l'ai jamais vue.

Bizarre. Mais Cynthia était parfois assez excentrique.

— Merci d'être venu, Darren. J'espère que l'article ne vous donnera pas trop de mal.

— Je ne crois pas.

Alors qu'il descendait l'escalier, j'entendis la porte de Cynthia s'ouvrir.

— Il est parti ? souffla-t-elle dans un chuchotement théâtral.

— Oui.

Je me retournai.

— Il y a un problème ?

— Je vais vous dire quel est le problème, dit-elle en descendant. Le problème, c'est que c'est un petit con.

— Pardon ?

— Ce jeune homme est un petit con, répéta-t-elle, véhémente.

— Vous êtes un peu sévère, Cynthia. Il m'a semblé très correct.

— Il ne l'est pas. Tous des cons.

Elle parlait sans doute des journalistes, ses bêtes noires. Mais… comment savait-elle qu'il s'agissait d'un journaliste, alors que je ne l'en avais pas informée ? Peut-être, après tout, était-elle vraiment médium.

— Tous des salauds hypocrites, ajouta-t-elle. Darren Sillitoe, je vous demande un peu.

— Mais… c'est son nom, Cynthia.

— Faux. Il ment. Son vrai nom, c'est Darren Farquhar. F, a, r, q, u, h, a, r, énonça-t-elle, méprisante.

— Ah ?

— Je regrette beaucoup que vous ne l'ayez pas envoyé promener. Il vient de vous interviewer ?

— Oui.

— Aïe, aïe, aïe.

Elle secoua la tête.

— Que voulez-vous dire par « aïe, aïe, aïe » ? Il m'a semblé tout à fait correct… gentil, même.

— C'est sa stratégie, dit-elle. Mais il n'est pas gentil. C'est un petit…

— Cynthia, l'interrompis-je, en sentant monter la panique. Voudriez-vous bien m'expliquer ? Vous me faites peur.

— D'accord. Je vais vous expliquer. Venez.

Je la suivis jusqu'à son appartement. C'était la première fois qu'elle m'y invitait. L'ameublement était de bon goût mais il était clair que, comme Cynthia, il avait connu de meilleurs jours. Le brocart chinois de la chaise longue était très élimé, tout comme l'abat-jour en soie de la lampe. Les coussins en velours de son canapé étaient chauves par endroits et les franges de son tapis persan avaient été arrachées. Sur le buffet en acajou étaient disposés une dizaine de cadres en argent contenant des photos en noir et blanc de Cynthia, jeune. Pendant qu'elle préparait le thé, je les examinai.

Elle était encore assez séduisante aujourd'hui, mais dans sa jeunesse, c'était une vraie beauté. Une Claudia Cardinale britannique.

— Darren Sillitoe, mon œil ! marmonna-t-elle en entrant avec son plateau. En réalité, il s'appelle Darren Farquhar. Sillitoe, c'est le nom de jeune fille de sa mère.

Mon estomac se retourna.

— Comment le savez-vous ?

— Parce que…

Sa main trembla en soulevant la théière en argent.

— … je connais son père. Nous avons longtemps été… proches.

Soudain, Hans apparut pour se frotter contre les jambes de Cynthia.

— Qui est son père ?

— Sir John Farquhar.

— C'est le directeur général du *Sunday Semaphore*, non ?

— Oui, dit-elle d'une voix acide tandis que Hans se lovait sur ses genoux.

— Pourquoi Darren ne vous a-t-il pas reconnue, puisque vous connaissez aussi bien son père ?

— Parce que Darren et moi, nous ne nous sommes jamais croisés. Mais j'ai vu plusieurs photos de lui. Ma relation avec son père était… officieuse. J'étais…

Ah !

— Son amie ? suggérai-je.

— Sa maîtresse. Je ne mâche pas mes mots. J'ai été sa maîtresse, Laura. Pendant vingt-cinq ans.

— C'est long, soufflai-je.

— À qui le dites-vous ? fit-elle d'une voix lasse.

Elle me passa une tasse de thé à motifs de chintz.

— Je ne pouvais pas me plaindre. J'avais un très joli appartement, sur Hans Place. Je disposais d'une rente mensuelle, d'un compte chez Harrods. J'allais à Marrakech et à St-Barth. J'avais une loge à l'opéra. Je dînais au Ritz. Je portais des vêtements haute couture…

Voilà qui expliquait ses tenues élégantes.

— … Bien sûr, je rêvais d'épouser John, reprit-elle. Mais il me disait que c'était moi, sa vraie femme. Son âme sœur. (Sa voix s'étrangla.) Voilà ce qu'il me répétait. Il me jurait qu'il ne pourrait pas vivre sans moi.

Elle caressa Hans pour se ressaisir.

— Comment vous êtes-vous rencontrés ?

— À la première royale de *L'espion qui m'aimait*, en 1977. J'avais trente-six ans, et John dix de plus. C'était un homme séduisant et puissant. Il avait été journaliste pendant vingt ans, mais grâce à d'habiles manœuvres, il avait réussi à siéger au conseil d'administration de plusieurs sociétés, y compris celle qui avait financé le film. Je suis tombée raide amoureuse de lui, malgré… et je n'en suis pas fière… le fait qu'il fût marié. Il affirmait qu'il n'aimait pas sa femme, qu'elle le négligeait totalement et ne s'occupait que de ses enfants. Darren, le plus jeune, était encore bébé. Ce n'est pas très reluisant pour John, n'est-ce pas ? ajouta-t-elle en soupirant amèrement.

Je songeai à Tom.

— Non, en effet.

— Le temps a passé et John n'a pas quitté sa femme. Quand je lui faisais une scène, il affirmait qu'il restait parce qu'elle était malade et qu'un divorce la tuerait ; parfois, il répondait qu'il attendait que les enfants grandissent. Toujours la même histoire.

Elle fouilla dans le poignet de sa manche pour en tirer un mouchoir.

— Je vois. Donc, il ne l'a jamais quittée.

Cynthia se détourna, émue.

— Pas du tout, dit-elle amèrement. Il l'a quittée. C'est ça qui est affreux. Il a fini par la quitter.

Ses lèvres frémirent.

— … mais pas pour moi !

— Oh !… j'en suis désolée pour vous.

Hans ronronnait bruyamment, ignorant la détresse de Cynthia. La communication télépathique inter-espèces en prenait un sale coup.

Cynthia se tamponna les yeux et inspira profondément.

— Il y a un peu plus d'un an, John m'a appris qu'il allait quitter Mary. J'étais au comble du bonheur, de penser que toutes ces années passées à vivre dans l'ombre allaient prendre fin. Il est venu chez moi, je lui ai préparé à dîner. Il m'a dit que sa femme avait accepté de divorcer et que l'appartement de Hans Place devait être vendu. Je lui ai demandé où nous allions habiter. Il n'a pas répondu.

Elle tripota son collier en cristal.

— Puis il m'a expliqué que Mary conserverait la maison de Mayfair. Lui, il allait vivre à Hampstead. J'ai répondu que Hampstead, c'était merveilleux… Peu importe où nous vivions, puisque nous allions vivre ensemble. Puis, il a largué sa bombe. Il m'a dit qu'il était désolé, mais qu'il était tombé amoureux d'une autre femme… dont je n'avais jamais entendu parler.

— Qui était-ce ?

— Une journaliste américaine, une certaine Debo-rah. Trente ans de moins que lui, un visage dur, des jambes comme des cure-dents, des pieds immenses et…

Elle désigna sa généreuse poitrine de la main gauche.

— … pas de seins.

Je me souvenais vaguement d'avoir vu sir John Farquhar dans une rubrique de potins, en compagnie d'une brune anorexique au regard de fouine.

— Je l'ai vue en photo, reprit Cynthia. Elle n'est même pas belle. Pas comme je l'ai été…

Je jetai un coup d'œil aux photos.

— Vous étiez très belle, Cynthia. Vous l'êtes encore. Les années n'ont pas laissé leur empreinte sur vous, ajoutai-je pour la consoler.

— J'ai joué le rôle de Cléopâtre, dans le temps, dit-elle. J'étais trop jeune. Bon sang, je serais parfaite dans le rôle, maintenant. Mais… John a mis un terme à notre relation.

Ses yeux s'embuèrent de nouveau.

— Il m'a annoncé que j'avais trois mois pour trouver un autre logis avant l'expiration du bail de Hans Place.

— Il ne vous a pas aidée financièrement ?

— Il a déclaré que c'était impossible, que son divorce allait le ruiner. Évidemment, il mentait. J'étais avec lui depuis si longtemps. Vingt-cinq ans. J'avais renoncé à ma carrière parce qu'il était jaloux de me voir en compagnie d'autres hommes.

Voilà pourquoi elle refusait de parler de ses derniers films. Elle avait cessé de tourner.

— J'avais aussi renoncé… à une vie de famille respectable. À la possibilité d'avoir des enfants.

— Vous en vouliez ?

— Oui. Terriblement. Mais à l'époque, les mères célibataires étaient regardées de travers. En outre, je voulais continuer à vivre sur le même pied. C'est de ma faute.

Elle haussa les épaules.

— Je le sais. De m'être laissé… entretenir. D'avoir cru que je serais un jour récompensée de ma patience et de ma dévotion. Alors que j'ai été chassée comme un vieux chien.

— C'est horrible.

— Oui. Je ne perçois pas de pension de retraite. J'ai été assez sotte pour croire que je vivrais avec John jusqu'à la fin de mes jours. Nous étions ensemble depuis si longtemps que je ne m'imaginais pas que cela pouvait finir un jour. Donc, à l'âge de soixante-trois ans, je me suis retrouvée sans John, obligée de gagner ma vie… alors qu'il recommençait la sienne avec une femme plus jeune. Mais ça ne va pas durer entre eux, ajouta-t-elle amèrement.

— Il ne vous a pas aidée ? Au moins pour redémarrer ?

— Il m'a offert un chèque de vingt-cinq mille livres. J'avais envie de le déchirer – mais je savais que j'en aurais besoin. Il m'a laissé ce qui était dans l'appartement. Les meubles sont d'excellente qualité, bien qu'assez usés, comme vous pouvez le constater. J'avais beaucoup de bijoux, je les ai vendus et j'ai utilisé la somme pour payer un premier dépôt sur cet appartement. Mais je dois toujours en payer les traites. C'est pourquoi je suis devenue médium. C'était la seule façon pour moi de gagner de l'argent.

Voilà donc le « tournant important » de sa vie, qu'elle avait évoqué lors de notre première rencontre.

— Avez-vous envisagé de lui intenter un procès ? Pour obtenir plus d'argent… je ne sais pas… une compensation ?

— Oh non ! s'écria-t-elle, consternée. Cela manquerait de dignité. Ce serait trop… mercenaire. Mais cela

337

a été très, très pénible, Laura, de subir à la fois la perte de mon amour et de ma sécurité, à laquelle je croyais comme une idiote.

— Donc, curieusement, vous devez être contente d'avoir eu cet accident sur la falaise, ce jour-là.

Il y eut un moment de silence.

— Ce n'était pas un accident. J'ai voulu mourir. Puis, en revenant à moi, alors que je risquais réellement de mourir, j'ai compris à quel point je désirais vivre. Aucun homme ne méritait que je perde la vie à cause de lui.

— Non, bien sûr que non !

— Tous les jours que nous passons sur cette terre, si difficiles soient-ils, sont précieux. La vie, c'est tout ce qu'on a. On ne s'en débarrasse pas dans un moment de dépression, de découragement, de peur de l'avenir.

— Vous avez raison.

— Depuis, je lutte pour m'adapter à un mode de vie totalement différent de celui auquel j'avais été accoutumée jusqu'à ce qu'il… il…

Ses yeux luisaient de nouveau de larmes.

— C'est trop injuste.

Elle pressa les mains sur son visage. Je comprenais maintenant pourquoi elle abhorrait les journalistes.

— Mais ce Darren, reprit-elle en s'essuyant les yeux, est un jeune homme des plus désagréables.

Mon estomac se crispa.

— Il m'a semblé correct.

— Il ne l'est pas. Tout ce qu'il a, il l'a obtenu par piston. Il est entré à Eton grâce à des amis de la famille, puis on a tiré des ficelles pour qu'il soit accepté à Oxford. Il en a été renvoyé après avoir raté sa première année de droit ; il voulait passer en histoire de l'art mais la fac l'a refusé, tout simplement parce qu'on ne l'aimait pas. Donc, il est entré dans une banque et, là aussi, il s'est planté ; puis il s'est essayé au capital-risques et cela a été un échec cinglant. Je me souviens du désespoir de son père. Puis, il y a dix-huit mois, peu de temps avant que son père ne me quitte, Darren a décidé de tenter sa chance dans le journalisme. Son père l'a fait débuter tout au bas de l'échelle, d'abord dans la vente d'espace publicitaire, puis en tant que journaliste stagiaire dans les pages sportives. Il veut se faire une réputation le plus vite possible. Il ne vous épargnera pas dans cet article, Laura. Je vous préviens… Il ne vous épargnera pas parce que c'est un véritable, un authentique…

— Petit con ? fis-je d'une voix sinistre.

— Exactement.

12.

Le lendemain matin, je téléphonai à l'attachée de presse de Channel Four. Elle fit une recherche sur Darren et dénicha plusieurs petits articles de lui sur les courses de chevaux. Cependant, il ne figurait pas sur sa liste des journalistes à n'approcher qu'avec une guirlande d'ail et une Bible. Elle me promit de contacter la rédaction du *Semaphore* et me rappela dans l'heure pour me confirmer que l'interview paraîtrait dans deux semaines.

— S'il y a quoi que ce soit de négatif, on a largement le temps d'aviser, dit-elle. Inutile de s'en faire avant d'avoir lu le papier. J'espère que vous n'avez rien dit qui puisse être retenu contre vous.

— Non. Nous avons clairement délimité ce qui était en « off » et j'ai pris beaucoup de précautions dans ma façon de formuler mes réponses. Il a posé une ou deux questions embarrassantes, ce à quoi je m'attendais, mais je n'ai donné que des réponses courtes et je n'ai rien révélé.

— Bon. Attendons de voir les épreuves. Je crois que tout ira bien.

Dimanche matin, j'achetai le *Semaphore* pour voir le style d'écriture de Darren. Je consultai les pages sportives et vis qu'il avait signé un petit papier sur le golf. Je jetai un coup d'œil à la rubrique « Critiques », où il m'avait dit que paraîtrait mon interview, et me laissai distraire par un article sur le Royal Ballet. Puis je feuilletai distraitement le cahier « News ». Je restai tétanisée…

MES REMORDS s'affichait en haut de la page cinq. En dessous, une énorme photo de moi, l'air éplorée.

LA CONFESSION DE LAURA QUICK :
« JE ME SENS COUPABLE DE LA DISPARITION
DE MON MARI. »

J'eus l'impression d'avoir été précipitée dans un gouffre.

Une « citation » était placée en accroche au milieu de la place, en caractères gras : « *Je me suis mal comportée… je l'ai blessé… je l'ai poussé à s'enfuir.* »

Le cœur battant, je parcourus rapidement la page.

La présentatrice Laura Quick a accordé une interview exclusive au Sunday Semaphore *au sujet de la disparition de son mari, Nick Little. Dans cet entretien à cœur ouvert, elle révèle qu'elle croit être responsable de l'état de détresse et de confusion qui l'a poussé à disparaître il y a trois ans. Interview : Darren Sillitoe.*

Mes mains tremblaient, mes joues brûlaient. L'article était sorti tout de suite, pas dans les pages « froides » mais dans les pages « news », comme s'il s'agissait d'un scoop. Pis encore, j'avais été purement et simplement piégée.

Le préambule en « off » avait été utilisé, de la façon la plus négative possible, grâce à des citations impitoyablement sélectives et à une rédaction grossièrement

341

biaisée. Mes commentaires sur Bonchurch Road, par exemple, prouvaient apparemment mes « préjugés ».

Quick déclare que, si elle le pouvait, elle « n'hésiterait pas à partir » de Ladbroke Grove. Levant les yeux au ciel d'un air condescendant, elle décrit ironiquement le quartier comme étant « merveilleusement cosmopolite ». Elle déteste la petite rue paisible où elle habite, et méprise ses voisins, « qui l'exaspèrent », avec leurs « ragots » sur elle.

Son appartement ne recèle aucun souvenir de son époux, malgré le fait qu'ils aient été mariés six ans, car, de son propre aveu, elle « ne supportait plus de voir ses affaires ». « Ça me freinait », avoue-t-elle. Mme Quick confesse qu'en cachant ses effets elle s'est sentie « libérée » bien que « cruelle ».

Mes phrases n'avaient pas été coupées, mais massacrées à la tronçonneuse. Toutes les remarques destinées à nuancer ou à préciser mes opinions avaient été sacrifiées pour correspondre à une image préconçue parfaitement grotesque. Sillitoe avait promis – comment, déjà ? – de « m'interviewer avec beaucoup de tact », et de « soigneusement » rapporter mes propos. « Soigneusement », c'était bien son terme. Pas fidèlement. Il avait en effet soigneusement débité mes mots au couteau de boucher, avant de me le plonger dans le dos.

Quant à sa liaison avec son ex-fiancé Luke North, Quick prétend que sa femme l'a quitté « dix mois » avant qu'ils ne se revoient... Je n'avais pas « prétendu », je l'avais énoncé, parce que c'était la stricte vérité. Le verbe « prétendre » était destiné à instiller le doute.

Lorsque l'entretien se porte sur Vous savez quoi ?, *à mon grand étonnement, Quick s'empresse de descendre*

la concurrence. Anne Robinson, par exemple, n'est
« pas d'un très haut niveau », Jeremy Paxman est
« arrogant et impatient ». D'après Quick, l'affable
présentateur de Brain of Britain, *Robert Robinson, est*
tellement « sinistre » qu'elle prétend être incapable
d'écouter la populaire émission de Radio 4 sans être
tentée de « balancer la radio par la fenêtre ». Laura
Quick vient de débarquer, mais elle ne mâche pas ses
mots quand elle parle de ses confrères.

Je me rappelai, au bord de la nausée, la gentillesse
de Darren, sa préoccupation touchante de me faire
apparaître sous le meilleur jour. Ses intentions étaient
manifestement de parvenir à l'effet contraire. Même
mes efforts pour ne pas pleurer étaient présentés comme
un manque de sensibilité. *Quand elle parle du jour où*
son mari a disparu, curieusement, Laura Quick a les
yeux secs. Je m'attendais à des larmes, mais non.

Je craignais que Darren ne me dépeigne comme une
victime mais, au contraire, il avait fait de moi une
salope sans cœur. Qui plus est, une salope qui n'avait
pas la conscience tranquille. Ce qui était, de toute évidence, l'objectif de l'article.

Quand je demande à Quick – qui avoue être « diffi-
cile et exigeante » – les raisons qui ont pu pousser son
mari à disparaître, elle se rebiffe. La célèbre inquisi-
trice supporte qu'on « renverse les rôles » dans Vous
savez quoi ?, *mais dans la vraie vie, elle s'y refuse. À*
plusieurs reprises, maladroitement, elle affirme ne pas
être responsable du départ de son mari jusqu'à ce
qu'enfin, interrogée avec douceur et ténacité, elle
finisse par craquer. « Oui... je me sens coupable, avoue-
t-elle, en larmes. Oui. Bien sûr... Je me suis mal
comportée... je l'ai blessé... je l'ai poussé à s'enfuir...
Je suis très malheureuse... absolument accablée... »

Je parvins à la chute, avec des haut-le-cœur d'indignation muette, la bouche sèche comme de la sciure de bois. Sillitoe avait tout prévu. Même les photos sans sourire avaient été préméditées. Il avait demandé au photographe une expression « sérieuse ». Il ne me voulait pas « grave », mais « coupable ». Il m'avait manipulée pour me faire parler sans précautions, en « off », alors qu'il avait l'intention d'utiliser mes propos. Le pire, c'est qu'en effet il avait utilisé mes « propres mots ».

Je frappai à la porte de Cynthia.

— Le… petit… con, souffla-t-elle tout en lisant.

Elle pinça les lèvres, puis abaissa ses lunettes de lecture.

— Vous comprenez, maintenant ?

— Oui, grinçai-je. Mais pourquoi a-t-il fait ça ? Qu'est-ce que je lui ai fait, moi ?

— Rien. Ce n'est pas la question.

— Alors quoi ?

— Il cherche désespérément à se faire une réputation. Ce papier est tellement méchant qu'il sait qu'on va en parler, qu'il va soulever la polémique – alors qu'il n'est qu'un pauvre insignifiant. Il n'a pas assez de talent pour y parvenir honnêtement, donc il a décidé de s'y prendre par la fourberie.

Je découvris très vite jusqu'où il poussait cette fourberie. Lundi, la directrice du bureau de presse de Channel Four se plaignit au rédacteur en chef du *Semaphore* mais je décidai de parler directement à Darren. Le personnel des journaux du dimanche a congé le lundi. Le mardi matin, je l'appelai sur sa ligne directe.

— Darren Sillitoe, répondit-il, l'air très satisfait de lui-même.

J'imaginai de quel pas guilleret il s'était rendu au bureau, persuadé que ses collègues allaient le féliciter.

— Ici Laura Quick.

Il hésita un instant avant de réagir.

— Que puis-je faire pour vous ? s'enquit-il avec impertinence.

— Je vais vous dire ce que vous pouvez faire pour moi, Darren. Tout d'abord, vous pouvez m'expliquer pourquoi l'article est paru deux semaines plus tôt que prévu.

— Eh bien !… euh… un article des news a été sucré à la dernière minute, et comme j'avais déjà rédigé votre interview ils l'ont utilisée en remplacement.

— Vraiment ?

— Vraiment, répondit-il d'une voix nonchalante.

— Pourquoi ne m'avez-vous pas fait parvenir l'article par fax ?

— Étant donné le contexte, je n'en ai pas eu le temps, malheureusement.

— Je ne vous crois pas.

— Vous ne me traitez pas de menteur, dites-moi ?

— Oui. Vous êtes un menteur. Vous saviez que vous alliez passer l'article dimanche. C'est pour ça que vous l'aviez déjà rédigé. Vous vouliez le faire passer dans les news et pas dans les pages Culture. Vous n'avez jamais eu l'intention de me relire les citations. J'ai tout compris, maintenant.

— Croyez ce que vous voulez… je m'en fiche.

— Eh bien moi, je ne m'en fiche pas. Votre article est fallacieux et mal intentionné. C'est un torchon. Vous m'avez menti et vous avez écrit des mensonges sur moi.

— Je n'ai rien inventé. Ce sont vos propres paroles.

— Vous savez parfaitement qu'elles sont citées hors contexte ! Vous avez découpé mes propos pour me faire dire le contraire de ce que je voulais dire.

— C'est une question… d'interprétation. J'ai lu entre les lignes.

— Et moi, j'ai lu entre vos mensonges. Enfin, qui aurait l'idée de se décrire comme quelqu'un de « difficile » et « exigeant » ? Personne, en tout cas pas moi.

— Vous êtes difficile en ce moment.

— Non, je ne suis pas « difficile ». Je suis en colère, et c'est justifié. Je ne sais même pas d'où vous avez tiré cette citation. Je ne vous ai jamais dit que j'étais « difficile et exigeante ».

— Mais oui. Ce sont vos propres mots.

— Quand ?

— Quand nous avons discuté pour la première fois. Au téléphone.

— Je n'ai rien dit de tel.

— Oh oui. J'ai tout sur cassette.

— Vous avez quoi ?

— J'ai tout sur cassette, répéta-t-il calmement.

Ce fut comme un coup de poing dans le plexus solaire.

— Vous m'avez enregistrée ?

— Oui.

— Dès l'instant où j'ai décroché le téléphone ?

— Exact, dit-il sans honte.

— Mais… c'est illégal.

— Non. Combien de fois avez-vous téléphoné à une société, et entendu une voix automatique vous dire que l'appel pouvait être enregistré dans le but d'améliorer la qualité du service, et cætera ?

Ma mâchoire s'ouvrit, puis se referma dans un cri de protestation impuissante et muette.

— Dans ce cas, on vous en avertit. On n'enregistre pas la conversation en douce comme vous l'avez fait, Darren, comme un petit espion de cinquième zone.

— Vous pouvez m'insulter autant que vous voulez, fit-il avec désinvolture, mais je n'ai rien fait d'illégal.

— En tout cas, ce n'est pas éthique. C'est… minable.

— J'enregistre toujours tout. J'ai enregistré tout ce que vous m'avez dit.

— Mais non ! Votre magnéto ne marchait pas durant les vingt premières minutes de l'interview. Puis vous l'avez allumé. Je vous ai vu.

— J'ai tout enregistré, répéta-t-il. Afin qu'il ne puisse y avoir de dispute ensuite.

— Mais… je ne comprends pas, je… Ah… Je vois, dis-je posément. Vous aviez un autre magnétophone.

Silence.

— Dans votre poche ou votre attaché-case. Comme c'est… sournois.

Il ne répondit rien.

— Mais la première partie de notre conversation était en « off ». Nous en avons parlé et vous m'avez assuré que ce serait en « off », vous vous en souvenez ?

— Rien n'est jamais en « off », dit-il d'un ton affable.

Je restai bouche bée.

— Si vous aviez la moindre intégrité, ce mot aurait un sens pour vous. Et je vous le répète, je n'ai jamais dit que j'étais « difficile et exigeante ». J'ai dit que c'était un mensonge des tabloïds. Je n'ai pas dit non plus…

Je tapai du doigt sur le journal.

— … que je m'étais mal comportée envers Nick…
que je l'avais blessé… J'ai dit que les tabloïds le
laissaient entendre. Vous m'avez délibérément attri-
bué ces propos pour… pour faire croire que je me
reprochais la disparition de mon mari. C'est faux.

— Mais vous vous le reprochez, n'est-ce pas ?

— Non, c'est faux, c'est faux, je…

— Pour moi, il est évident que c'est vrai. J'ai
constaté à quel point cette question vous mettait mal
à l'aise. Il était donc de mon devoir de journaliste de
le rapporter. Je suis désolé que vous soyez déçue par
l'article, mais puisque nous sommes tous deux très
pris, puis-je me permettre de conclure notre conversation ?

— Non, vous ne pouvez pas vous le permettre, Darren, parce que je n'ai pas fin…

Il avait déjà raccroché.

En tentant de rétablir la vérité, je me retrouvais avec
un sac de nœuds. Comme j'avais été naïve de croire
qu'il valait mieux parler à un journal « sérieux » qu'à
un tabloïd. C'était encore pire.

— Même *News of the World*[1] m'aurait mieux trai-
tée, dis-je à Hope quand je parvins enfin à la joindre
sur son téléphone portable, plus tard cet après-midi là.

— C'est tout à fait possible, répliqua-t-elle. Mais
l'article est tellement ignoble qu'il est évident que ce
Darren… comment, déjà ? Silicone ? t'avait dans le
collimateur. Il est tout à fait manifeste qu'il t'a citée
hors contexte, car aucune de ces prétendues « citations »

1. L'un des journaux à scandale les plus célèbres du Royaume-
Uni. *(N.d.T.)*

ne fait plus de trois mots. On voit encore les traces de scie. C'est du journalisme de bas étage.

J'entendais des bruits de circulation en arrière-plan. Où pouvait-elle bien être ?

— Toi, tu le remarques parce que tu es du métier. La plupart des lecteurs croiront que j'ai vraiment dit ces choses. J'en suis malade. Je n'ai pas mangé depuis dimanche. J'ai à peine dormi. J'ai envoyé des fleurs à mes voisins et des lettres d'excuses à Anne Robinson, Jeremy Paxman et Robert Robinson.

— Sillitoe est un ver de terre, déclare Hope.

— Faux. Le ver de terre est doté de dix cœurs... Sillitoe n'en a aucun. Il était chez moi, tout sucre tout miel, je lui ai préparé du café avec de la crème... Il m'a demandé de la crème, tu le crois ? Et des biscuits au chocolat. Pendant tout ce temps, il savait que son second magnétophone enregistrait tout.

— C'est ignoble, répéta Hope. Il t'a piégée et il a délibérément déformé tes propos. Bon. Tu vas le poursuivre ?

Elle était un peu essoufflée, comme si elle pressait le pas.

Je gémis.

— J'hésite. J'ai demandé conseil à Channel Four mais c'est très compliqué. Les journaux comptent là-dessus : ils savent que la plupart des gens hésitent à faire un procès parce que cela coûte très cher et que les dommages et intérêts ne sont pas élevés. Et puis si on entame une procédure pour la laisser tomber en cours de route, c'est ça qui fait les gros titres : « Laura Quick renonce à son procès en diffamation... elle donne raison au *Semaphore*. »

— D'après moi, ton dossier est solide.

Elle parla plus bas.

— Enfin, ce passage immonde où il fait croire que tu es responsable de la disparition de Nick… Ça, c'est de la diffamation, non ?

— Hum.

— Quoique…

— Quoique quoi ?

— Pour le réfuter devant la cour, tu devrais avoir une déposition de Nick disant que c'est faux.

— Oui… c'est sans doute exact.

— Et, regardons les choses en face, tu ne risques pas de l'obtenir.

Je me raidis.

— Pourquoi pas ?

— Mais… parce que Nick n'est pas là.

Je poussai un soupir de soulagement. J'avais les idées embrouillées.

— Évidemment.

— Tu devrais en discuter avec Tom.

— Impossible ! Il est rentré de Cannes vendredi, puis il est reparti à Montréal pour le soixante-dixième anniversaire de son père et je ne veux pas l'embêter durant ses jours de congé.

— Bon, on reparlera de tout ça, d'accord ? Je dois éteindre mon téléphone portable, maintenant.

— Où es-tu ? Dans le métro ?

— Non. À l'hôpital St. Thomas.

— Vraiment ? Pourquoi ? Tu fais quoi ?

— Je rejoins Mike.

Je jetai un coup d'œil à ma montre.

— Mais il n'est que six heures et demie. Il ne sort qu'à neuf heures.

— Je fais le programme « câlins » avec lui.

— Vraiment ?

— Ils ont accepté mon dossier la semaine dernière. Je commence ce soir.

— Dis donc… c'est bien.

— Enfin… Quoi qu'il se passe entre Mike et moi, j'ai décidé d'y participer, moi aussi.

— C'est bien. Mais… pourquoi ?

— Pour… je ne sais pas… pour lui tenir compagnie, j'imagine. Il s'occupe d'un nouveau bébé ce soir. Un petit garçon. Et puis, je ne me consacre pas assez aux autres. Je fais des dons aux associations caritatives, j'assiste à des tas de soirées à leur bénéfice… Mais je ne suis jamais impliquée directement, tu comprends ?

— C'est vrai, câliner un bébé, il n'y a rien de plus direct.

— Et c'est tellement facile, Laura. De se promener dans un couloir avec un petit bébé pendant deux heures. Les pauvres petits, ajouta-t-elle. Les pauvres…

Sa voix s'érailla.

— C'est trop horrible, de savoir qu'ils souffrent ainsi avant même d'avoir commencé leur vie.

— Oui, en effet. En tout cas, au moins, ils guérissent. Mais c'est merveilleux, ce que tu fais.

— Tu sais pourquoi je le fais, en réalité ?

— Euh, non.

— Tu ne peux pas deviner ?

— Eh bien !…

— Ma vraie raison…

— Oui ?

— … est que je considère cela comme une pénitence, pour avoir été aussi soupçonneuse.

— Ah, je vois, fis-je, déçue.

— Ce pauvre Mike…

— Sa conduite était suspecte. Il t'a caché la vérité… et tu aurais été bien incapable de la deviner.

— En effet. Bon, il faut que je monte, Laura. Je ne veux pas arriver en retard le premier soir. Courage. Essaie de ne pas trop t'en faire pour le *Semaphore*... ça m'a toujours semblé un peu louche. J'imagine que Luke te soutient ?

Luke me soutenait, en effet, dans une certaine mesure. Il était outré par l'article de Darren, mais à part avoir exprimé son désir de le démembrer, il n'en parlait pas tellement, parce qu'il s'inquiétait pour son voyage à Venise. Il était persuadé que Magda allait le faire capoter à la dernière minute.

— Je vois très bien comment elle va s'y prendre, dit-il tout en me croquant, assise dans sa minuscule serre, l'après-midi suivant. Ne bouge pas, tu veux bien ?

— Désolée.

J'entendais son crayon gratter doucement sur le papier.

— La veille du départ, elle va décréter que ce n'est pas une bonne idée d'emmener Jessica, ou bien elle va se rappeler tout d'un coup un projet avec elle... ou elle va décider que Jessica est malade. Ou bien elle n'arrivera pas à retrouver son passeport. Je t'en prie, arrête de gigoter. Tu peux détendre un peu tes traits ?

— Non. Impossible. Je suis trop stressée. C'est comme si j'avais eu des piqûres de Botox, mais à l'envers : je fronce les sourcils en permanence.

— Désolé.

— Je suis persuadée qu'il n'y aura aucun problème avec Magda, repris-je. Manifestement, ça se passe bien avec Steve. C'est pour ça qu'elle est de bonne humeur.

Elle appelait toujours Luke cinquante fois par jour, sauf que maintenant, c'était pour papoter gentiment avec lui au lieu de l'engueuler.

— Passe-moi un coup de fil, disait-elle d'une voix très douce sur le répondeur. J'aimerais beaucoup te parler, Luke...

Il la rappelait consciencieusement, elle lui posait telle ou telle question, mais bien qu'elle semblât raisonnable, elle ne résistait pas à l'envie de faire porter la conversation sur son bonheur avec Steve. Tout allait bien, il gagnait beaucoup d'argent, il était séduisant, fiable, gentil avec les chèvres... Luke mettait en général le haut-parleur, de sorte que j'entendais tout.

— Steve est tellement adorable, disait-elle. Je crois que cette fois, c'est le bon... Enfin !

— Je suis ravi que tu sois heureuse, répondait posément Luke.

— Oui, je le suis, merci, Luke. Je suis très heureuse. Steve est un homme merveilleux.

— Je suis enchanté de l'entendre, Magda. Tu le mérites, et je suis on ne peut plus ravi pour toi.

— Il m'a invitée au mariage de sa mère.

— C'est bien.

— Il a lieu le week-end prochain.

— Ah. Ce sont de bonnes nouvelles, dit-il. Le week-end prochain ?

— Oui. Il va y avoir une grosse fête de famille samedi soir... tenue de soirée exigée.

— C'est chouette, Magda. Tu vas bien t'amuser.

Il posa le combiné en souriant.

— Génial. Elle ne risque plus de me jouer un sale coup pour le voyage à Venise. Steve, moi aussi je t'aime, ricana-t-il. Tu es un chou.

— Et à Venise, vous descendez où ?

— À l'hôtel Danieli. C'est un palais restauré, près de la place San Marco.

— Formidable. Tu y es déjà allé ?

Il hésita un court instant.

— En fait, oui.

— Quand ?

— Pour notre lune de miel.

— Je vois. Ça va te rappeler de bons souvenirs.

— C'est vrai, nous étions heureux, à l'époque. Ça n'a pas duré longtemps, ajouta-t-il d'un ton piteux. Enfin, c'est un hôtel magnifique. Très cher, mais je veux gâter Jess.

— Ça a l'air divin, fis-je, mélancolique.

Je jetai un coup d'œil à son croquis. J'avais l'air triste et anxieuse.

— J'aimerais bien que tu viennes, toi aussi, Laura, mais ce seront mes premières vacances en tête à tête avec Jess.

— Ça va. Inutile de te justifier.

— On partira ensemble en vacances, bientôt. Après Venise, tout va changer. Magda parle d'emmener Jess pour l'été, avec Steve. Donc elle ne peut pas me reprocher de faire de même, pas vrai ?

— Non. Mais elle te le reprochera sans doute quand même.

— Nous irons dans un endroit de rêve, reprit-il gaiement. La Crète, peut-être. Ça te plairait ?

— Non, dis-je.

Il eut l'air surpris.

— Je veux dire oui. Mais pas en Crète.

— Qu'as-tu contre la Crète ?

— C'est l'endroit où Nick et moi avons passé nos dernières vacances.

— Ah, je vois. Mauvaises vibrations, hein ?

— Plutôt tristes. C'est là où nous avons été heureux pour la dernière fois.

Et nous avions de bonnes raisons de l'être. Mais un mois plus tard, tout avait changé. Son père était tombé malade, il était mort et de là, tout était allé de mal en pis, jusqu'à notre cauchemar d'avant Noël et ses conséquences.

— Et la Corse ? fit Luke.

Ce vendredi-là, Tom rentra du Canada – son cocard était passé au jaune citron – et déposa une plainte officielle contre Darren Sillitoe à la commission déontologique de la presse.

— Le paragraphe dix du code interdit l'usage « d'appareils d'écoute clandestine », dit-il en me montrant une copie de la lettre. Je me suis fondé là-dessus.

— Et pour les inexactitudes délibérées ?

— C'est plus compliqué.

— Mais elles sont scandaleuses.

— Je sais. Mais le code permet la sélection du matériel pour publication, « à la discrétion de la rédaction ». Je suis désolé maintenant de t'avoir poussée à donner cette interview, ajouta-t-il. Mais personne n'aurait pu prévoir.

Sauf Cynthia, songeai-je tristement.

— Et cet e-mail confirmant que j'aurais l'approbation finale ?

— J'ai interrogé les avocats de Channel Four là-dessus. Apparemment, il n'a aucune valeur contractuelle… on peut le contourner.

— Je vois. Mais j'ai été diffamée, Tom.

— Oui. Mais souhaites-tu réellement intenter un procès ? Il porterait inévitablement sur ton mariage, Laura. Qui d'entre nous aurait envie de ça ?

— Il m'a calomniée, Tom. Il a porté atteinte à ma réputation.

— Tu devras peut-être vivre avec cette injustice. Je vais tenter d'obtenir des excuses *via* la commission déontologique, mais ne songe même pas à un procès – tu serais ruinée, et tu perdrais complètement la tête. Toutes les procédures juridiques sont... cauchemardesques.

Il pensait sûrement à son divorce.

— Enfin, pouvons-nous passer à un autre sujet, Laura ? J'ai une question très sérieuse à te poser.

Je me raidis.

— Quoi ?

Il posa un nuancier d'échantillons de moquette sur son bureau.

— Laquelle tu préfères ? La rénovation sera faite le week-end prochain, il faut choisir aujourd'hui. Tout est en stock, apparemment, mais c'est à toi de décider.

Je feuilletai le nuancier, puis m'arrêtai sur une moquette verte mouchetée.

— Celle-ci, dis-je. Le vert, c'est reposant – et c'est exactement ce dont j'ai besoin après toutes ces merdes.

— D'accord. Et voici l'échantillon des peintures.

Je le parcourus et choisis un ton flatteur.

— C'est un type que je connais, Arnie, qui va s'en occuper, reprit Tom. Il m'a fait une ristourne, mais il est extrêmement pris et il veut tout terminer lundi. Dylan et moi, on va passer dimanche pour vider les bureaux.

— Et le Canada, c'était comment ?

— Bien, dit-il distraitement. Un peu éprouvant.

Je me demandai pourquoi. Il avait peut-être vu son petit garçon, ça l'avait bouleversé... Ou alors il avait voulu le voir, et son ex-femme avait refusé. J'étais curieuse, mais je ne pouvais lui poser la question directement. Bien qu'il m'ait fait des confidences sur Gina, son mariage raté restait un sujet tabou. De toute façon, je n'aurais pas su quoi dire. *Je suis désolée d'apprendre que tu as quitté ton épouse qui venait d'accoucher pour une autre femme, Tom. Désolée d'apprendre que tu as abandonné ton fils nouveau-né. Désolée de savoir que tu ne le reverras que rarement, voire jamais. Désolée que tu aies vraiment foutu la merde.*

— Comment va Luke ? dit-il soudain.

— Ah… très bien.

— Et l'ex ? Elle est comment ?

— Ça va. Ça se passe bien avec son mec en ce moment, ce qui nous arrange.

Plus tard ce soir-là, tandis que Luke et moi regardions le journal télévisé, le téléphone sonna.

— Luke ?

J'entendis Magda renifler. Le haut-parleur était mis, comme toujours.

— Salut, répondit-il. J'allais t'appeler, pour souhaiter bonne nuit à Jess.

Second reniflement.

— Tu es enrhumée ?

Sanglot étouffé.

— Mon Dieu. C'est… snif-snif… affreux.

— Quoi ? dit Luke. Qu'est-ce qui est affreux ?

— Il s'est passé un truc épouvantable.

— Jessica ?

— Non, non, non, ça n'a rien à voir avec Jessica.

Luke plaqua la main sur son cœur.

— Quoi, alors ?

Il clignait des yeux, perplexe.

— C'est trop affreux… C'est Steve…

— Qu'est-ce qui s'est passé ?

— Hou, hou, hou, hou…

— Qu'est-ce qui lui est arrivé ?

— Je n'arrive pas à le dire.

— Je t'en prie, dis-moi, Magda.

— Steve est…

Il est mort, songeai-je avec une sérénité qui m'étonna. Elle essaie de dire « Steve est mort » et elle en est incapable. Je l'imaginai, écrabouillé sur la M25 ou s'effondrant au dix-huitième trou. Peut-être avait-il été piétiné à mort par Yogi. Je me préparai au pire.

— Steve est…

— Mort ? murmura Luke, l'air horrifié. Tu veux me dire que Steve est mort ?

— Non. Je préférerais qu'il soit mort ! Steve est parti ! vagit-elle.

13

—Ça n'aurait pas pu tomber à un pire moment, gémit Luke quand il raccrocha, une heure plus tard. Pourquoi fallait-il qu'il la plaque maintenant ?

Je repassai la conversation dans ma tête. Magda était allée acheter une tenue pour le mariage de la mère de Steve chez Harvey Nichols. Elle rentrait à Chiswick en taxi lorsque Steve l'avait appelée.

—Je lui ai parlé de ma nouvelle robe, avait-elle expliqué entre deux hoquets. Je lui disais que j'avais hâte de connaître sa famille… J'avais déniché un joli cadeau pour sa mère… Il y a eu un petit silence gêné, puis il m'a dit qu'il était désolé… mais qu'il ne pensait pas que je puisse… y aller, finalement.

—Quelle horreur, avait compati Luke. Donc il t'invite, puis il te désinvite. Pourquoi ?

—Il a dit… que ce serait injuste de me présenter à toute sa famille… parce qu'il croit que ça ne va pas marcher, entre nous.

Pauvre Magda, avais-je pensé. Elle qui croyait que tout allait si bien.

—Il a donné une raison ? avait demandé Luke, indigné comme un père dont on vient d'outrager la fille.

Je m'étais presque attendue à ce qu'il sorte sa cra-
vache.

— Il m'a expliqué… que, d'après lui… nous étions
fondamentalement incompatibles. Il a précisé qu'il me
trouvait très séduisante et charmante…

— Tu l'es, s'était indigné Luke. Tout le monde le
dit.

— Merci. Mais il a ajouté qu'il avait le sentiment…
que je n'étais pas bien pour lui. Mais je suis bien pour
lui, sanglota-t-elle. Je le suis ! Je venais de dépenser
quatre-vingts livres sur un joli cadeau pour sa mère
alors que je ne l'aime même pas.

— Tu es trop bien pour lui, avait tonné Luke. Cet
homme est un idiot !

S'agissait-il d'une authentique loyauté conjugale ou
d'une irritation, à cause de l'impact potentiel sur sa
propre vie ?

— Il a dit… hou-hou… qu'il cherchait la façon de
me l'avouer depuis des semaines.

— Ça n'a rien à voir avec son boulot ? Ce client
avec lequel tu as eu un désaccord ?

Il y avait eu un petit silence.

— Lequel ?

— Celui que tu as traité d'imbécile, avait précisé
Luke.

— Oh non, ça n'a rien à voir. Cet affreux petit bonhomme lui a retiré son compte, donc, non, ce n'est pas
la raison.

Luke avait levé les yeux au ciel…

— Tu crois que Steve se venge en la plaquant ?
demandai-je, quelques minutes plus tard.

Luke secoua la tête.

— Non. Il avait beaucoup d'affection pour elle – il
lui en a fallu pour tenir aussi longtemps – mais il a dû

enfin comprendre le risque qu'elle représentait. Un type comme ça a besoin d'une épouse bien disciplinée et Magda est trop imprévisible… Enfin, ce sont de très mauvaises nouvelles pour moi.

— Tu crois qu'elle laissera tout de même Jessica partir à Venise ?

Il poussa un soupir de découragement.

— Non. Elle sera tellement malheureuse qu'elle voudra la garder.

— Pauvre Jessica.

Durant la conversation, nous avions entendu Jessica dire : « Ne pleure pas, maman, je vais m'occuper de toi. S'il te plaît, ne pleure pas, maman. » C'était à fendre le cœur.

Je m'attendais donc à ce que le voyage à Venise soit annulé. Je me demandais même, avec un sentiment de culpabilité si, en l'absence de Jessica, Luke m'emmènerait à sa place. Mais les jours passèrent sans que le sujet soit évoqué. Magda téléphonait toujours aussi souvent, mais Luke ne mettait plus le haut-parleur : c'était injuste pour elle, d'après lui, dans son état de détresse.

— Le voyage a toujours lieu ? lui demandai-je mercredi, deux jours avant le départ prévu.

Nous regardions le quiz. La coupure pub venait de débuter.

— Oui.

— Magda te laisse emmener Jessica ?

Il acquiesça.

— Tu crois qu'elle va changer d'avis à la dernière minute ?

— Non… je… ne crois pas.

Il semblait un peu nerveux. Il craignait manifestement qu'elle ne le fasse.

— Enfin, c'est bien qu'elle ne soit pas égoïste… d'autant plus qu'elle est malheureuse.

J'éprouvai soudain du respect pour elle, ce qui me dérouta.

— J'ai quelque chose pour toi, dit Luke.

— Vraiment ? Quoi ?

Il passa le bras derrière le canapé et en tira une pochette griffée *Georgina von Etzdorf*. Elle contenait un peignoir en soie d'une beauté exquise, avec un motif de tulipes roses.

— Merci. Il est magnifique ! m'exclamai-je en l'embrassant.

— C'est bien le moins que je puisse faire. Je voulais te l'acheter avant, mais j'ai été trop pris.

— Je l'adore et je le chérirai, dis-je en passant mon bras dans le sien. Dis-moi, combien de temps seras-tu parti ?

— Quatre jours. Heureusement, l'école est fermée vendredi pour une journée de formation pédagogique, ce qui nous donne un jour de plus. On rentre lundi soir.

— Et le mariage de ton ami artiste, c'est quand ?

— Samedi après-midi.

— Où descends-tu, déjà ?

Il me fixa sans répondre.

— Je voudrais le numéro de téléphone. C'était l'hôtel… quoi, au juste ? Je ne m'en souviens pas.

— Eh bien… tu peux me joindre sur mon portable. Hé ! Ça recommence.

Nous nous tournâmes vers l'écran.

— *Où, après la chute de la France, en juin 1940, se situait le siège du gouvernement français ?*

— Vichy ! s'écria Luke.

Exact.

Je ne revis pas Luke avant son départ pour Venise car Jessica passait la nuit chez lui. Je lui téléphonai à Heathrow avant l'embarquement.

— Jessica est contente ?

— Oui, très. N'est-ce pas, ma chérie ? Jessica !

— Oui, l'entendis-je répondre de loin. Je suis très, très contente.

J'étais heureuse pour elle. En plus de découvrir Venise, elle pourrait souffler un peu, loin de sa mère éplorée.

— Vous arrivez à quelle heure ?

— Vers deux heures. On va passer à l'hôtel, puis on se baladera.

Bing, bong.

— On appelle les passagers... Je te passerai un coup de fil plus tard.

Luke me manquait mais j'étais heureuse pour lui. Je les voyais tous les deux, flottant en gondole sur la lagune ou à bord d'un vaporetto. J'imaginais le visage de Jessica, découvrant les canaux, les églises, les palais et les tableaux. Je me la figurais, écoutant Luke tandis qu'il lui parlait de Giorgione, du Titien et de Véronèse. Elle était juste assez grande pour apprécier le voyage.

Luke me parla brièvement ce soir-là – ils étaient allés voir les souffleurs de verre de Murano. Il me rappela le lendemain au petit déjeuner. Ensuite, ils devaient assister au mariage de son ami artiste. Je m'abstins donc de téléphoner. Vers vingt heures, j'eus envie de lui parler. Son téléphone était sur boîte vocale. Pour me changer les idées, j'allumai la télé. Un téléfilm sur Gallipoli venait de commencer. D'après le journal, c'était en honneur du quatre-vingt-dixième anniversaire de la bataille. L'action se déroulait dans un hôpital de campagne. Je vis soudain apparaître Tara McLeod. Elle incarnait l'héroïne – une infirmière qui tombait amoureuse d'un officier blessé. Mais il était marié, père d'un enfant, leur amour était impossible... Tout le contraire de ce qui s'était passé dans la vraie vie. Je me demandai si Tom regardait, lui aussi. Que pouvait-il éprouver ?

À vingt-deux heures, je n'avais toujours aucune nouvelle de Luke et je commençais à m'inquiéter. Je composai son numéro portable. Il ne devait pas être couché.

— Ici Luke North. Désolé de ne pouvoir répondre à votre appel, mais laissez-moi un message...

Je déteste les répondeurs. Je ne laissai pas de message.

Je dormis mal et me réveillai tôt. Je jetai un coup d'œil au réveil : il était sept heures dix. Donc huit heures dix là-bas. Dix minutes plus tard, je tentai de joindre Luke, mais il était toujours sur boîte vocale. J'aurais voulu avoir le numéro de téléphone de l'hôtel pour tenter de le joindre dans sa chambre avant qu'il ne sorte pour la journée avec Jess. Comment s'appelait cet hôtel, déjà ? Le Danieli. Voilà. J'obtins le numéro par les renseignements internationaux. Trois longs bips résonnèrent.

— *Pronto ?*

Tout en tirant les rideaux, je demandai à parler à Luke North. Non, je ne connaissais pas le numéro de la chambre. M. Luke North, de Londres.

— Luca North. Je l'ai trouvé, dit la standardiste. *Signor et Signora North.*

Signorina North, rectifiai-je mentalement.

— *Un attimo, per favore.*

Le téléphone sonna. Une fois. Deux fois. Trois fois. Il n'était pas là. Cinq fois… Il devait être descendu prendre le petit déjeuner avec Jessica. Ou bien il était sous la douche. Ils étaient peut-être déjà sortis. Je les imaginai, traversant la place Saint-Marc parmi les pigeons. Soudain, on décrocha.

— Allô ? fit une voix enrouée, mais familière.

Une vague de chaleur me submergea la poitrine, puis mes genoux cédèrent sous mon poids, comme ceux d'un animal blessé.

— Allô ? répéta-t-elle tandis que je m'effondrais sur le lit.

Signora.

— Magda ? grinçai-je.

Silence. J'entendais mon cœur cogner contre mes côtes. J'avais le souffle coupé et l'estomac retourné.

— C'est Magda ?

Pas de réponse. J'entendis un bruit. Quelqu'un prenait le récepteur.

— Allô ? fit la voix anxieuse de Jessica.

— Jessica, c'est Laura.

— Allô, répéta-t-elle.

— Jessica…

— Mon papa n'est pas là. Il prend son petit déjeuner.

— C'était ta mère ? fis-je faiblement.

— Oui. Enfin, non. Tu veux parler à mon papa ? Il va bientôt remonter.

— Ça va, murmurai-je. Inutile. Au revoir, Jessica.

J'entendis un petit soupir de soulagement.

— Au revoir.

Je raccrochai et fixai le mur.

Voilà pourquoi il ne voulait pas me donner le numéro de téléphone de l'hôtel. Pourquoi son téléphone portable était toujours sur boîte vocale – au cas où j'entendrais la voix de Magda. Pourquoi il ne mettait plus son fixe sur haut-parleur depuis quelques jours – au cas où elle évoquerait le voyage. Pourquoi il était aussi sûr qu'elle ne le saboterait pas – parce qu'elle savait qu'elle en serait, elle aussi. Et voilà pourquoi il m'avait offert le peignoir, compris-je enfin. Parce qu'il savait qu'il allait me trahir. Une fois de plus.

Je restai longtemps assise au bord du lit, trop ébranlée pour faire un geste. Puis je me posai une question assez bizarre, étant donné la situation… Qui s'occupait donc des chèvres ?

Le téléphone sonna bientôt, comme je l'avais prévu.

— Allô, ici Laura, désolée, je ne suis pas disponible en ce moment…

Il sonna de nouveau. Puis mon téléphone portable fit entendre sa petite musique. Je ne répondis pas. Mon fixe sonna une troisième fois. Le voyant rouge resta allumé. Il laissait un message.

— Laura, entendis-je, décroche si tu es là, tu veux ? Je t'en prie, Laura. Je suis vraiment désolé. Je ne pouvais pas t'en parler parce que je savais que tu le prendrais mal, je sais que les apparences sont contre moi mais Magda était totalement hystérique à cause de Steve… Elle était vraiment déprimée… Alors elle a dit que je ne pouvais pas emmener Jess et on s'est engueulés. Je lui ai dit qu'elle avait tort de pénaliser Jess parce qu'elle était elle-même malheureuse. Elle m'a répondu que je pouvais emmener Jess… à condition qu'elle vienne, elle aussi. Évidemment, je n'en avais aucune envie, mais elle me menaçait, puis elle a poussé Jessica à me mettre la pression, il m'était impossible de refuser, je ne voulais pas que Jessica rate ce voyage… Elle en avait tellement envie. Je me sentais coupable envers toi, je ne voulais pas te faire de mal. J'ai pris une suite, évidemment, donc Magda n'est pas dans la même chambre que moi – elle partage celle de Jessica – mais je lui avais demandé de ne pas répondre au téléphone.

Je l'entendis grogner de frustration.

— Je lui ai demandé de ne pas répondre au téléphone, répéta-t-il lamentablement. Mais, écoute, on va partir en week-end ensemble, rien que tous les deux, peut-être à Prague ou à Budapest, non, pas Budapest évidemment, je voulais dire Bucarest ou peut-être Barcelone. Je ne suis pas allé à Barcelone depuis des années et j'adorerais…

J'appuyai sur « stop ». Puis je pris une douche et m'habillai. C'était le 1er mai, aujourd'hui. Le 1er mai. Mais moi, j'étais plutôt « mai-dusée », songeai-je.

Je remontai Portobello Road, où quelques marchands installaient déjà leurs étals, puis Kensington Park Road. En passant devant le bâtiment de l'English Opera, j'eus un pincement au cœur en me rappelant la conversation agitée de Luke avec Magda, lors de notre premier rendez-vous. Je poussai jusqu'à Ladbroke Square et suivis Holland Park Avenue, après la station de métro, jusqu'au bout de Clarendon Road. Je m'arrêtai à l'intersection. J'apercevais la maison de Hope. Les rideaux étaient tirés. Je sonnai. Pas de réponse.

— Salut, Laura, lança-t-elle de son téléphone portable, quelques instants plus tard.

— Tu es là ?

— Non, dit-elle en gloussant. Nous sommes ici.

— Où, ici ?

— À Babington House. C'est l'anniversaire de Mike.

— C'est vrai. Pardon, j'avais oublié.

— Pas grave. J'ai décidé de le kidnapper pour un long week-end. C'est divin. On vient d'aller nager. Et toi, ça va ?

— Ça va.

Je ne voulais pas gâcher sa bonne humeur.

— Rappelle-moi quand tu rentres.

J'appelai Fliss.

— Allô ? fit-elle d'une voix rauque.

Elle semblait exténuée. Sans doute la petite lui avait-elle fait passer une mauvaise nuit.

— Fliss, je peux te voir ? Je viens de recevoir un choc, tu comprends, et…

— Toi, tu viens de recevoir un choc ? me coupat-elle. Tu n'es pas la seule ! Je vis un cauchemar… Hugh et moi, on vient d'avoir une scène de ménage atroce.

— Pourquoi ?

— Hier soir, mon ordinateur s'est planté. J'ai pris son portable… je connais son mot de passe… et j'ai trouvé des e-mails. D'elle.

— Qui ?

— Chantal ! Tu avais raison, Laura ! Je ne te croyais pas, comme une idiote. Je croyais qu'il s'agissait juste d'une relation professionnelle, mais tu avais absolument raison. Il disait combien il était impatient de la revoir, qu'il rêvait de l'emmener en week-end et…

J'entendis un sanglot.

— Et elle répondait qu'elle aussi, elle avait hâte de le revoir… Comment a-t-il pu ? Comment Hugh a-t-il pu me faire ça, à moi ? Quel salaud ! On a un bébé de sept mois ! Oh, je dois y aller, là. Ça va, ma chérie, maman vient, ne pleure pas…

Elle raccrocha. J'en fus soulagée. C'en était trop pour moi, j'avais déjà bien assez de problèmes comme ça. Je franchis l'intersection et entrai dans Holland Park pour gravir la colline jusqu'aux bois. Les feuilles mortes de l'automne dernier étaient tassées et sèches sous mes pieds, sur le sentier tacheté de rayons de soleil.

J'ai demandé à Magda de ne pas répondre au téléphone. J'ai demandé à Magda...

Si seulement Magda avait obéi, je n'aurais rien su. Voilà ce qu'il voulait dire. Le pire, c'est qu'il avait entraîné Jessica dans cette tromperie... Forcément. Sinon, elle aurait fini par m'en parler, ou m'aurait montré des photos. Je me souvins de la première fois qu'il lui avait demandé de garder le secret.

Tu ne diras pas à maman que tu as rencontré Laura ce soir ?

Je me rappelai sa tête baissée.

J'étais si furieuse que je touchais à peine terre dans ma course autour du parc, sans remarquer la luxuriance de la végétation, les tapis de campanules dans les bois, les cerisiers en fleur du jardin japonais, les wistérias éclatantes débordant des murs du Belvédère dans un flot de lilas, les paons qui criaillaient sur la pelouse... Je contournai le terrain de cricket et quittai le parc. Je me retrouvai sur Kensington High Street, où quelques boutiques étaient ouvertes bien que ce fût dimanche. De Kensington Gore, je remontai jusqu'à Kensington Palace, puis je parvins au Albert Memorial, où le prince Albert étincelait sous son dais gothique. J'entrai dans Hyde Park, slalomant entre les cyclistes casqués et les promeneurs en rollers, les papas du dimanche qui poussaient leurs landaus, les chiens qui couraient et jouaient, et, pire que tout, les amoureux marchant main dans la main sous les chênes et les platanes, ou assis sur la pelouse.

C'est Magda ? Toujours galvanisée par la fureur, je parvins jusqu'à la limite est du parc et me retrouvai au Speaker's Corner, où les dingues hurlaient leurs convictions loufoques.

— UNE INVASION EXTRATERRESTRE EST IMMINENTE…

— ON EMPOISONNE LES RÉSERVES D'EAU…

— QUE LA GRANDE-BRETAGNE SOIT À NOUVEAU GRANDE…

— LA PRINCESSE DIANA EST VIVANTE !…

Je franchis la foule de badauds intéressés, ennuyés, perplexes ou amusés. Moi aussi, j'avais envie de grimper sur une tribune improvisée pour me délivrer du monologue dément qui me trottait dans la tête depuis une heure et demie.

Je coupai à travers le parc et contournai la Serpentine, où canards et poules d'eau dansaient sur les vaguelettes vaseuses ; je passai devant le Lido et son café. En terrasse, les promeneurs levaient leurs visages vers le soleil. Je pressai le pas. Ma hanche gauche commençait à me faire mal.

— Laura ! entendis-je.

Je m'arrêtai. Et gémis intérieurement. Il ne me manquait plus que ça.

— On dirait que vous avez besoin de vous asseoir, si vous voulez mon avis.

— Nerys.

— Quelle bonne surprise !

Elle me sourit, sincèrement ravie. Je ressentis un pincement de culpabilité, de la traiter aussi froidement, au bureau.

— Que faites-vous ici ? lui demandai-je. Pardon. Je veux dire que je suis étonnée de vous voir.

— J'habite tout près d'ici, à Paddington.

— Bien sûr. J'avais oublié.

— Je viens tous les dimanches, même quand il pleut. Je nourris les canards. Je regarde le monde passer.

Elle désigna l'autre berge du lac.

— Je regarde les gens se promener en bateau. C'est un endroit unique, conclut-elle joyeusement.

— C'est bien, dis-je.

Ses traits commençaient à se brouiller.

— Si j'étais vous, Laura, je ferais une petite pause, suggéra-t-elle en tapotant le banc. Vous avez l'air crevée.

— Vous avez raison.

Je m'affalai à côté de Nerys, brusquement heureuse de sa présence. Devant nous, au bord de l'eau, des foulques se disputaient un bout de pain.

— Vous allez bien, Laura ? me demanda Nerys en m'adressant un regard oblique mais pénétrant.

Je déglutis.

— Oui, merci, Nerys. Ça va.

— Vous en êtes sûre ? dit-elle avec bonté.

Je fondis enfin en larmes.

— Ça a été un tel choc, sanglotai-je.

Nerys secoua la tête.

— Alors votre journée est gâchée. Ah, là, là… Ah, là, là…

Pour quelqu'un d'aussi imbue d'elle-même, Nerys savait écouter avec sympathie.

— Donc, son ex a décroché le téléphone…

Elle me glissa un mouchoir.

— Il n'aurait pas dû faire ça. Il n'aurait vraiment pas dû, reprit-elle.

— Je n'aurais jamais imaginé qu'il puisse le faire.

371

— D'après ce que vous me dites, il passe beaucoup de temps avec elle.

— Oui, grinçai-je en pressant le mouchoir contre mes paupières. C'est pour être avec sa fille. C'est le prix qu'il paie.

Nerys secoua la tête.

— Non, Laura. C'est le prix que vous payez, vous.

Je ne répondis rien.

— En tout cas, enfant ou pas, reprit-elle brusquement, il ne peut pas partir en week-end avec son ex quand il est avec vous… Cela ne se fait pas. Si vous voulez mon avis, il aurait dû annuler le voyage.

Je souris. Pour une fois, j'étais ravie d'avoir son opinion.

— Il ne voulait pas décevoir sa petite fille.

Je contemplai le lac. Le soleil scintillait sur l'eau.

Jessica est tout pour moi. Elle me manque.

Parfois, je reste assis sur son lit pour pleurer.

La séparation a été très dure pour elle.

… je me contente de la regarder dormir… On est reliés ici… au cœur.

— Il l'adore, poursuivis-je. Son amour pour elle domine tout le reste, donc je passe souvent en second. C'est tellement… frustrant, Nerys. On est ensemble depuis trois mois, mais je n'ai toujours pas passé un seul dimanche avec lui. J'ai l'impression d'attendre que notre histoire démarre vraiment.

De l'autre côté du lac, un adolescent tentait de faire avancer un canot. Ses rames se coinçaient constamment.

— Pourquoi le supportez-vous, Laura ? fit Nerys.

Hope m'avait demandé la même chose et j'avais répondu que c'était une question d'amour. Je savais désormais que ce n'était pas la réponse.

— C'est parce que…

Ma gorge se serra.

— … vous voyez… au cours des trois dernières années…

Le visage de Nerys se brouilla de nouveau. Je baissai la tête et regardai, avec détachement, une grosse larme éclabousser ma main.

— Je n'avais plus aucune confiance en moi. Je ne savais plus comment être avec quelqu'un. Comment avoir une relation amoureuse. Je n'étais sortie avec personne depuis si longtemps. Pas depuis que j'ai rencontré Nick, il y a plus de dix ans.

— Allez, Laura.

Je sentis la pression légère et consolante de sa main sur mon bras.

— J'avais décidé d'aller de l'avant, mais j'étais terrorisée… Tout d'un coup, Luke est arrivé, il voulait être avec moi, donc j'ai dit oui. Je tentais de cueillir le jour.

— Non, dit Nerys. Vous tentiez de ressaisir le passé.

Je contemplai le lac. Les paroles de Nerys ondulaient dans mon esprit comme si elle venait d'y lancer une grosse pierre. *Vous tentiez de ressaisir le passé…* C'était tellement, tellement vrai. J'avais résolu d'aller de l'avant, mais j'avais fait marche arrière.

— Je peux vous donner un conseil ? dit Nerys.

— Oui, répondis-je.

Pour une fois, j'avais envie de l'entendre.

— J'ai toujours pensé que… (Elle hésita.) Je travaille avec vous depuis plus de deux ans, maintenant… et, enfin, chaque fois que je vous vois ensemble, je constate à quel point vous vous entendez bien. Vous semblez faits l'un pour l'autre… Non ?

Je secouai la tête.

— Il vous adore, Laura. Il serait perdu sans vous – il n'arrête pas de le répéter.

Je me tournai vers elle.

— C'est vrai ?

— Oui. Il dit tout le temps que vous êtes merveilleuse – et tellement intelligente.

— Je ne suis pas intelligente, dis-je amèrement. Je suis une cruche.

— Il dit aussi que vous êtes séduisante.

— Non. Je suis une jolie laide, avec une tignasse délinquante, qui chausse du 41.

— Il pense que vous ne l'avez jamais vu sous cet angle, poursuivit-elle comme si je n'avais rien dit.

— Honnêtement… non, je ne crois pas.

— Pourquoi pas, Laura ? Vous l'aimez bien, non ?

— Oui. Bien sûr. Tom est merveilleux.

— Alors quel est le problème ?

— Eh bien… il n'est pas libre.

— Ça ne va pas durer, fit Nerys en balayant l'air d'une main dédaigneuse. Allez, Laura, quelle est la vraie raison ?

Je ne voulais pas l'avouer à Nerys et diminuer son respect pour Tom. Elle ne travaillait pas chez Trident TV, à l'époque. Ç'aurait été déloyal envers Tom et injuste pour elle… elle l'admirait tellement.

— C'est parce qu'il est votre patron ?

— Oui. Voilà. Ce serait trop… délicat.

Elle haussa les épaules.

— Je ne sais pas. Il y a beaucoup d'histoires entre collègues.

Je songeai à Hope. Elle avait connu Mike lors d'un stage à l'époque où elle travaillait chez Kleinworth Perella.

— Enfin, ne ratez pas votre chance, Laura. J'ai raté la mienne, dit Nerys, il y a vingt-cinq ans. Il ne se passe pas un jour sans que je le regrette.

— Vraiment ?

— Je connaissais un gentil garçon. Patrick. Nous sommes sortis ensemble pendant deux ans, quand j'avais la vingtaine, et nous nous sommes fiancés. Puis je me suis laissé tourner la tête par un autre garçon, Alan, et j'ai rompu avec Pat. Pat m'a attendue trois ans mais, quand j'ai compris mon erreur, il était trop tard… Il s'était marié. Il avait trois enfants et il est toujours marié, tandis que moi…

Sa voix s'étrangla.

— J'ai toujours regretté de ne pas avoir épousé Patrick quand j'en avais la chance parce que, pour une raison quelconque, la chance ne s'est jamais représentée.

Elle enveloppa son médaillon en or de ses doigts. Quelle tristesse, d'avoir conservé une photo de lui, me dis-je. Comme un rappel constant de ce qui aurait pu être. Nerys me vit regarder son médaillon.

— Tenez, dit-elle doucement. Je vais vous montrer.

— Non, Nerys. Vraiment. C'est trop intime.

— Ça va. Ca ne me gêne pas.

Elle ouvrit le médaillon d'un ongle vermillon.

Deux minuscules faces d'oiseaux apparurent, l'une jaune, l'autre verte.

— Voici Tweetie, dit-elle en désignant celle de gauche, et voici Pie. Je les ai depuis huit ans. Ils me tiennent compagnie – ils sifflent de tout leur cœur, les petits chéris.

Soudain, son téléphone portable sonna.

— Bonjour, Tom. Quoi ? Allons donc.

Elle secouait la tête.

— Allons donc, répéta-t-elle. Pauvre Dylan. Enfin, je ne cesse de lui répéter de faire attention avec sa moto…

Il est tombé de moto, articula-t-elle pour moi. *Il s'est cassé le poignet.*

— Je vois, Tom… donc, vous avez besoin d'un coup de main… Évidemment… non, vous ne pourrez pas vous en sortir tout seul… Eh bien, il se trouve que je viens de tomber sur Laura. Nous sommes assises au bord de la Serpentine… Oui. C'est très joli, en effet… Splendide journée. Non… elle est d'accord. Elle arrive dans vingt minutes. Elle est ravie de vous aider.

Elle referma son téléphone d'un coup sec.

— Euh… Ça ne m'ennuie pas, Nerys, mais… pourquoi ne m'avez-vous pas posé la question avant d'accepter pour moi ?

— Je savais que c'était inutile, répliqua-t-elle.

14

Vingt minutes plus tard, j'arrivai au bureau. La porte était grande ouverte. Tom parut, l'air tendu, en jean et en tee-shirt, une cigarette d'urgence entre les lèvres et un énorme sac-poubelle dans chaque main.

— Merci d'être passée, dit-il en les balançant dans la benne jaune qui occupait actuellement la place de parking. Les types arrivent demain matin à la première heure pour passer deux couches de peinture. L'après-midi, ils arrachent la vieille moquette et posent la nouvelle... Tout doit être dégagé d'ici ce soir. C'est encore plus de boulot que je ne l'avais imaginé. Je comptais sur Dylan mais il est aux urgences.

— On va s'en sortir, fis-je.

Ma colère contre Luke m'insufflait une énergie maniaque : l'idée d'un travail physique m'attirait. C'était nettement plus constructif que de fracasser des assiettes.

— Ça va, Laura ? s'enquit Tom en me scrutant. Tu as l'air un peu...

Il tira une bouffée de sa cigarette puis l'écrasa contre un mur.

— Ça va, fis-je précipitamment.

Je ne voulais ni parler de Luke, ni penser à lui. Je ramassai l'un des élastiques de Tom et m'attachai les cheveux.

— On s'y met ?

Nous débranchâmes les ordinateurs et les imprimantes, et passâmes les deux heures suivantes à déplacer les meubles pour les entasser dans la petite cour derrière l'immeuble, sous une bâche en plastique. Puis nous dégageâmes les étagères. Plusieurs sacs-poubelles furent bientôt remplis de vieilles cassettes vidéo, d'anciens dossiers de presse et de correspondance périmée.

— Nous aurions dû virer ce bazar depuis des lustres, fit remarquer Tom en jetant une pile de vieux magazines dans un sac-poubelle. Nerys n'arrête pas de m'en bassiner les oreilles, mais je n'en avais pas le courage.

Nous travaillions depuis deux heures – la benne se remplissait et le tee-shirt de Tom était gris de crasse – lorsqu'il jeta un coup d'œil à sa montre.

— Deux heures et demie. On devrait grignoter quelque chose. Je vais aller acheter des sandwiches.

Il revint dix minutes plus tard avec deux petits sacs en papier.

— Qu'est-ce qui te fait sourire ? demanda-t-il en m'en remettant un.

Il retourna un cageot vide pour s'asseoir.

— Ceci. Je l'ai trouvée après ton départ.

Je lui tendis une photo de Tom et moi, entourés de boîtes en carton, le jour de notre arrivée à All Saints' Mews.

— Tu t'en souviens ? Septembre 1999 ?

— Oui.

Il contempla la photo.

— On était crevés. C'était en pleine canicule. Je flippais en pensant à la tâche qui nous attendait. J'avais emprunté tellement d'argent... J'avais peur de ne jamais m'en sortir.

Il me la repassa.

— Je t'avais bien dit que tu t'en sortirais. Et brillamment.

— Nous nous en sommes sortis, me reprit-il. Et cette autre photo, c'est quoi ?

— Ah.

Je n'avais pas eu l'intention de la lui montrer. Je la lui remis. Il rougit légèrement.

Nous étions attablés ensemble aux Bafta Awards, au printemps 2001. Nous venions d'être nominés pour le documentaire sur Hélène de Troie, et nous étions tous deux avec nos époux respectifs. À la gauche de Tom, Amy, enceinte de six mois, était ravissante dans sa robe bleu ciel, avec une rose dans les cheveux. Pourtant, on voyait qu'elle était tendue. Avec le recul, il était aisé d'en comprendre la raison – elle savait sans doute déjà que Tom était tombé amoureux de Tara, qui était installée à sa droite, belle comme le jour, un peu trop penchée vers lui. J'étais au premier plan, avec Nick, grand et beau dans son smoking, son bras posé sur le dossier de ma chaise. Quelques mois plus tard, nos couples allaient exploser. La photo irradiait la nostalgie et l'angoisse.

Tom me la rendit sans parler, puis déballa son pain au fromage.

— Nous étions tellement jeunes, dis-je, juste pour rompre le silence.

Il haussa les épaules.

— C'est loin, tout ça.

— On la garde ? demandai-je, tout en connaissant la réponse.

— Je n'y tiens pas. Mais celle-ci, je veux la garder.

Il brandit un instantané de Tom, Sara, Nerys et moi, en train de fêter la vente de *Vous savez quoi ?*. Nous agitions une bouteille de Krug vers l'objectif et Tom me serrait dans ses bras. Il souriait si largement qu'on distinguait à peine ses yeux.

— Ça, c'était un moment de bonheur. Et grâce à toi, Laura.

— Non. C'est toi qui as trouvé le concept.

— Mais c'est toi qui en es à l'origine. Quand tu nous as parlé de ces questions que tu rassemblais pour les quiz. Tu ne t'en souviens pas ?

— Oui. Mais si Nick n'avait pas disparu, je ne me serais jamais retrouvée à faire ça. Donc, bizarrement, c'est à lui qu'on le doit... à son insu.

Tom hocha la tête.

— Demain, c'est notre dixième anniversaire de mariage, repris-je.

J'arrachai la bague de ma canette de Coca.

— Je ne crois pas que nous ayons des projets particuliers.

Le seul fait de faire cette remarque me fit éprouver un vague désespoir, comme si je comptais fêter l'anniversaire d'un parent décédé. En ouvrant mon sac de chips, je me demandai si Nick se rappellerait la date, où qu'il se trouve. Les plumitifs des tabloïds avaient renoncé à le rechercher.

Nous continuâmes à trier et à jeter jusqu'à cinq heures, avant de nous attaquer aux murs. Nous rangeâmes tous les ouvrages de référence dans des caisses. En transportant les volumes de l'*Encyclopædia Britannica*, je découvris mon vieux dictionnaire de latin et, juste à côté, mon exemplaire des odes d'Horace. C'était donc là qu'il se trouvait. En l'attrapant, je le fis tomber. Il s'ouvrit sur une page souvent consultée.

Vois-tu comme il se dresse, éclatant sous la neige,
Le Soracte ? vois-tu comme les arbres peinent
Et succombent sous le fardeau ?
Comme sous l'âpre gel les fleuves sont figés ?
Dissipe la froidure ; d'une main généreuse
Entasse des sarments dans le foyer, et puis
Verse-nous un vin vieux de quatre ans,
Ô Thaliarque, de l'urne sabine à deux anses.
Remets le reste aux dieux : lorsqu'ils ont abattu
Les vents qui s'affrontaient sur l'onde
                              [bouillonnante,
Tout rentre aussitôt dans le calme,
Les vieux ormes et les cyprès ne tremblent plus.
Ce que demain réserve, évite d'y penser ;
Porte à ton bénéfice chaque jour qui t'advient
Et ne fais pas l'erreur, enfant,
De dédaigner la danse et les douces amours
Tant que les cheveux blancs épargnent ta vigueur.
Va donc au Champ de Mars, sur les places
                                  [publiques,
Et rejoins à la nuit tombée
Les tendres rendez-vous, les secrets murmurés[1]*…*

— Qu'est-ce que c'est ? demanda Tom.

Je lui passai le livre.

— C'est superbe, murmura-t-il. Et celle-ci, sur la page d'en face. « Ne cherche pas… Quelle fin les

1. Traduction Jean-Yves Maleuvre, http ://www.quintus.horatius.free.fr

dieux nous ont donnée ; les horoscopes, ne les consulte pas : mieux vaut subir les choses ! Que Jupiter nous accorde ou non d'autres hivers après cette tempête qui brise la mer tyrrhénienne sur les écueils rongés, sois sage, filtre ton vin, coupe les ailes de l'espoir. Nous parlons, le temps fuit, jaloux de nous. Cueille le jour[1]... » *Carpe diem.*

— Cueille le jour. Pas le passé, murmurai-je.

Tom m'adressa un regard interrogateur.

Soudain, mon téléphone portable sonna. Sans regarder le numéro affiché, je répondis.

— Laura !

C'était Luke.

— Il fallait absolument que je te parle, Laura, pour tout t'expliquer en direct... Tu comprends, je ne t'ai pas menti, je ne t'ai pas dit qu'elle n'y allait pas...

Je refermai l'appareil d'un coup sec. L'instant d'après, il sonna de nouveau. Je l'ignorai. Il sonna une troisième fois. J'hésitai une seconde, puis saisis le code qui bloquerait le numéro de Luke.

— Ça va ? demanda Tom.

Il m'examinait, curieux.

— Oui, dis-je d'une voix mate. Ça va.

Nous traînâmes les caisses vers la cour, puis Tom dévissa les étagères branlantes que nous balançâmes dans la benne. Nous décrochâmes les tableaux et les affiches des murs. Puis nous montâmes à l'étage pour tout dégager. Il était huit heures quand nous en vînmes à bout. Mon dos était douloureux et mes tempes humides.

— Alors... ça y est ? dis-je en regardant autour de moi.

1. Traduction Jean-Yves Maleuvre, http ://www.quintius.haratius.free.fr

Il commençait à faire noir.

— Il reste encore un truc à faire, dit Tom, mais tu n'es pas obligée de rester.

— Bien sûr que je reste... Qu'est-ce que c'est ?

— Arnie m'a demandé de passer un coup d'éponge sur les murs, pour qu'ils soient secs demain. Il dit que la peinture tiendra mieux. On a encore une heure de boulot, mais tu n'es pas obligée de t'y coller... Tu as déjà beaucoup fait et je te suis très reconnaissant de m'avoir donné un coup de main. Tu vas où, Laura ?

— Je vais remplir un seau.

Nous empoignâmes chacun une grosse éponge... J'adorais plonger la mienne dans l'eau tiède pour retirer la poussière et la crasse à grands gestes larges, comme si j'agitais la main pour dire au revoir. Mes épaules me faisaient mal, mais peu m'importait. C'était satisfaisant et distrayant. Exactement ce dont j'avais besoin.

— Ici Radio 4. C'est l'heure de *Word of Mouth*, avec Michael Rozen.

Tom avait retrouvé son petit transistor. Tout en travaillant, nous écoutâmes une émission sur les mots d'origine étrangère qui avaient été intégrés à la langue anglaise, comme « zeitgeist », « fiasco », « karma » et « bonsaï ».

— Les meilleurs sont français, dit Tom. *Esprit de corps, crème de la crème, joie de vivre...* je l'aime bien, celui-là... *embarras de richesse* [1]...

— *Cause célèbre, crime passionnel...* j'adore. Il n'y a que les Français pour rendre le meurtre romantique.

---

1. En français dans le texte *(N.d.T.)*

— *Femme fatale*. Et bien sûr, *coup de foudre...*, ajouta Tom amèrement.

— Hum... coup de foudre. Être frappé ou ébloui par l'amour...

Le crépuscule tombait. Nous dûmes allumer pour nettoyer les murs du dernier étage.

— C'est presque terminé, déclare Tom tandis que nous passions l'éponge dans la salle de réunion.

Je sentis une goutte de sueur glisser au creux de mon dos.

— Hé ! s'écria-t-il soudain.

Nous venions d'être plongés dans l'obscurité. Tom soupira en actionnant l'interrupteur.

— Ce doit être l'ampoule, marmonna-t-il. Il y en a une à la cuisine. Je vais la chercher.

— Ce n'est pas l'ampoule, dis-je en jetant un coup d'œil par la porte. La lumière est éteinte au rez-de-chaussée.

— Les plombs ont dû sauter. Je vais m'en occuper. La boîte à fusibles est près de l'accueil.

— Ne me laisse pas toute seule, Tom, fis-je, prise d'un frémissement de panique. J'ai peur dans le noir.

— Alors descends avec moi. Mais fais attention.

Tout en descendant prudemment l'escalier, agrippés à la rampe, nous constatâmes que l'immeuble tout entier était privé de courant.

Je jetai un coup d'œil par la fenêtre.

— Il n'y a pas de lumières dans la rue.

On entendait des portes et des fenêtres s'ouvrir : les gens sortaient pour voir ce qui se passait. La sirène d'une voiture de police retentit au loin. Des voitures klaxonnaient.

— C'est peut-être une panne de secteur, dis-je.

— Non, fit Tom. C'est une panne générale. Les feux de circulation ne fonctionnent pas.

Je me rappelai la coupure d'électricité, plusieurs semaines auparavant, alors que nous étions en studio.

J'allongeai les bras devant moi. Mon pouls s'affolait.

— Où es-tu ? Je ne te vois pas. Je ne vois rien.

Je perçus soudain les points fluorescents de la montre de Tom qui flottaient vers moi, puis je sentis sa main sur mon poignet. Son briquet cliqueta et un halo de lumière inonda la pièce. Nous pouvions nous voir maintenant. La flamme vacillante déformait nos traits et nos ombres dansaient sur les murs nus.

— Nous interrompons cette émission par un bulletin spécial, fit le speaker radio. Une grande partie de Londres et du sud-est du pays viennent d'être frappés par une panne électrique. La cause n'en est pas encore connue, mais le porte-parole de la compagnie nationale d'électricité, TRANSCO, a déclaré qu'un acte de terrorisme était exclu.

— Ça ne va sans doute pas durer plus de quelques minutes, dit Tom en élevant son briquet.

Nous apercevions la langue de la flamme reflétée par la vitre et nos visages rougeoyants de part et d'autre, comme dans un tableau de Rembrandt.

— On n'a plus qu'à attendre.

Nous retournâmes à la salle de réunion pour nous installer sur le gros canapé en cuir, que nous n'avions pu déplacer parce qu'il était trop lourd.

— Les autorités vous conseillent de rester chez vous jusqu'à ce que le courant soit rétabli. Des bulletins d'information seront diffusés en temps réel sur Radio 5. En attendant, sur Radio 4…

À la lueur de son briquet, Tom tourna le bouton du transistor.

— … les autorités vous conseillent de rester à la maison. Évitez autant que possible d'utiliser des flammes vives et, si vous étiez sur le point de vous déplacer, attendez que le courant soit rétabli. Ici, au studio de Radio 5, nous sommes en compagnie de…

— Si tu veux, je peux te raccompagner chez toi, proposa Tom. Le ciel est nuageux, il fait assez noir dehors mais…

— Nous n'avons pas de torche électrique ?

— Non. Mais on peut y aller prudemment.

Je me vis heurter un réverbère et me casser à nouveau le nez, ou tomber du trottoir et me fouler la cheville… ou me faire agresser. C'était possible, non ? Pis, je m'imaginai, toute seule chez moi dans le noir.

— Je préfère attendre, Tom. Je suis sûre que ça ne durera pas longtemps.

— Mieux vaut que j'économise mon briquet. Il n'est plus très plein.

Il éteignit et nous fûmes de nouveau plongés dans les ténèbres.

— Ça va ? me demanda-t-il.

J'entendis le cuir grincer tandis qu'il se calait plus confortablement dans le canapé. Je ramenai mes jambes sous moi.

— Ça va.

— Comme on est dimanche soir, cela affectera moins de gens que si c'était arrivé en semaine, disait l'animateur.

Puis on parla de l'énorme panne d'électricité en Amérique du Nord, en 2003, qui avait plongé cinquante-cinq millions de personnes dans le noir quand vingt et une centrales électriques avaient lâché. On diffusa ensuite des reportages sur ce qui se passait à Londres.

— Des centaines de personnes coincées dans le métro…

— Les hôpitaux disposent bien sûr de générateurs auxiliaires…

— Les gens sortent des cinémas…

— Étrange ambiance…

— D'énormes embouteillages…

On spécula sur la possibilité que la perturbation ait été causée par une éruption solaire. Un astronome téléphona aussitôt pour réfuter cette hypothèse. On se demanda aussi s'il ne pouvait pas s'agir d'une action de sabotage industriel des anticapitalistes, en prélude aux manifestations du 1er Mai qui devaient avoir lieu le lendemain.

— Je n'y crois pas une seule seconde, fit Tom.

De l'extérieur, nous entendions parler et rire. Quelqu'un jouait de la guitare. Luke diminua le volume de la radio.

— Il est dix heures quinze. Je parie que d'ici la demie, ce sera réparé.

Vingt minutes plus tard, le courant n'était toujours pas rétabli. Il n'y avait rien à faire. Nous restâmes assis côte à côte dans la noirceur veloutée, bavardant, ou plutôt, chuchotant, comme si l'obscurité nous privait de notre assurance. Nous nous entendions respirer l'un l'autre.

— C'est comme au cinéma, mais sans film, dit Tom.

— Je sais…

Je l'entendis fouiller dans sa poche. Il ralluma son briquet.

— Tu le tiens un moment ? Voilà… un peu plus haut… comme ça…

Il se pencha en avant, réunit ses mains et les éleva vers le mur d'en face, doigts en bas, pouces en haut. L'ombre, d'abord floue, se précisa.

— Alors, c'est quoi ? dit-il.

J'examinai la silhouette.

— Euh… on dirait… un chien.

— Ce n'est pas un chien. Voici un indice.

L'ombre se mit à sautiller.

— Un lapin ?

— Non, les lapins n'ont pas les oreilles aussi redressées.

— Un cheval ? Un cheval qui saute ?

— Non.

— Un lama ? désespérai-je.

— Les lamas ne sautent pas.

— Mais ils ont les oreilles très redressées.

Sauter…

— Un kangourou ! C'est un kangourou, non ?

— Non. Presque. C'est un wallaby.

— Ah.

— Ça se voit à la forme du museau. Les wallabies ont un museau plus court que les kangourous.

— D'accord…

— Évidemment, c'est dur à voir parce que la flamme tremble. En plus, je manque de pratique. On jouait à ça quand on allait dans notre chalet, au lac Memphrémagog.

— C'est où ?

— Au sud-est du Québec, pas très loin de Montréal. C'est superbe. On se baladait en canoë, on pêchait… et on jouait aux ombres chinoises.

— Tu t'y consacrais très sérieusement, on dirait.

— Il n'y avait pas grand-chose d'autre à faire, le soir. Ma mère réussissait un éléphant très acceptable.

— Africain ou indien ?

— Dis, il ne reste presque plus d'essence dans le briquet... mieux vaut que je l'économise. Prépare-toi.

La flamme disparut et la pièce devint aussi noire que l'anthracite. Je frémis perceptiblement.

— Tu as vraiment peur dans le noir ? dit Tom.

— Oui. Ça va si j'ai quelqu'un avec moi... mais je ne le supporte pas quand je suis seule. Ne te moque pas de moi... je dors toujours avec une petite veilleuse.

— Vraiment ? Et ton ours en peluche ?

— Non. Je l'ai donné à Luke il y a longtemps... il l'a toujours. Mais je ne compte pas demander sa garde, ajoutai-je. Ni même le droit de visite.

Je sentis Tom changer de position.

— Ça se passe mal, alors.

— En effet. Assez mal.

— Où est-il en ce moment ?

— À Venise.

— Hum.

— Avec Magda.

— Oh...

Je lui racontai ce qui s'était passé.

— Bon sang..., souffla-t-il. Grave erreur. Alors... c'est fini ?

Je soupirai.

— Oui. Je crois... Pas parce qu'il est parti avec elle, ni parce qu'il cède à tous ses caprices, même les plus déraisonnables... mais parce qu'il ne m'a pas dit la vérité.

— Il t'a menti ?

— Oh non. Luke ne ment jamais. Il omet d'aborder certains sujets. Des sujets importants. Comme le fait qu'il parte avec son ex en week-end à Venise. Il devait déjà le savoir depuis une semaine, mais il s'est bien gardé de me l'apprendre, pour se protéger.

— J'en suis désolé pour toi. J'ai bien vu que ça n'allait pas quand tu es arrivée.

— Ça va mieux, maintenant. D'autant que je viens de comprendre, avec l'aide de Nerys, d'ailleurs, précisai-je avec un pincement de culpabilité, que j'étais avec Luke pour une mauvaise raison.

— Laquelle ? Tu avais le sentiment que ton histoire n'était pas finie, avec lui ?

— Non. C'était de la peur, tout simplement. La peur de l'inconnu. La peur de repartir de zéro. Je crois que c'est pour ça qu'il s'est remis avec moi, lui aussi. Il avait beaucoup souffert et je lui rappelais une période heureuse de sa vie.

Luke avait tenté de ressaisir le passé, lui aussi.

— Aujourd'hui, Nerys m'a poussée à me poser la question, à me demander pourquoi j'étais avec lui… et j'ai compris que c'était ça la réponse. Ce n'est pas une raison suffisante pour être avec quelqu'un.

— Mieux vaut rompre, dans ce cas, dit Tom.

J'entendais sa respiration douce et régulière, et distinguais confusément son profil dans l'obscurité.

— Et moi, reprit-il, j'ai dit à Gina que ça n'allait pas marcher entre nous.

Donc, Nerys avait raison. Une fois de plus.

— Je l'ai vue hier et je lui ai proposé… qu'on reste amis. J'aimerais continuer à la voir, à jouer avec Sam, mais je ne veux pas m'impliquer affectivement avec elle parce que…

— Parce que c'est trop compliqué, avec son mari ?

— Non, c'est beaucoup plus simple que cela. Pendant mon absence, j'ai compris que ce n'était pas Gina qui me manquait, mais Sam. Je ne pensais pas vraiment à elle, mais à lui. Je l'imaginais en train de jouer sur la balançoire, ou sur son tricycle, ou dans son petit siège en train de regarder les dessins animés.

— Tu t'es beaucoup attaché à lui.

— Oui…

Sa voix s'étrangla. Je vis le cadran lumineux de sa montre s'élever vers son visage, puis s'abaisser.

— Je savais que je n'étais pas amoureux d'elle. Si elle ne m'avait pas donné sa carte ce jour-là, rien ne se serait passé. C'est elle qui a encouragé la relation. Elle a aussi encouragé ma relation avec Sam.

Je repensai à la carte de Saint-Valentin qu'il avait « envoyée ». C'était à la fois mignon et manipulateur.

— Elle recherchait un nouveau papa pour lui, reprit-il.

— Tu n'as pas été tenté ?

Il soupira.

— D'une certaine manière. Si j'avais éprouvé des sentiments plus forts pour elle, j'aurais adoré jouer ce rôle dans la vie de Sam… J'aurais même supporté son malotru d'ex-mari. Mais je n'étais pas amoureux d'elle… ni elle de moi, je crois. Nous étions ensemble pour de mauvaises raisons, nous aussi. Elle cherchait un père de substitution tandis que moi, je cherchais…

Un enfant de substitution.

— Tu cherchais quoi, Tom ?

Je distinguai à peine la lueur de ses yeux quand il se tourna vers moi. Il se détourna. Silence.

— J'imagine… que je cherchais… mon fils.

Quelque part, la cloche d'une église sonna l'heure.

— Il me manque, murmura Tom.

— J'avais deviné. Comme tu n'en parles jamais, je n'ai jamais abordé le sujet. Je savais que cela devait être douloureux pour toi.

J'entendis un soupir ténu.

— C'est comme un trou dans mon cœur. Quand il m'a été enlevé, j'ai cru que j'allais mourir.

— Tu le revois parfois ?

— Non. Quand je vois des petits garçons de son âge, j'ai un coup au cœur.

— Tu n'as aucun contact avec lui ?

— Non.

— Même si tu étais marié à Amy ? C'est dur. Mais ça a dû l'être aussi pour elle.

— C'est ce qu'elle a dit. Qu'elle en avait le cœur brisé.

— J'imagine qu'elle redoute de te revoir. C'est ça ?

— Oui. Elle a dit qu'elle ne pouvait supporter l'idée de me revoir… en sachant…

Il déglutit.

— Que tu l'avais… abandonnée. Que tu étais parti, comme ça.

Je savais que j'allais trop loin, mais c'était plus fort que moi. Je voulais qu'il m'en parle, pour comprendre.

— Je suis parti, en effet, dit-il tristement. C'est vrai. Mais elle… m'a fait souffrir, Laura.

— Peux-tu honnêtement le lui reprocher, Tom ? Enfin, excuse-moi de te le dire, mais ce que tu as fait… je n'ai jamais pu le comprendre. Désolée, je ne veux pas te faire de sermon, et je sais qu'il y a souvent des choses qu'on ne saisit pas dans la vie d'une autre personne… Mais, tu vois, je t'aime vraiment beaucoup, je t'ai toujours énormément respecté, et je ne peux pas…

— Laura… qu'essaies-tu de me dire ?

— J'essaie de te dire… D'accord. J'essaie de te dire que je n'ai jamais compris comment tu avais pu faire ça. Comment tu avais pu quitter Amy, la laisser seule, à un pareil moment.

— Parce que je ne pouvais pas faire autrement, trancha-t-il.

— Mais si, tu le pouvais. Pardon, Tom, je sais que je me mêle de ce qui ne me regarde pas, mais je ne pige pas. Tu es quelqu'un de merveilleux et tu vois, je voudrais simplement comprendre…

Ma gorge était serrée de sanglots réprimés.

— Je veux comprendre comment un homme que j'aime et que j'admire autant peut quitter sa femme un mois après son accouchement et… partir avec une autre femme.

Il y eut un silence choqué. Je l'avais vraiment blessé. J'aurais mieux fait de me taire.

— Mais… c'est faux ! s'exclama-t-il.

— Quoi ?

— Je ne suis pas parti avec une autre femme.

— Mais si ! Tu es tombé amoureux de Tara et tu as quitté Amy, alors qu'elle venait de donner naissance à votre bébé. Pourquoi le nier ?

— Pourquoi le nier ? répéta-t-il. Mais parce que c'est faux ! Où as-tu bien pu pêcher une idée aussi saugrenue ?

— Enfin… D'après ce que j'ai compris à l'époque… et c'est ta propre sœur qui me l'a dit, en fait.

— Christina ? Comment ça ?

— Nous avons déjeuné ensemble. Tu ne t'en souviens pas ? Tu t'es levé pour prendre un appel et, pendant ton absence, elle m'a expliqué ce qui s'était passé… elle en a parlé tout d'un coup, comme si elle voulait se décharger le cœur.

— Elle ne peut pas t'avoir dit ça.

— Mais si, Tom. Sinon, pourquoi t'en parlerais-je ?

J'entendis le canapé grincer. Tom se leva.

— Qu'est-ce qu'elle t'a raconté, exactement ?

Je fouillai ma mémoire.

— Elle parlait de ta rupture avec Amy et elle a dit : « C'était un coup de foudre »... Ce sont ses termes exacts. J'ai une très bonne mémoire, comme tu le sais. Elle voulait dire que tu étais tombé fou amoureux de Tara et que ça avait été... plus fort que toi.

Je sentais l'intensité du regard de Tom tandis que nous nous regardions sans nous voir.

— Laura, ce n'est pas ce qu'elle voulait dire. Elle n'a pas pu le dire, parce que c'est tout simplement faux.

— Ah bon ?

— Oui, pour la simple et bonne raison que le « coup de foudre », ce n'est pas moi qui l'ai eu.

— Quoi ?

— C'est Amy.

Il y eut un moment de silence.

— Voilà ce que Christina essayait de t'expliquer, à mon avis.

— Amy ?

— C'est elle qui a eu un coup de foudre. Une aventure. C'est elle qui est partie... Je croyais que tu le savais, Laura.

— Non, fis-je faiblement. Je l'ignorais.

— Je m'imaginais que vous étiez tous au courant. Quand c'est arrivé, j'ai supposé que vous en aviez discuté entre vous. Je ne vous en aurais pas voulu.

— Non. On n'a jamais abordé ce sujet, Tom. J'ignore totalement ce que pensent les autres, mais moi, j'ai cru...

— Quoi ? Que j'avais quitté Amy alors qu'elle venait d'accoucher parce que j'étais tombé amoureux de Tara McLeod ? C'est ça que tu croyais ?

— Oui, grinçai-je. Exactement.

— Tu crois sérieusement que j'en serais capable ? D'abandonner ma femme alors qu'elle venait d'accoucher ? D'abandonner mon enfant ?

— Enfin, non…

Ma voix s'étrangla.

— Je n'y ai jamais cru… C'est pour ça que je ne comprenais pas. Ça m'a stupéfiée, à l'époque. Je me rappelais combien tu étais heureux de la grossesse d'Amy, combien tu avais hâte d'être père, combien tu étais ravi quand Gabriel est arrivé. On avait sablé le champagne avec toi et attaché des ballons bleus aux chaises. Je n'ai jamais oublié ton bonheur.

— J'étais heureux, oui. Le jour où Gabriel est né a été le plus heureux de ma vie. Je pensais que rien de plus beau ne pourrait jamais plus m'arriver.

Les larmes me piquèrent les yeux.

— Je suis vraiment désolée, Tom. Je me suis méprise. Je me méprends depuis le début, mais tu vois, j'ai cru… J'avais tort… Donc… c'était Amy. Christina parlait d'Amy. Mais alors…

— Donc, tu ne sais pas, Laura.

— Savoir quoi ?

Je compris alors.

— Gabriel n'est pas de moi.

— Pas…

Mon cœur se serra.

— Il n'est pas mon enfant.

— Oh, dis-je faiblement. Ohhhhh…

— Cela fait quatre ans maintenant, je suis enfin capable d'en parler. Et si j'en parle, c'est sans doute parce qu'il fait nuit noire et que je ne peux pas voir ton visage. Ça me rend plus audacieux, plus téméraire que d'habitude. En même temps, curieusement, je me sens plus en sécurité. Et puis ça ne m'ennuie pas que tu le saches, Laura... je croyais que tu étais au courant. Amy voyait un autre homme. Je ne le soupçonnais pas...

— Comment l'as-tu découvert ?

— Après la naissance, Amy avait un comportement bizarre. Elle était très tendre avec Gabriel mais elle pleurait beaucoup, et quand je le dorlotais, elle se fâchait. J'ai cru qu'il s'agissait du baby blues... En plus, il avait une grosse jaunisse, elle était inquiète. J'ai été encore plus gentil avec elle. Ça n'a fait qu'aggraver son état. Et puis... et puis, à trois semaines, la jaunisse de Gabriel a empiré et il a dû être admis à l'hôpital de St. Mary.

— Je m'en souviens.

— Les médecins ont conseillé une transfusion ou plus précisément une transfusion d'échange, parce qu'ils remplacent tout le sang. Ils ont précisé que ce sang devait provenir de la Banque des sangs rares, parce que Gabriel avait un groupe sanguin très inusité – AB positif avec des antigènes RzRz. J'ai répliqué que c'était impossible : mon groupe sanguin est le plus répandu, O positif, et celui d'Amy est A négatif. Il était impossible que Gabriel ait ce groupe sanguin rare, ils avaient sûrement fait une erreur d'analyse. J'ai ajouté que je connaissais un peu le sujet, parce qu'un bon ami à moi, au Canada, avait hérité ce groupe sanguin RzRz de son arrière-grand-père amérindien. Le médecin a soutenu qu'il n'y avait pas d'erreur. Amy était de plus en plus agitée. Je croyais que c'était à cause de la maladie de Gabriel. Je n'avais toujours pas compris. Puis le médecin a quitté la pièce. Sur le coup, j'ignorais pourquoi. J'ai saisi plus tard. Amy a fondu en larmes. Elle répétait sans arrêt qu'elle regrettait, qu'elle était désolée, qu'elle n'avait pas voulu me faire ça. J'ai dit : « Me faire quoi ? » Je croyais qu'elle se reprochait la maladie de Gabriel. Qu'elle avait l'impression d'en être responsable d'une quelconque manière... (Il marqua une pause.) C'est alors qu'elle m'a annoncé... que Gabriel n'était pas de moi. J'ai eu l'impression de tomber d'un précipice... Mon cerveau refusait d'assimiler ses paroles. Puis, enfin, j'ai compris. Elle n'avait même pas besoin de m'avouer le nom du père de Gabriel. J'ai eu une sensation terrible. Ici.

Il se frappa la poitrine avec un bruit sourd.

— J'ai eu l'impression que tout s'effondrait en moi.

— C'était un bon ami ?

— Oui. Nous étions allés en fac ensemble, à McGill. Il travaillait pour la CBC et il venait de décrocher un poste à Londres. Il n'avait jamais rencontré Amy auparavant... Il n'avait pas pu assister à notre mariage. Je l'ai invité chez nous, peu de temps après son arrivée à Londres, on a dîné, et ils sont... tombés amoureux. Elle m'a raconté que ça avait été un « coup de foudre ». C'est comme ça qu'elle a essayé de me l'expliquer, de se l'expliquer à elle-même. Leur relation a démarré ce soir-là. Je me souviens d'avoir été surpris, qu'elle ne soit pas plus heureuse d'être enceinte. En fait, elle était tourmentée.

Je repensai à cette photo de nous quatre, au dîner Bafta. Je comprenais mieux, maintenant, l'expression d'Amy. Elle était déchirée.

— Qu'as-tu fait, quand tu as su ?

— Je ne savais pas quoi faire. Je ne savais même plus si je devais prendre Gabriel dans mes bras. J'en mourais d'envie mais, en même temps, j'avais le sentiment que c'était impossible, que j'avais perdu tout droit sur lui. Amy m'a dit qu'elle m'aimait, mais qu'elle voulait être avec Andy. Je n'avais plus qu'à partir. Aujourd'hui encore, quatre ans plus tard, je pense toujours à Gabriel comme à « mon » bébé. Mon petit garçon. Même s'il ne l'est pas. Enfin, voilà comment tout ça s'est passé.

Il tapa dans ses mains, faussement jovial. Le bruit résonna en écho contre les murs.

— Nous avons tous nos tristes histoires, non ? Voilà, la mienne.

— En effet, c'est triste.

D'un seul coup, il avait perdu sa femme et son enfant, son identité de père, son sentiment de former une famille. Tout ce dont Luke avait parlé, en pire. Les Harpies s'étaient abattues sur lui pour lui dérober son festin.

— C'est pour ça que tu t'es autant attaché à Sam.

— Oui. Il a exactement le même âge.

— Tu as revu Gabriel ?

— Non. Il n'est pas plus mon fils que Sam. Je n'ai aucun rôle à jouer dans sa vie. Je ne suis que l'ex-mari de sa mère. Amy et moi, nous nous sommes quittés extrêmement fâchés, elle est partie au Canada avec Andy et, avec le temps, j'ai appris à considérer Gabriel autrement. Mais quand je retourne à Montréal, c'est dur, parce que je dois passer à moins de deux kilomètres de l'endroit où ils habitent.

— C'est pour ça que tu as dit que ton voyage avait été éprouvant.

— Oui. Mais bon, je dois y aller, à cause de mes parents. Voilà ce qui s'est passé, Laura. Si Christina t'en a parlé, c'est parce qu'elle supposait que tu savais la vérité et ne voulait pas que tu penses du mal d'Amy,

— Oui. Mais…

— Quoi ?

L'horloge sonnait les trois quarts. Bientôt minuit.

— Mais en fait, Tom… il avait raison. Je me sens coupable du départ de Nick.

— Pourquoi ?

Je me tus.

— Ce n'était pas de ta faute. Tu n'étais pas responsable de ce qui se passait dans sa tête.

— Pourquoi pas ? Je crois que oui.

De l'extérieur, nous entendions le hululement d'une ambulance.

— Que veux-tu dire par là ?

J'hésitai.

— Il s'est passé quelque chose… quelque chose dont il n'arrivait pas à se remettre.

— Tu n'es pas obligée de m'en parler, Laura.

— Je veux t'en parler. Mais tu es le seul à qui je le dirai.

Je me rendis compte, soudain, que je n'en avais jamais parlé à Luke.

— Nous avons eu un accident de voiture, quelques jours avant Noël.

— Oui, je m'en souviens. Nick s'est pris un sale coup sur la tête. Tu m'as dit ensuite que d'après toi, ça avait pu précipiter les événements.

— Oui, je l'ai dit… mais je ne le croyais pas. Je connaissais la vraie raison. Je la sais depuis trois ans. C'est quelque chose que j'ai fait, ou plutôt, que j'ai dit, qu'il n'a pas pu supporter.

— Qu'as-tu dit ?

Je m'entendais respirer.

Tu as tué notre bébé…

— J'ai lancé une accusation terrible…

401

Tu as tué notre bébé...

— J'étais enceinte, expliquai-je.

Puis je lui répétai ce que j'avais dit à Nick.

— Tu étais enceinte ? murmura Tom.

— Oui. Depuis l'automne 2001.

— Je ne m'en suis jamais douté.

— Je ne te l'ai pas dit… je ne l'ai dit à personne. De toute façon, tu avais bien d'autres soucis. C'était deux mois après la naissance de Gabriel. Ça se voyait à peine, je n'avais presque pas de nausées du matin.

— Alors… c'était ça qui… ?

Il marqua une pause.

— Nick voulait… une interruption de grossesse ? C'est ça ?

— Oh non ! Il était ravi, nous l'étions tous les deux. Nous l'avions appris fin septembre, durant nos vacances en Crète.

Je me rappelai Nick, sur le balcon de l'hôtel, dans cette chemise en soie bleue avec l'imprimé de poissons tropicaux, le visage rayonnant de bonheur.

— Puis j'ai eu une petite frayeur en octobre et nous avons décidé de n'en parler à personne, pas même à mes sœurs, jusqu'à la seizième semaine, au minimum. À quatorze semaines, j'ai passé ma première échographie, et tout allait bien.

Je me rappelai le battement rapide du cœur du bébé – semblable à celui d'un oiseau – quand la sonde avait été appuyée contre mon ventre – puis la vision miraculeuse de cette forme minuscule, oscillant dans son berceau utérin, une petite main levée comme pour nous saluer.

— Nous avons décidé d'annoncer la nouvelle au jour de l'An… Je redoutais d'en parler à Felicity, qui tentait désespérément de concevoir un bébé.

402

— Qu'est-ce qui s'est passé ? murmura Tom.

Assise à chuchoter dans le noir, j'avais l'impression d'être au confessionnal.

— Le dernier samedi avant Noël, nous nous sommes rendus à une fête dans le Sussex – c'était une soirée au bénéfice de SudanEase. Notre présence était donc indispensable. Je n'en avais aucune envie, je n'étais pas très en forme. Sur la route du retour, nous avons eu un accident, nous avons pris le fossé. On nous a transportés à l'hôpital, j'ai dit aux infirmières que j'étais enceinte, elles m'ont rassurée en m'expliquant que les bébés étaient bien à l'abri dans leur cocon. Quand je suis rentrée chez moi, j'ai consulté un bouquin – *Vous attendez bébé : soyez bien renseignée !* On y disait qu'une femme peut subir un grave accident, se fracturer les os, sans pour autant perdre son enfant. Je n'ai pas eu cette chance. J'avais à peine été blessée, mais deux jours plus tard, j'ai perdu le mien.

Je sentis la main de Tom toucher la mienne. Puis il la prit comme s'il protégeait un oiseau blessé.

— Je suis désolé, Laura, murmura-t-il. Et je suis désolé de n'avoir pas su.

— J'ai demandé à Nick de te dire que j'avais la grippe… En fait j'étais à l'hôpital. Les médecins m'ont appris que c'était une fille.

— Je suis désolé, répéta Tom. J'étais trop happé par mes propres malheurs pour remarquer les tiens, mais je me rappelle maintenant que tu semblais triste, à l'époque.

— Je l'étais. Nick et moi, on était bouleversés. Puis, trois ou quatre jours plus tard, on s'est épouvantablement disputés. Il avait bu un verre de vin à cette fête, je voulais prendre le volant, mais il avait soutenu qu'il

403

était en parfait état de conduire. En plus, il savait que je déteste conduire dans la nuit. Il était bien en dessous de la limite, mais l'idée que cela ait pu affecter ses capacités s'est mise à m'obséder… Puis j'ai dit ce truc épouvantable. Le lendemain, je m'en suis excusée, je lui ai dit que j'avais lancé ça parce que j'étais bouleversée, mais je ne crois pas que ça ait pu suffire à le pousser à bout. Il avait l'air de bien gérer, en apparence, mais dix jours plus tard, il est parti… le 1er janvier.

— Le jour où vous deviez annoncer la nouvelle.

— Oui. Il avait manifestement prévu son coup. Il avait retiré cinq mille livres de son compte bancaire dix jours auparavant. Donc, oui, je me sens responsable de la disparition de Nick. Je l'ai bel et bien blessé. Je me suis « mal comportée ». Je l'ai « poussé à s'enfuir ». « Mes remords »… Le titre était bien choisi.

— Oh, Laura… c'était compréhensible… vu les circonstances. Tu souffrais…

— Nick avait d'autres soucis – la mort de son père, six semaines auparavant, lui avait porté un coup terrible – ils s'étaient engueulés et ne s'étaient pas réconciliés. Donc, Nick était déjà dans un état de fragilité. Mais de penser qu'il ait pu causer la perte du bébé, de savoir que je l'en accusais… Que je l'en accuserais peut-être toujours… C'est peut-être cela qu'il n'a pas supporté.

— Il se le reprochait probablement à lui-même, Laura.

— Oui. Mais que je le lui dise, moi aussi, c'en était trop. Voilà pourquoi il est parti…

J'entendis le soupir de Tom.

— Et voilà ma triste histoire à moi.

404

Je repensai à la séance avec Cynthia et à quel point elle m'avait troublée.

Il ne manque pas une personne, dans votre vie – il en manque deux.

— Je repense souvent à elle. Elle aurait près de trois ans aujourd'hui. Ce serait une petite fille en robe rose et en chaussures Startrite.

Le carillon sonna minuit.

— C'était affreux, de te quitter comme ça – quels qu'aient été les tourments de Nick.

— Oui. On aurait pu s'en remettre, avec le temps. Tourner la page. Essayer.

— Mais il t'a quittée…

Le dernier coup sonna. On était le 1er mai. Le jour de notre anniversaire de mariage.

— Oui. Quand j'avais le plus besoin de lui.

15

Nous dormions lorsque le courant fut rétabli. Tom voulait coucher par terre, mais finalement, nous étions tous deux restés sur le canapé, lui avec la tête posée sur son bras étiré, moi à demi allongée, la tête sur ses cuisses. Nous nous réveillâmes courbatus de partout.

— Mon Dieu, il est sept heures cinq ! gémit Tom.

Il ralluma la radio.

— Aïe, mon cou !

— Le courant a maintenant été rétabli. La panne semble être due à un dysfonctionnement de la centrale de Hurst, près de Bewley, dans le Kent. Elle a duré plus de six heures et demie…

Une camionnette se garait devant l'immeuble. Tom se leva pour jeter un coup d'œil par la fenêtre.

— C'est Arnie. Il avait dit qu'il arriverait vers sept heures.

Les portières claquèrent et des voix d'hommes retentirent. Je regardai à mon tour : c'étaient trois peintres décorateurs en salopette blanche. Tom alla leur ouvrir.

— Bonjour, dit l'un des peintres lorsque je descendis l'escalier.

Il portait un énorme seau de peinture dans une main et un escabeau dans l'autre.

— Bonjour... j'allais partir.

— Merci de ton aide, dit Tom.

Il me serra dans ses bras et me retint contre lui un instant.

— Je t'appelle plus tard.

Je rentrai chez moi, clignant des yeux dans le soleil matinal. Les rues étaient désertes. Je me traînai jusqu'au lit et m'endormis.

Je me réveillai vers midi, toujours courbatue, pour me plonger dans un bain chaud, un gant de toilette sur le visage, et repenser à la conversation de la veille.

... comme un trou dans le cœur... Elle m'a fait souffrir.

C'est elle qui a eu le « coup de foudre »...

Tu crois sérieusement que... ?

... abandonner mon enfant... ?

Tu aurais dû m'accorder le bénéfice du doute.

J'aurais dû. Au contraire, j'avais passé trois ans à croire que Tom s'était conduit comme un salaud.

Par la fenêtre ouverte de la salle de bains, j'entendais le bruit des sifflet et des Klaxons de vélo. Les manifestants du 1er Mai prenaient les rues d'assaut. Je décidai d'aller jeter un coup d'œil. Pendant que je m'habillais, mon téléphone portable émit un « bip ». J'avais cinq appels reçus en absence, trois de Luke et deux de Felicity. Puis j'écoutai le répondeur. Luke avait laissé trois messages et Felicity, deux. Le téléphone sonna. C'était Fliss.

— Où étais-tu passée ? fit-elle d'une voix accusatrice.

J'étais trop crevée pour me lancer dans des explications.

— J'étais au bureau.

Ce qui était vrai.

— Ça a été l'enfer, ici. Il est sorti avec Olivia, je peux parler. Quand je lui ai dit que j'avais découvert ses e-mails, il a été obligé d'avouer qu'il s'était beaucoup trop rapproché de Chantal.

— Il s'est passé quelque chose ?

— Non. Heureusement que j'ai découvert ses messages, sinon c'était inévitable – il l'a reconnu lui-même. Mais les dernières vingt-quatre heures ont été terribles. Puis, pour couronner le tout, cette maudite panne de courant ! J'ai regardé dans le congélateur ce matin… j'avais dix litres de lait maternel, tout est gâché ! Mon Dieu, je dois y aller, Hugh vient de rentrer, salut.

J'étais en train de me demander pourquoi Felicity conservait dix litres de lait maternel dans le congélateur quand le téléphone sonna de nouveau.

— Laura !

C'était Luke.

— Dieu merci. Je n'arrive pas à te joindre sur ton portable, je ne sais pas pourquoi – une voix n'arrête pas de me répéter que mon numéro n'est pas accepté, enfin, je suis en route pour l'aéroport Marco-Polo, je rentre tout à l'heure, on va se parler, j'ai hâte de te voir…

Je raccrochai et composai le code.

— Les appels de ce correspondant sont maintenant bloqués, dit la voix automatique. Merci.

Puis je pris le peignoir, toujours dans sa pochette. Je ne l'avais pas porté. Il était superbe, avec son motif de tulipes roses. Maintenant, il était entaché, gâché. Qu'allais-je en faire ? L'offrir à Oxfam, sans doute, ou à Hope, à Felicity, à ma mère, ou…

— AAAAH !

BOUM ! BOUM ! BOUM !

Cynthia. Je glissai le peignoir dans sa pochette et montai chez elle.

— AAAAH !

BOUM ! BOUM !

Je frappai fort pour qu'elle m'entende.

— Laura ! s'exclama-t-elle en ouvrant la porte, souriant largement. Comme je suis contente de vous voir ! Entrez !

En la suivant, je remarquai qu'elle portait un nouveau parfum. *Chance*, de Chanel.

— Vous voulez du café ? Je viens d'en faire.

— D'accord. Merci. Je ne resterai pas longtemps. Il fait si beau que j'ai envie de sortir et…

— De cueillir le jour, acheva-t-elle. Bonne idée. Profitez-en, ma fille.

BOUM !

— … maudite télé…

— Vous voulez regarder quoi ?

— ITV diffuse une émission spéciale sur *Les Cent Pires Films de tous les temps*. Je tiens vraiment à la regarder.

— Pourquoi ?

— Parce que, dit-elle fièrement, j'ai tourné dans sept d'entre eux.

Elle cogna de nouveau sur le téléviseur. Je me penchai pour examiner la console et tournai l'un des boutons. L'image se stabilisa.

— Voilà.

— Merci, Laura. Vous avez touché quel bouton ?

— Celui-ci.

— Je n'avais jamais essayé.

— Vous n'avez pas trop souffert de la panne ? lui demandai-je.

— Pas du tout. J'aime bien l'obscurité. J'y distingue tout plus clairement. Vous pouvez comprendre ça ?

— Euh… oui.

Depuis hier soir.

— J'ai quelque chose pour vous, Cynthia.

— Vraiment ?

Je lui tendis la pochette. Elle l'ouvrit.

— Oh ! Dites donc.

Elle déplia le peignoir et le passa. Il lui allait à ravir. Elle se contempla dans le miroir au-dessus de la cheminée.

— Comme c'est joli, Laura, dit-elle tandis que Hans donnait des coups de patte à la ceinture. Vous n'auriez pas dû. Enfin, c'est très gentil, mais…

Elle cligna des yeux, perplexe.

— … vous n'en voulez pas ?

— Non. C'est un cadeau non désiré.

— Oh. De… ?

Je hochai la tête.

— Il y a de l'eau dans le gaz ?

— Hélas, votre prédiction s'est révélée juste.

— Je le savais ! s'exclama-t-elle en me versant une tasse de café. Dès l'instant où je l'ai vu. C'est son aura, vous comprenez. Beaucoup trop orangée… Elle n'est pas assortie à la vôtre, qui est lilas.

— Je n'ai pas pris vos activités au sérieux. Je vous ai mal jugée et j'en suis navrée.

— Vous avez cru que c'étaient des balivernes, dit-elle sans se départir de sa bonne humeur.

— En effet. Mais je suis un peu moins sceptique qu'auparavant.

— Il y a plus de choses dans le ciel et sur la terre…

— C'est vrai.

Je pris l'un de ses prospectus. *Laissez Cynthia la voyante prédire votre passé, votre présent et votre avenir.*

Tout en sirotant mon café, je songeai que Cynthia avait vu juste, pour mon passé – j'avais en effet perdu deux personnes – *Vous ne l'avez pas connue longtemps… vous l'aimiez. Vous ne vouliez pas que ça finisse…* C'était tellement vrai. Sa vision de ma vie actuelle était exacte, elle aussi. *Il y a de l'amour dans l'air. Mais pas avec lui.* Quant à l'avenir…

— Quelque chose va se terminer, Laura. Je le sens, dit-elle.

Mon histoire avec Luke… Mais pour moi, c'était déjà fini depuis vingt-quatre heures.

— Et il y aura un nouveau début.

Elle but une gorgée de café et ferma les yeux.

— Je vois un lac, reprit-elle au bout d'un moment.

Je souris.

— Vraiment ?

— Oui. Un lac magnifique… dans une nature sauvage. Les feuilles sont dorées. C'est l'automne. Il y a des animaux. Je me connecte à eux en ce moment.

Ses paupières frémirent.

— Je ne suis pas certaine de l'espèce. Attendez un instant…

Elle pencha la tête sur l'épaule.

— On dirait… un kangourou…

— Ce n'est pas un kangourou, dis-je joyeusement. C'est un wallaby.

Les coups de sifflet et les acclamations des manifestants du 1er Mai nous parvenaient de la rue.

— Merci pour le café, Cynthia. Je vais aller me balader, maintenant. Ça a l'air assez gai, dehors.

— Merci à vous, Laura. Pour ceci.

Elle tapota le peignoir.

— Je n'aurai jamais envie de le retirer.

Je marchai jusqu'au bout de Bonchurch Road et aperçus, sur Ladbroke Grove, les cyclistes du mouvement *Reclaim the Streets*[1] gravissant la côte. Ils étaient environ deux cents, soufflant dans leurs sifflets et actionnant leurs avertisseurs, suivis d'une procession de manifestants anticapitalistes déguisés en Bush et en Blair. On aurait dit le carnaval de Notting Hill.

Moins de bombes, moins de patrons, moins de frontières ! proclamaient leurs banderoles. Ils portaient leurs slogans devant, derrière et sur d'énormes pancartes. *Solidarité avec les demandeurs d'asile ! Libre circulation des humains, pas des marchandises ! Plus de paroles, moins de guerres !* Certains manifestants étaient habillés en clowns, en Vikings ou en pasteurs, d'autres s'étaient enveloppés de pages du *Financial Times*. Un cycliste portait un uniforme de joueur de cricket, avec *Un point contre le capitalisme !* inscrit sur sa chemise. Deux anarchistes brandissaient une immense banderole : *Pourquoi la police aurait-elle le monopole de la violence ?* Justement, il y avait deux policiers, qui observaient nerveusement les manifestants d'un air faussement détaché.

— Encore un mot et je vous arrête ! disait un agent à un homme en robe de mariée.

— Va te faire foutre, sale flic !

— Encore un mot et je vous arrête !

---

1. En français : « Reconquérir les rues ». Réseau d'action altermondialiste, basé à Londres, qui organise notamment des manifestations à vélo. *(N.d.T.)*

— Va te faire foutre, sale flic !

— Encore un mot et je vous arrête !

— Va te faire foutre, sale flic !

Mon téléphone portable sonna.

— Laura ?

— Tom.

J'augmentai le volume pour pouvoir l'entendre.

— Ça va ? dis-je en pressant l'index contre mon oreille droite.

— Ça va. Et toi ?

— Très bien, merci.

— Bien. Maintenant, je vais te poser une question très sérieuse.

— Ah bon ? Laquelle ?

— Eh bien… as-tu vraiment dit à Nerys que d'après toi, j'étais l'homme le plus beau, le plus séduisant, le plus merveilleux, le plus extraordinaire, le plus sexy, le plus génial que tu aies jamais rencontré ? Parce qu'elle vient de faire un saut au bureau pour voir comment ça se passait, et elle m'a dit que tu lui avais raconté tout ça, sans exagérer. Évidemment, je suis bien trop modeste pour en croire un mot. Je me suis dit qu'il valait mieux vérifier. Alors ?

All you need is love.

— Oui, Tom. Je l'ai bien dit.

Je remontai Ladbroke Grove avec les manifestants, puis les quittai lorsqu'ils s'orientèrent vers le West End, pour me diriger vers Holland Park. En franchissant la grille, je me sentis mille fois plus heureuse que je ne l'avais été vingt-quatre heures auparavant. Curieusement, le fait d'avoir tout raconté à Tom m'avait libérée. Ce jour-là je n'évitai pas le terrain de jeux comme je l'avais toujours fait. J'y restai même quelques minutes, à regarder les gamins se faire pousser sur leurs petites balançoires, sauter sur les chevaux à ressort, escalader ou creuser dans le tas de sable. Je savais désormais qu'un jour je serais sans doute là, moi aussi, avec mon enfant. J'avais déjà été enceinte, je pouvais l'être à nouveau. Sinon, il y avait d'autres moyens de fonder une famille. Si je désirais vraiment un enfant, l'enfant viendrait, d'une façon ou d'une autre…

J'avais acheté un exemplaire de l'*Evening Standard* chez le marchand de journaux de Ladbroke Grove. Je m'installai sur un banc pour le lire. Comme c'était un jour férié, le numéro était très mince – il y avait beaucoup d'articles sur la panne d'électricité et ses conséquences, ainsi que sur la manif du 1er Mai, des infos étrangères, des pages culturelles. Un titre attira mon attention dans la rubrique « médias ». NORMAN SCRIVENS NE REPRENDRA PAS DU SERVICE. Apparemment, Scrivens venait de se faire virer par R. Sole. Il lui avait fait acheter des actions d'une entreprise impliquée dans l'expérimentation animale. Or R. Sole était un fêlé des droits des animaux. Je repensai à l'odieux article signé « Incognito » et à la tempête médiatique qu'il avait déclenchée, à la douleur et aux tourments que tout cela m'avait infligé, et ne pus m'empêcher de sourire.

Il était six heures et demie. Je rentrai chez moi pour me préparer une omelette. À huit heures et demie, on sonna à la porte. J'ouvris.

— Laura.

— Luke.

Il avait l'air épuisé, échevelé, mal rasé. De toute évidence, il s'était précipité chez moi dès qu'il avait posé sa valise.

— Écoute, je sais que tu es furieuse, Laura, et je comprends, mais tu n'étais pas obligée de bloquer mes appels.

— Je ne voulais pas te parler, et le téléphone n'arrêtait pas de sonner.

Il m'implora du regard.

— Ne me fais pas ça, Laura.

— Luke, dis-je patiemment. Tu m'as promis qu'après Venise tout allait changer. Et c'est le cas.

Je refermai la porte.

Driiiiing. Je rouvris à contrecœur.

— Tu savais qu'en Floride il est illégal de chanter dans un lieu public en portant un maillot de bain ?

— Non, dis-je d'une voix lasse. Je l'ignorais.

— Et tu savais qu'un bambou peut pousser de quatre-vingt-dix centimètres en une seule journée ?

— Non. Je ne le savais pas non plus.

— Et tu savais que dans l'Égypte ancienne, on dressait les babouins pour qu'ils servent à table ?

— Tout cela est absolument fascinant, mais laisse tomber, Luke. C'est inutile.

Je refermai la porte.

Driiiiing. Je rouvris.

— Et tu savais aussi que, pour une raison mystérieuse, les jumeaux sont beaucoup plus nombreux à l'est qu'à l'ouest ?

Je le dévisageai.

— Non. Je ne le savais pas. Et tu sais quoi ? Je m'en fous. Je t'aime beaucoup, Luke mais toi et moi, c'est fini. On peut être amis, à l'avenir, mais notre histoire ne va pas reprendre. On a eu deux tours… et ça suffit.

— Je suis désolé, Laura. Je sais que je t'ai déçue… à plus d'un titre… avec Magda. J'en suis très malheureux…

— C'est inutile, soupirai-je. C'est parce que tu aimes Jessica. Mais tu sais, Luke, pourquoi n'exauces-tu pas sa petite prière… Celle où elle dit qu'elle voudrait voir son papa et sa maman vivre ensemble à nouveau ?

— Mon Dieu…

Il leva les yeux au ciel.

— Pourquoi pas ? Tu serais tout le temps avec Jessica. D'accord, Magda est folle… mais personne n'est parfait. Et ça ne va pas marcher avec moi. Au revoir, Luke. Je n'ai plus rien chez toi, donc on n'a pas besoin de se reparler. Je t'en prie, ne sonne plus.

Je refermai la porte et rentrai, plus troublée que n'avait pu le laisser croire mon ton sardonique, même si je savais que j'avais raison. Je descendis à la cuisine. Mon omelette était froide et caoutchouteuse – de toute façon, je n'avais pas faim. Je la jetai.

Driiiiing.

Très bien, me dis-je. Maintenant, je vais me fâcher.

J'ouvris. Merde ! Il ne manquait plus que ça ! Un ex-détenu avec son maudit cabas… Grand, mince, avec des cheveux ras, une courte barbe et un blouson en cuir noir. Je poussai un soupir exaspéré.

— Je t'en prie, ne referme pas la porte…

— Épargnez-moi votre baratin, le coupai-je. Je promets de vous acheter un truc, je n'y manque jamais, mais je ne veux pas d'une longue et triste histoire sur mon paillasson et puis, tant qu'à faire, permettez-moi de vous dire que j'aimerais bien ne pas vous retrouver à la porte à la nuit tombée, et…

Il s'était mis à pleurer. Et merde ! Ce type pleurait. Je le regardai fixement, trop choquée pour souffler mot. Puis il releva la tête et je distinguai plus nettement ses traits. Ils m'étaient familiers. Merde…

— Laura.

Mes lèvres tremblèrent et j'eus un coup au cœur. Puis je fus au bord des larmes, moi aussi.

Nick.

— Laura, murmura-t-il de nouveau.

— Je… ne… t'ai pas reconnu, soufflai-je.

Le Nick que j'avais connu était un type baraqué. Ce Nick-là était… efflanqué, maigre, l'air dur… comme une planche de bois. Et bronzé… son visage et son cou étaient d'un brun rougeaud. De profonds sillons s'étaient creusés autour de ses yeux et sur son front. Ses cheveux, jadis épais, ondulés et couleur d'acajou, étaient coupés très ras et grisonnants. Il fallait que j'entende de nouveau sa voix.

Il me fixait.

— Je peux… Ça ne t'ennuie pas… que je… ?

Je m'étais préparée à cet instant depuis si longtemps – ce que j'allais dire, mon sang-froid, ou, plus vraisemblablement, ma rage. Maintenant qu'il était là, j'arrivais à peine à parler, sauf pour exprimer des banalités

— Ah, tu veux entrer ? Oui, bien sûr.

Quand il franchit le seuil, je remarquai qu'il portait un jean – Nick n'avait jamais porté de jean – et qu'il pesait sans doute vingt kilos de moins que le Nick que j'avais connu. C'était un autre homme. Tout, en lui, avait changé – son visage, son physique, sa démarche, même ses mains. Quand il posa son cabas en toile brune, je constatai qu'elles étaient rêches et rouges.

Nous passâmes au salon et restâmes plantés là, à nous dévisager comme des étrangers dans un cocktail sinistre.

— Tu veux… manger quelque chose ?

— Non, murmura-t-il. Merci. Je suis venu en stop. On s'est arrêtés dans un café.

Je remarquai que ses intonations avaient légèrement changé.

— Tu es venu en stop… d'où ?

— Harwich.

Il regarda autour de lui.

— Ça a changé. La couleur.

— Oui… j'ai repeint… il y a peu de temps, d'ailleurs.

— Je peux m'asseoir ?

— Bien sûr… Pas de problème. Euh… tu veux boire quelque chose ?

— Non merci. Ça va.

Toujours ces inflexions un peu curieuses.

Nous nous assîmes de part et d'autre de la cheminée, étrangers l'un à l'autre malgré notre intimité passée. C'était comme si nous nous contemplions par-dessus un canyon, alors que nous étions à moins de deux mètres l'un de l'autre.

— Tu vis à Harwich ? murmurai-je.

J'avais la bouche sèche et la mâchoire crispée.

— Non. C'est là que j'ai débarqué.

— D'où ? Je veux savoir…

Mon cœur s'emballait.

— Je veux savoir où tu étais. Où étais-tu, Nick ? Où ?

Ma voix était fêlée, aiguë, comme si je couinais.

— Dis-moi ? Où étais-tu ?

— En Hollande.

— En Hollande ? répétai-je. Mais pourquoi ? Tu fais quoi ?

— Je travaille. Dans l'agriculture.

— Dans une ferme ?

Nick détestait la campagne. C'était un citadin.

— Pas exactement. Les fleurs. Les tulipes. Je travaille dans des champs de tulipes…

418

Un courant électrique me parcourut l'échine. Je me redressai.

— Où vas-tu ? me lança-t-il.

— Je crois qu'on a tous les deux besoin d'un verre.

— J'essaie de revenir depuis longtemps, m'expliqua Nick quelques minutes plus tard.

Il avait retiré son blouson. Je constatai à quel point ses bras étaient devenus fermes et musclés. Ils étaient aussi hâlés que ses mains. Son cou semblait plus épais, plus nerveux.

— Pourquoi ne l'as-tu pas fait ?

Il fixa son verre de Glenmorangie en le retournant. Je remarquai qu'il avait le bout des doigts calleux et fendillé.

Il soupira.

— Je ne savais pas comment m'y prendre. Je repensais sans cesse à toi… J'en souffrais… J'avais honte. Il était plus simple de rester là où je me trouvais, que d'affronter tout ça.

Le tic-tac de l'horloge de grand-père était audible.

Le choc initial s'était estompé et le whisky – moi qui n'en buvais jamais, je m'étais jetée dessus comme une alcoolique – avait apaisé mes nerfs à vif. Je me mis, lentement, à poser les questions qui se bousculaient sur mes lèvres.

— Tu as passé tout ce temps en Hollande ?

Il hocha la tête.

— Quand tu as laissé ta voiture à Blakeney, c'est ce que tu avais projeté de faire… ?

Il secoua la tête.

— Je n'en avais aucune idée, je savais simplement que je devais… m'échapper. Pas de toi. De moi-même. De ma propre confusion mentale. Je peux en parler

419

maintenant, parce que les choses sont différentes pour moi… Je n'aurais pas pu te l'expliquer à l'époque.

— Où as-tu dormi la première nuit ?

— Dans la voiture. Au matin, en marchant vers le port, j'ai aperçu un bateau de pêche et entendu quelqu'un qui disait se rendre à La Haye. J'ai payé le capitaine pour qu'il me laisse monter à bord. La traversée a été rude. Nous sommes arrivés le lendemain matin.

— Et alors ?

— J'ai pris un bus jusqu'à Leyde, j'ai habité dans une auberge de jeunesse pendant un moment. Puis j'ai remarqué une petite annonce sur le tableau d'affichage, à propos d'une exploitation d'horticulture à Hillegom, à quelques kilomètres de là. On recherchait des travailleurs saisonniers. J'ai acheté un vélo, une tente…

— Une tente ?

— Il fallait camper sur place. Ça ne me gênait pas. En fait, ça me plaisait. Et je me suis mis à l'ouvrage.

— Tu faisais quoi ?

— Au début, je triais les bulbes de lys dans l'entrepôt. Je les classais par taille. La monotonie de l'ouvrage… me soulageait. Mes mains étaient occupées, mais mon esprit était libre.

Il porta le verre à ses lèvres. J'entendis tinter les glaçons.

— On me payait quarante florins par semaine. Puis j'ai travaillé dans la serre, sur les tulipes. Je les plantais, je les attachais par bouquets de dix et je les mettais dans des caisses ; et plus tard dans l'année, après la récolte, je pelais les bulbes de tulipes pour l'exportation.

— Personne ne t'a jamais demandé qui tu étais, pourquoi tu étais là ?

— Non. Nous étions nombreux. Essentiellement des hommes. De Turquie ou d'Europe de l'Est pour la plupart. Personne ne posait de questions.

— Combien de temps comptais-tu passer là-bas ?

— Je n'en avais aucune idée. J'avais décidé de vivre au jour le jour. Je pensais rentrer, tôt ou tard… mais… le temps a passé et…

Il n'acheva pas sa phrase.

— Pourquoi es-tu rentré maintenant ?

Il me dévisagea. Je remarquai à quel point il semblait usé, avec ses joues et ses tempes creuses, comme si le vent avait érodé son visage.

— Tu crois aux signes, Laura ? Sans doute pas. Tu as toujours refusé de croire qu'on puisse expliquer les choses autrement que de façon rationnelle.

Il se tient dans un champ de fleurs.

— C'est vrai.

Il en est entouré. C'est un spectacle merveilleux.

— J'ai changé d'avis ces derniers temps.

— Pourquoi ?

— Parce que j'ai appris que certaines choses… ne peuvent être expliquées.

— Je pense que j'ai reçu un signe, reprit-il. Il y a peu de temps, quelque chose… s'est produit. C'est pour cela que je suis rentré.

— Que s'est-il passé ?

— Ça s'est passé… il y a précisément deux semaines. (Il inspira profondément, puis exhala.) J'étais dans l'un de mes champs de tulipes. La saison battait son plein. Les touristes débarquaient par milliers tous les jours pour prendre des photos.

Il avala une gorgée de whisky.

— Il faisait très beau, reprit-il. Du soleil, avec une forte brise… Il vente souvent là-bas, parce qu'on est près de la mer. Il était environ trois heures. Je marchais entre les rangées de tulipes depuis le matin, en examinant les plants pour vérifier s'ils n'avaient pas de maladies. Nous plantons des récoltes de variétés uniques. J'ai d'abord traversé un champ de tulipes jaunes appelées « flammes d'or », puis un champ de tulipes rose foncé avec des rayures blanches, les « dentelles de Bourgogne ».

— Je les connais.

Je repensai à Luke, le jour de la Saint-Valentin, les bras remplis de ces fleurs.

— … puis un champ de tulipes rouges, les « appledoorn frangées ». Un groupe de touristes venait de s'arrêter dans un café des environs. Des retraités. Ils sont repartis peu de temps après. Tout d'un coup j'ai aperçu, au loin, le patron du café qui tentait d'attraper un journal. L'une des pages s'est envolée, en claquant au-dessus des corolles comme un gros oiseau blanc. Elle se dirigeait vers moi en tourbillonnant dans la brise marine. Elle a fini par se poser à quelques mètres de moi. Je l'ai ramassée. J'étais sur le point de la chiffonner et de la mettre dans mon sac, lorsque j'ai remarqué qu'il s'agissait d'un journal anglais de la veille. Je l'ai retournée. Et je t'ai vue…

Mes remords.

— Ça m'a fait un choc… pas seulement parce qu'il s'agissait de toi… mais ton expression triste, le titre terrible, ta culpabilité, ton désespoir… Je suis resté planté là, enraciné comme les fleurs qui m'environnaient. Je me suis senti… coupable.

Mais bien qu'il soit dans un champ de fleurs exquises, il a l'air triste et malheureux.

— C'est alors que j'ai su que je devais rentrer. C'était peut-être un coup de chance. Qu'un touriste anglais ait laissé traîner un exemplaire du *Sunday Semaphore* sur une table de pique-nique, que j'attrape justement cette page-là, qu'il s'y trouve comme par hasard un article sur toi. Mais on peut aussi interpréter cela comme un signe du destin.

— C'est en effet un signe, murmurai-je. Tu n'as pas besoin de m'en convaincre. Mais qu'est-ce que tu avais en tête quand tu as décidé de rentrer, Nick ?

— Te… parler… t'expliquer. J'en aurais été incapable auparavant. Maintenant, c'est différent pour moi… Et je peux essayer de t'expliquer… pourquoi j'ai fait ce que j'ai fait.

— C'est sûr, je mérite une explication, dis-je amèrement. Et si je puis me permettre, je suis vraiment ravie de savoir ce qui t'a retenu, ce jour-là, il y a trois ans et demi. Ah, et je te remercie d'avoir appelé l'association d'aide aux personnes disparues, pour que j'arrête d'errer sur l'Embankment, de soulever des boîtes en carton et de faire des cauchemars où je te voyais mort dans un fossé… ou plutôt, dans une digue, en fin de compte. C'était très attentionné de ta part. Dommage que tu ne l'aies pas fait au bout de trois jours, au lieu de trois ans, non ? J'imagine que tu m'as entendue à la radio ?

— Oui. J'avais un petit transistor et je captais Radio 4 sur les ondes courtes. Donc j'ai téléphoné à l'association.

— Lorsqu'on m'a appris que tu ne voulais ni me voir, ni me parler… Je n'ai pas compris. Si tu pouvais les appeler, pourquoi n'as-tu pas pu m'appeler, moi ?

— J'ai essayé, en fait. Deux fois.

Les appels silencieux.

— Mais j'ai raccroché. Si je t'avais parlé, ne fût-ce que deux secondes, nous aurions entamé un dialogue, ce qui m'aurait inévitablement poussé à rentrer. Je n'y étais pas prêt. Je voulais revenir à mon propre rythme.

— Je vois, lâchai-je d'une voix mate. Et maintenant, tu es revenu. Tu dois croire que tu as réussi un exploit, en daignant rentrer à ton propre rythme…

Ma gorge était douloureusement serrée.

— … pour m'apprendre… ce que tu as… fichu… Où… tu étais…

Mes mains se pressèrent à mon visage.

— … tu as détruit ma vie… Je quittais à peine l'appartement… je n'arrivais pratiquement pas à m'habiller… je ne pouvais pas dormir… j'étais une épave… tout ce stress… je ne mangeais plus.

— J'en suis désolé, Laura. J'en suis vraiment désolé.

Je secouai la tête.

— Tu pourrais t'excuser tous les jours pendant vingt ans, que cela ne suffirait pas. Tu m'as anéantie. Tu m'as laissée en pleine tourmente… Les difficultés quotidiennes, sans oublier le martyre des trois premiers mois où je ne savais même pas si tu étais mort ou vivant. Je tournais en rond la nuit dans l'appartement en me tordant les mains.

— Je suis désolé, répéta-t-il.

Ses yeux luisaient de larmes.

— Tu n'étais pas obligé de disparaître, sanglotai-je.

Je tendis les mains vers lui, comme dans un geste de supplication, les doigts écartés et tendus.

— Tu aurais pu te contenter de dire : Laura, je ne veux plus vivre avec toi. Séparons-nous.

— Je ne voyais pas les choses aussi clairement. Je ne voyais que ma propre douleur. J'avais l'impression

de me désintégrer. Comme si j'avais été… démantelé…
D'abord, la mort de mon père…

— Cela ne justifie rien, sanglotai-je, le visage baigné de larmes. Rien ne pourrait le justifier. Rien ne peut justifier ce que subissent les gens qui attendent.

— Je ne lui avais pas parlé depuis deux mois. J'étais en colère contre lui, je voulais me réconcilier, je ne savais pas comment m'y prendre. J'espérais toujours qu'il téléphonerait pour me dire : « Allez, Nick, on va déjeuner. » Mais il ne l'a pas fait, et puis il est mort. Je ne supportais pas l'idée que, la dernière fois qu'on s'est vus, j'étais en colère contre lui.

Nick se couvrit le visage des mains.

— J'aurais voulu qu'il me prenne encore dans ses bras, rien qu'une fois… (À présent, il sanglotait.) Mais je n'en ai jamais eu l'occasion. Puis tu as perdu le bébé et je me le suis reproché aussi… Comme toi, tu me l'as reproché. Ce que tu m'as dit, Laura… Cette phrase terrible, terrible…

— Je sais. Je t'en demande pardon. J'avais tort.

— C'était sans doute de ma faute, mais c'était trop… tout à la fois. Nous l'avions vue… c'est ça qui était insupportable. Nous l'avions vue, elle nous saluait de la main…

Il enfouit son visage entre ses mains.

— Nous n'avons pas eu de chance, Nick.

Une larme s'insinua dans la commissure de mes lèvres.

— L'accident n'aurait pas dû provoquer ça… L'impact n'a pas été très violent. Je n'étais pas en forme ce jour-là, nous avions déjà eu une frayeur, ça aurait pu se produire de toute façon… On ne le saura jamais…

Il gémit.

— J'ai été… submergé par la culpabilité et les regrets. Mon père, puis mon enfant… j'étais incapable… de l'absorber, Laura. Je ne pouvais pas m'en sortir.

— … nous aurions pu avoir une deuxième chance. Puis tu es parti. Il n'y aura plus jamais d'autre chance… Voilà la raison de ma colère. En plus de toutes les autres raisons de me tourmenter, je me suis sentie doublement lésée. J'ai cru que je ne m'en remettrais jamais.

Nous restâmes silencieux, brisés par l'émotion. Je fixais la moquette.

— J'ai lu dans le journal que tu étais avec Luke. Je me souviens que tu me parlais parfois de lui.

— J'étais avec lui. C'est fini. Et toi ?

Je levai les yeux vers lui en essuyant mes larmes.

— Comment va ta vie amoureuse ? Ça doit être délicat, quand on vit sous une tente.

— Je ne vis plus sous une tente. Cela n'a duré que quelques mois. J'habite une petite maison sur l'exploitation. Je suis contremaître, maintenant.

— Ah. C'est bien.

— J'ai un chien. Un rhodesian ridgeback. Betsy. Elle est adorable.

— Tu as toujours rêvé d'un chien… On ne pouvait pas en avoir ici, parce qu'on travaillait tous les deux. Ç'aurait été injuste pour lui.

— Laura…

Il y avait une tache sur la moquette. J'allais devoir m'en occuper.

— … j'ai autre chose à te dire.

— Quoi ?

Je me sentais soudain exténuée.

426

— Eh bien… je vis avec quelqu'un, maintenant. Anneka.

— Félicitations. J'espère que vous serez très heureux, dans vos champs de tulipes. Je te proposerais bien d'être témoin à ton mariage mais nous n'avons pas encore divorcé.

— C'est quelqu'un de très bien, de très gentil.

— C'est formidable, Nick, je suis ravie de l'entendre, j'espère que vous serez heureux. Mais, et surtout, j'espère que tu ne lui feras JAMAIS ce que tu m'as fait.

Je fixai de nouveau la tache sur la moquette. Il faudra acheter un détachant. Comment s'appelait ce produit, déjà ? Bien sûr. *Vanish*[1]. Comment avais-je pu l'oublier ?

— Nous avons un enfant.

Peut-être qu'un peu d'eau chaude suffirait. Si je frottais assez fort.

— Elle a dix mois, dit-il.

Mais pas de détergent. Cela pourrait décolorer la moquette.

— Elle s'appelle Estella.

— C'est joli, dis-je. C'est le nom d'une tulipe, j'imagine ? Estella rijnveld ?

— Exact.

Mais tout est différent pour moi, maintenant…

— Donc c'est pour ça que tu peux… parler de ce qui s'est passé, n'est-ce pas ?

— Oui. J'ai l'impression d'être… je ne sais pas. De retour dans le monde. J'avais le sentiment que tout ce que j'aimais était mort. Voilà pourquoi le travail des champs me plaisait. Je savais qu'à l'intérieur de

---

1. En français, « disparaître ». *(N.d.T.)*

chaque bulbe une vie était blottie en attendant de s'élancer, si j'en prenais bon soin.

— Tu as une photo d'elle ?

Il fouilla dans la poche de son pantalon et en tira un portefeuille, dont il extirpa une petite photo. Il me la tendit. Elle se tenait à côté d'un énorme vase de tulipes rouges et blanches. Elle avait un joli visage souriant et une tignasse de cheveux noirs et brillants.

— Elle te ressemble.

Notre petite fille aurait-elle ressemblé à celle-ci ?

— Elle est très jolie.

Sans doute.

— Ta compagne. Anneka. Elle sait, pour moi ? Tu lui en as parlé ?

— Il y a seulement deux semaines. Je lui ai montré l'article. Elle était furieuse que j'aie gardé le secret. Elle m'a dit qu'il fallait que je rentre ; que je t'avais emprisonnée, et que je devais te délivrer.

— Eh bien… elle a raison.

Il se leva.

— Je crois que je devrais y aller.

— Où habites-tu ?

— Dans un hôtel à Bayswater.

— Et tes affaires ? J'ai presque tout gardé… malgré ce que laissait entendre l'article. Tout est dans la chambre d'amis. Tes vêtements…

— Ils ne m'iraient plus, maintenant.

— C'est vrai. Tu es tellement mince, à présent.

— Ce n'est pas plus mal… C'est la vie au grand air.

— Et tes livres ? Tes photos ?

— On n'aurait pas assez de place. Fais-en ce que tu veux.

— Je les donnerai à Oxfam. Non. Maintenant, il y a un dépôt SudanEase. J'y porterai tes affaires.

— J'aimerais prendre les photos de mes parents.

— Bien sûr. Je vais te les chercher.

Je passai dans la chambre d'amis et en revins avec un sac. Il le prit.

— Merci.

Je lui tendis une feuille.

— Peux-tu inscrire ton adresse pour les papiers du divorce ? Cela ne devrait prendre que deux mois.

Il tira un stylo de sa poche.

— Niklaus Gering ? dis-je en lisant ce qu'il avait noté.

— C'est comme ça que je m'appelle, maintenant. C'est la traduction de mon nom en néerlandais. Personne, là-bas, ne sait qui est Nick Little.

— Et toi, tu sais ?

— Maintenant, oui.

— Tu recevras la moitié du prix de l'appartement, dis-je tandis qu'il passait son blouson. Je le mettrai en vente dès demain.

— Ce n'est pas pour cette raison que je suis revenu, Laura.

— Je sais.

— Tu n'es pas obligée de le vendre. Reste, si tu veux.

— Non. Merci, mais non, je ne veux pas. Il est gâché. De toute façon, tu auras besoin de l'argent. Tu as un enfant.

— Où habiteras-tu, Laura ?

— Je ne sais pas vraiment. Je crois que je vais louer quelque chose, pour un temps. Alors…

Il reprit son cabas.

— Eh bien… que dire ? Merci d'être passé.

Nous sortîmes dans le hall.

— Au fait, c'est notre anniversaire de mariage.

Il cligna des yeux.

— En effet. Désolé. J'avais oublié.

— Ne t'en fais pas, dis-je. Peu importe.

Il tendit le bras vers la porte.

— Ne pense pas trop de mal de moi, Laura.

Je ne répondis rien.

— Peut-être que nous resterons en contact. Qui sait ?

Il m'adressa un petit sourire triste.

— Non, Nick. Je ne crois pas.

Épilogue

Six mois plus tard

C'est le dernier vendredi d'octobre. Tom et moi sommes assis dans la cuisine de la maison de Moorhouse Road. Le soleil de fin d'après-midi se déverse par la porte entrouverte. Felicity et Hugh font leurs bagages pour partir en week-end, comme souvent ces derniers temps. Nous allons garder Olivia – sur place – comme nous l'avons déjà fait à deux reprises, avec un grand plaisir. Sur le moniteur bébé – qui reste toujours allumé – nous entendons Fliss s'agiter dans la chambre, ouvrir des armoires et des tiroirs tandis qu'Olivia lance des tyroliennes indignées depuis son couffin.

— Tout va bien, ma petite chérie. Maman arrive. Ah ! tu es là, Hugh ? – prends mon sac de voyage sur l'étagère de la penderie, veux-tu ?... Que penses-tu de cette petite robe ? Je l'ai achetée hier chez Agnès b.

— Hum. Délicieuse. Délicieuse, surtout depuis que tu as perdu ces vingt-cinq derniers kilos.

Nous entendîmes des bruits de baisers, le rire aigu de Felicity et les glapissements d'Olivia.

— Tout va bien, mon cœur, dit Fliss. Tout va bien, maman et papa s'amusent, c'est tout.

— Tu étais vraiment un peu dodue, Fliss.

— Je sais. Et regarde-moi, maintenant !

— Une petite maman à manger tout rond… Mmmmmmm.

Encore des couinements.

— Tu devrais draguer mes copines plus souvent, Hugh, suggère Fliss. Rien ne vaut ce genre de d'épreuve pour faire décoller les kilos.

— Mais je ne veux pas draguer tes copines, objecte Hugh. Je veux te draguer, toi… Mmmmmmmm. J'espère qu'on aura un lit à baldaquin à Chewton Glen.

— Mieux vaut qu'elle reste mince désormais, précisé-je à Tom. Elle sait que Hugh n'est pas insensible à la tentation. C'est ce qui pouvait lui arriver de mieux.

— Je suis tellement mince, déclare fièrement Felicity, que je pourrais rentrer dans les anciennes fringues de Hope.

— Je ne sais pas, ma chérie, mais en tout cas, elle pourrait porter les tiennes.

— C'est vrai. Elle est énorme. On dirait qu'elle va avoir des quadruplés !

D'abord énervée que Hope tombe enceinte du premier coup, Felicity s'est calmée en constatant qu'à cinq mois de grossesse Hope est déjà énorme, avec un visage comme un melon et des pieds comme des ballons de foot. D'après Felicity, ce n'est finalement que justice.

— J'ai toujours été persuadée qu'elle changerait d'avis là-dessus, opine-t-elle. C'est gentil à Mike de s'être laissé persuader… Il n'avait pas l'air d'y tenir vraiment. Il ne passait jamais nous voir, il ne manifestait aucun intérêt pour Olivia. Je trouvais ça franchement assez blessant. Certains hommes n'éprouvent rien pour les bébés, pas vrai ? Ils ne savent pas ce qu'ils ratent.

J'adresse un sourire à Tom. Il connaît désormais toute l'histoire.

— Mais quel type formidable, déclare Hugh tandis que je feuillette un exemplaire du magazine *Maman et bébé*.

En page cinq, je tombe sur une pub pour le Baby Bouncer Tiddli-Toes.

— … Enfin, non seulement il accepte de s'inscrire au programme de soins spéciaux des bébés avec Hope…

— C'est ça qui l'a décidée, coupe Fliss. Ça lui a donné envie d'en faire un.

— … mais en plus, il est prêt à prendre un congé sans solde de trois ans pour s'occuper du gamin, au cas où elle ne serait pas emballée par son rôle de mère.

— En tout cas, pour moi, le congé maternité, c'est fini, dit Fliss. Je suis dans tous mes états.

— C'est ironique, vraiment, parce que maintenant, on aurait les moyens de se passer de ton salaire.

— Je sais. C'est drôle, non ?

Felicity éclate de rire.

Je contemple une photo de Hugh, accompagnée d'un article de deux pages sur la RotoBavette qu'il a inventée, développée et vendue, sous licence, à Mothercare, Asda, JoJo Maman Bébé et Little Urchin, ainsi qu'à l'énorme chaîne Babies'R'Us, aux États-Unis, où elle marche du feu de Dieu. L'article souligne en passant que l'associée de Hugh, Chantal Vane, vient d'être nommée vice-présidente de Babies'R'Us et va s'installer aux États-Unis.

— Comme c'est romantique, dis-je à Tom. Réunis par du vomi de bébé.

L'article explique que Hugh développe actuellement une ligne d'articles pour bébés, y compris une gamme de couches-culottes à enrobage extérieur en Gore Tex et à doublure qu'on peut jeter dans les toilettes, appelée Top Bots.

— Je suis dans tous mes états, répète Felicity. Mais ravie.

— Ce boulot te va comme un gant, dit Hugh.

En plus de travailler au développement des produits et aux relations publiques de Hugh, Fliss enseigne au National Childbirth Trust[1], où elle peut donner libre cours à ses radotages sur les bébés pendant des heures entières... devant un public enthousiaste, cette fois. Elle travaille aussi sur un pilote d'émission de puériculture, *Parlons bébés*, que Trident aimerait produire et dont elle serait la présentatrice. Tom affirme qu'elle a de la présence à l'écran – comme je l'ai toujours cru. Ce sera le premier programme du genre sur chaîne hertzienne.

— Okay, Hugh, roucoule-t-elle. Je suis prête. Je vais changer la petite...

— Je ne veux pas que tu la changes, réplique-t-il. Elle est très bien comme ça.

— Allez, mon petit cœur adoré.

On entend les gargouillements de protestations d'Olivia, trimbalée vers la table à langer.

— Ne te tortille pas, ma fille. Ces couches-culottes sont vraiment bien, Hugh.

1. Organisation britannique d'information sur la grossesse, l'allaitement maternel, le soin des jeunes enfants... *(N.d.T.)*

Ils utilisent les prototypes de Top Bots.

— Tu es tellement futé, mon chéri ! Tu as des idées formidables.

Silence.

— Je t'aime tellement, murmure Hugh.

— Et moi aussi, je t'aime tellement, répond Felicity.

— On t'aime tous les deux, chérie, déclarent-ils à l'unisson.

— Alatadobéligoyagoyagoya, réplique Olivia.

Cinq minutes plus tard, ils descendent tous les trois. Fliss et Hugh débouchent une bouteille de champagne. Nous en buvons une coupe chacun, sauf Hugh, qui conduit, tout en leur montrant le plan de l'appartement que nous avons acheté sur Stanley Square, à moins d'un kilomètre d'ici. Le prix nous a d'abord estomaqués – mais Tom perçoit d'énormes royalties pour le quiz, surtout des États-Unis.

— Ça a l'air merveilleux ! dit Fliss. Trois chambres, dont une avec salle de bains attenante… et l'accès aux jardins de Stanley Square.

— Je sais, réponds-je gaiement.

— Il y a un joli petit terrain de jeux, là, ajoute-t-elle. Avec des balançoires, un carré de sable et un petit manège.

— D'ailleurs, c'est ça qui nous a convaincus, dit Tom. On pense que ce pourrait être… utile.

Nous leur montrons rapidement les images de notre voyage au Canada, il y a dix jours. Des photos de Montréal, des parents de Tom devant leur maison de Westmount, de Christina et moi aux Jardins botaniques, de Tom et moi sur le mont Royal en train d'admirer le panorama de la ville, puis de notre séjour au lac Memphrémagog, à deux heures de Montréal en voiture.

— Comme c'est magnifique ! s'exclame Fliss. La couleur des arbres…

— C'est merveilleux. C'est à une trentaine de kilomètres de l'État du Vermont. Les parents de Tom ont un chalet là-bas. Ils y vont depuis des années.

— Tu as vu beaucoup d'animaux ? demande Fliss. J'imagine qu'il y a des ours ?

— Oui. Et des chevreuils, répond Tom.

— Et des aigles, ajouté-je. On a vu un très bon aigle.

— Un « bon » aigle ? fait Hugh en fronçant les sourcils.

— Oui, excellent. On le distinguait très nettement. J'ai aussi vu une autruche.

— Une autruche ? s'étonne Fliss.

— Les autruches sont plus difficiles à voir, explique Tom. Mais ce n'est pas impossible.

— Il y avait aussi quelques éléphants, précisé-je.

— Des éléphants indiens, ajoute Tom.

Fliss lève les yeux au ciel.

— Reprenez un peu de champagne, vous deux. Il faut qu'on file si on veut arriver avant dîner. Au revoir, mon bébé d'amour.

Elle embrasse les joues d'Olivia avec des bruits mouillés, tandis que Hugh caresse la tête de sa fille. Le visage d'Olivia se chiffonne et vire au carmin quand elle comprend que ses parents s'en vont, des larmes jaillissent de ses yeux plissés. Je l'emporte au salon pour la distraire avec la télé.

— Qu'est-ce qu'on regarde ? dit Tom tandis que je fais sauter Olivia sur mes genoux.

Elle a arrêté de pleurer. Il fouille dans une pile de vidéos et de DVD.

— *Le Monde merveilleux des Fimbles* ?

— Non, on l'a vu l'autre fois.

— *Le Flimby Frissoni ?*

— Hum… j'aime bien.

— *Les Étoiles scintillantes ?*

— Pas mal… J'aime bien la chanson des flocons de neige que chante Florrie, tu sais ?

— Oui. Mais si on regardait plutôt celle-ci… *Get the Fimbling Feeling.*

— Parfait.

J'éprouve moi-même un feeling « fimbling », blottie contre Tom, avec un bébé ensommeillé et heureux, et les Fimbles, et nous deux, et une coupe de champagne, et un vendredi soir à la fin d'une semaine agréablement occupée. Le DVD s'achève, c'est l'heure de coucher Olivia. Je la borde tandis que Tom remonte son lapin musical pour lui jouer une berceuse. Elle s'endort en quelques secondes en serrant son ours en peluche. Tom et moi descendons. Nous entendons ses soupirs et ses petits grognements sur le moniteur bébé. Je sors notre dîner du réfrigérateur. Et je songe que je suis heureuse. Heureuse à nouveau car j'ai enfin surmonté le traumatisme de la disparition et du retour de Nick.

Je verse une autre coupe de champagne à Tom. Il est assis à la table de la cuisine et regarde les photos.

— C'était un voyage merveilleux, non ?

— Oui.

— Tu sais, quand on est allés regarder le coucher de soleil sur le mont Owl's Head, j'avais vraiment envie de te poser une question.

— Moui ?

— Mais je n'y suis pas arrivée… Le lendemain, quand on a escaladé le mont de l'Ours, avec ce paysage fabuleux à nos pieds, le lac et les collines rouges

et or… J'ai encore eu envie de te la poser, la question.
Mais je ne l'ai toujours pas fait. Donc, je pense que je
vais te la poser maintenant. C'est l'une de mes questions très sérieuses. D'ailleurs…

Il se lève.

— … elle est tellement sérieuse qu'il vaut mieux
que je la chuchote.

Il s'avance vers moi, glisse le bras autour de ma
taille, se penche et me la souffle à l'oreille. Une vague
de chaleur se répand dans mon corps.

— En effet, c'est une question très sérieuse, dis-je.

Il me regarde l'air plein d'espoir.

— Et… ?

Je souris.

— La réponse est oui.

Remerciements

Je suis redevable aux nombreuses personnes qui m'ont aidée à préparer cet ouvrage et à me documenter. Sur l'univers des quiz télévisés, je remercie l'équipe de *Fifteen to One* qui m'ont généreusement accordé leur temps – William G. Stewart, Janet Mullins, Chris Shoebridge, Angus McDonald, Elizabeth Salmon, Tim Eaton, Sian Roberts et Brend Haugh. Le site Web Quizzing.co.uk m'a également été très utile. J'aimerais aussi remercier Janet Newman, Mary Asprey et Sophie Woodforde de la National Missing Persons' Helpline.

Pour ses renseignements sur le milieu des sociétés de productions audiovisuelles indépendantes, je voudrais remercier Richard Bradley de Lion TV. Je suis également très reconnaissante à Angus Broadbent de la Broadbent Gallery, à Zsusanna Szekeres de m'avoir éclairée sur la Hongrie, à Glenn Livingston de « Pigmy Goat Secrets » et à Jane Kerr du *Daily Mirror*. Ma gratitude va aussi aux femmes du site Web SecondWives. com qui ont partagé avec moi leurs histoires mais préfèrent conserver l'anonymat, à Tom Maxey de Groom Bros., Spalding pour ses renseignements sur la floriculture, et à Suzanne Noot de l'hôpital St. Thomas. Tim Bamford, chez Withers, m'a fort aimablement renseignée au sujet des brevets d'invention, Jackie Freeman de W.W. Thompson m'a conseillée sur la question des applications de brevets et Sarah Anticoni, chez Charles Russell, m'a fourni des informations sur les divers aspects d'un divorce. Je suis aussi redevable à Kate Williams, Roz Hanna, Eliana Haworth et Louise Clairmonte qui m'ont procuré des contacts utiles et m'ont soutenue au cours de mon enquête.

Comme toujours, j'aimerais remercier mes agents, Clare Conville, Sam North ainsi que tous les collaborateurs de Conville and Walsh. J'ai énormément apprécié les merveilleux conseils éditoriaux de Maxine Hitchcock chez HarperCollins, ainsi que ceux de Rachel Hore et Jennifer Parr. Je suis également extrêmement reconnaissante, comme toujours, à tout le personnel de HarperCollins – en particulier Lynne Drew, Amanda Ridout, Fiona McIntosh, Ingrid Gegner, Martin Palmer et John Bond. J'aimerais tout spécialement remercier Greg pour son soutien au cours de la rédaction de cet ouvrage, et pour sa tolérance au cours des longues heures de rédaction. Enfin, j'ai la chance de vivre moi-même dans une famille « recomposée » très heureuse, et c'est aux trois enfants, qui rendent cette vie si satisfaisante et drôle, que je dédie ce livre, avec beaucoup d'amour.

Apprendre à dire non !

(Pocket n° 11090)

Minty Malone se marie. Folle de joie, entourée de sa famille, de ses amis et de ses collègues de London FM, elle exulte en arrivant devant l'autel avec son fiancé Dominic. Mais devant les 280 invités, à la question rituelle, Dominic lâche un « non » sonore, prétendant ne pas vouloir s'engager pour la vie entière. Minty Malone s'écroule. Effondrée, elle décide de faire le point sur sa vie, de cesser enfin d'être la trop gentille Minty qui dit toujours oui à tous.

Il y a toujours un Pocket à découvrir

Jeune femme cherche mari parfait

(Pocket n° 10834)

Nom : Tiffany Trott
Âge : 37 ans
Situation : célibataire
Profession : rédactrice
dans la pub
Qualités : séduisante,
pétillante, furieusement
tendance
Défauts : aucun... ou
presque !
Bilan affectif :
désastreux
*Motivation pour trouver
l'âme sœur* : totale...

Il y a toujours un Pocket à découvrir

Zone de turbulences

(Pocket n° 11627)

Janvier. Pas de doute possible pour Faith : un homme aussi parfait que son mari Peter a forcément quelque chose à se faire pardonner.
Février. Faith engage un détective privé pour découvrir l'identité de la maîtresse de Peter.
Mars. Peter, exaspéré par les soupçons de sa femme, cède à la tentation, tandis que Faith gagne un bon pour un divorce gratuit dans un jeu-concours.
Et l'année ne fait que commencer…

Il y a toujours un Pocket à découvrir

Composé par Nord Compo
à Villeneuve-d'Ascq

Impression réalisée sur Presse Offset par

C P I
Brodard & Taupin

45692 – La Flèche (Sarthe), le 21-02-2008
Dépôt légal : février 2008

POCKET – 12, avenue d'Italie - 75627 Paris cedex 13

Imprimé en France